Лори Макбейн

Найди меня, любимый

РОМАН

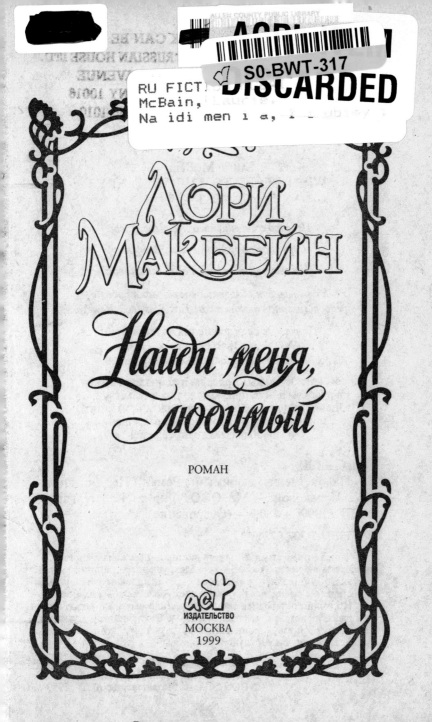

ac†
ИЗДАТЕЛЬСТВО
МОСКВА
1999

ББК 84 (7США)
М15

Серия основана в 1996 году

Laurie McBain
WILD BELLS TO THE WILD SKY
1983

Перевод с английского Я.Е. Царьковой

Серийное оформление Е.Н. Волченко

Компьютерный дизайн Н.В. Пашковой

*В оформлении обложки использована работа,
предоставленная агентством Fort Ross Inc., New York.*

Печатается с разрешения издательства
AVON BOOKS, New York, USA,
c/o Andrew Nurnberg Associates Limited.

Исключительные права на публикацию книги
на русском языке принадлежат издательству АСТ.
Любое использование материала данной книги,
полностью или частично, без разрешения
правообладателя запрещается.

Макбейн Л.
М15   Найди меня, любимый: Роман / Пер. с англ.
Я.Е. Царьковой. – М.: ООО "Фирма "Издательство
АСТ", 1999. – 480 с. – (Очарование).

ISBN 5-237-02742-3

Юная прелестная Лили Кристиан пережила многое – путешествие через океан, кораблекрушение, домогательства жестокого негодяя, странствия с цыганским табором... Приключение сменялось приключением, опасность — опасностью.

Но, точно путеводная звезда, вела Лили через все испытания страстная, неистовая, пылкая любовь к бесстрашному капитану Валентину Уайтлоу, единственному мужчине, которому она поклялась принадлежать душой и телом...

Прелюдия

Ее любить, ее бояться будут!
Друзья ей вознесут благословенья,
Враги же, как побитые колосья,
Дрожа, поникнут в горе головой.
С ней расцветет добро, и будет каждый
В тени своих садов и без боязни
Вкушать плоды того, что он посеял,
И петь своим соседям гимны мира...

Уильям Шекспир*

— Королева умерла. Господь, храни королеву Елизавету Английскую!

Эти слова, произнесенные ноябрьским утром 1558 года, ознаменовали восшествие на престол Елизаветы Тюдор, дочери Генриха VIII и Анны Болейн. Король Генрих VIII развелся с Екатериной Арагонской и женился на Анне Болейн, чем вызвал неудовольствие папского двора. Елизавета, принцесса-протестантка, вступила на престол после смерти своей сводной сестры Марии Тюдор Католички. Она приняла правление страной, которой еще только предстояло стать

---

* Пер. Б. Томашевского.

великой морской державой, страной, которая позднее, расправив плечи, превратилась в величайшую и могущественную мировую империю.

Молодой королеве досталось государство с опустошенной казной, с разваливающейся экономикой. Страну лихорадило: крестьян сгоняли с земель, и они поднимали восстания, шла постоянная борьба между католиками и протестантами. Не давали покоя и внешние враги — протестантское государство оказалось островом в мире католицизма. Франция и Испания считали Англию пристанищем вероотступников, гнездом ереси, разорить которое было бы делом богоугодным. С тех пор как король Генрих VIII объявил о своем отказе подчиняться папе и порвал все связи с Римской католической церковью, Англия стала символом великой Реформации. Мятежный дух витал над Европой, и в глазах папства и тех, кого устраивал прежний порядок, непокорный остров представлялся угрозой существованию христианства и христианской морали.

Король Филипп II Испанский, фанатичный католик и противник Реформации, управлял государством, которое не только главенствовало на континенте, но и завоевало Новый Свет. Из колоний в Америке и Индии в Испанию вывозились несметные богатства. На рубеже XV—XVI веков папа римский Александр VI установил демаркационную линию, проходящую по морям и землям новых западных территорий, закрывающую доступ всем странам, кроме Испании и Португалии, к Новому Свету. Таким образом, только эти две страны могли открыто перевозить несчетные сокровища Нового Света. Испанские эскадры бороздили моря и наводили ужас на флотилии других государств.

Во Франции, отделенной от острова всего лишь узким каналом, жила Мария Стюарт — дочь Марии де Гиз, французской принцессы, и Якова V, короля Шотландии, правнучка короля Генриха VII. Ее брак с будущим королем Испании Филиппом II создал смертельную угрозу самому существованию Англии и ее королевы. Этот союз объединил двух давних католических врагов протестантской Англии. К тому же Мария Стюарт претендовала на английскую корону. Согласно католическим законам, развод Генриха VIII с Екатериной Арагонской не был признан папством. Поэтому Елизавета Тюдор считалась незаконнорожденной и не имела права на престол.

Мария Стюарт понимала, что нелегко будет одолеть двоюродную сестру, еретичку англичанку. Да и Шотландией управлять будет нелегко. Реформация, которая пока пустила корни лишь на континенте и в Англии, грозила прорасти и на шотландской почве. Приходские священники стали сомневаться в истинной вере. Шотландские дворяне поддерживали Реформацию: часть отобранных у церкви земель должна была перейти к ним. Они стремились укрепить свою власть за счет ослабления церкви. Королеве-католичке трудно было управлять страной неверных подданных.

В 1560 году Марии Стюарт выпало принять очередной удар судьбы — она потеряла права на французский трон. Летом 1561 года она вернулась в Шотландию. Положившись на двуличных политиков, сеявших распри и раздоры, прислушиваясь больше к велению сердца, чем к доводам рассудка, королева Мария Стюарт тем не менее сумела продержаться на троне до 1567 года. Восстание шотландской кальвинистской знати вынудило ее отречься от престола и бежать в Англию.

Елизавете предстояло сделать трудный выбор. Она глубоко верила в богоизбранность носителей королевской власти и твердо была убеждена, что трон должен передаваться по наследству. Никогда по своей воле она не запятнала бы себя причастностью к смерти Марии Стюарт. Однако политика есть политика. Англии требовались союзники на не-охраняемых северных рубежах, и королева тайно поддержи-вала шотландских кальвинистов. Мария Стюарт отреклась в пользу своего сына Якова VI, которого протестанты поддер-живали. Англия могла больше не опасаться вторжения со стороны своего северного соседа. Елизавета заключила Ма-рию Стюарт в тюрьму, чтобы та не могла плести против нее интриги.

У Елизаветы Тюдор не было наследников, поэтому като-личка Мария Стюарт получила бы корону в случае смерти королевы Англии. Елизавета прекрасно понимала, что в любой момент ее могут свергнуть с престола и посадить на трон Марию Стюарт. Тогда будет восстановлена прежняя вера и к власти придут католики. Кровавый переворот мог дорого стоить Англии.

В годы своего правления Елизавета как могла удержи-вала мир с соседями и укрепляла армию, а в особенности флот, мечтала сделать его таким, чтобы он превосходил флот ее могущественных врагов. Королева английская оказалась весьма искусной в дипломатической игре. Нужно было во что бы то ни стало сохранить мир. Если начнется война, ее стране грозит нечто страшнее, чем крах экономики и раз-грабление королевской казны. Придется повышать налоги, а это грозит мятежом в стране. Война с католическими дер-жавами закончилась бы крахом протестантской Англии.

Но войны все равно было не избежать. Тогда Елизавета стала помогать союзникам, ведущим битву на континенте. Она отправила в Нидерланды армию и деньги, чтобы под-держать их в борьбе против Франции и Испании. Королева Англии понимала, что в борьбе против Испании Нидерлан-ды обречены и она рискует оказаться в весьма трудном по-ложении, если обнаглевшие испанцы решат объявить войну ее стране.

Елизавета I решила до конца отстаивать свое право на престол, защищать своих подданных от испанской армии и святой римско-католической церкви. Никогда Филипп II не превратит Англию в часть своей разросшейся империи. Несмотря на все более усугублявшуюся напряженность в международных отношениях, Елизавета продолжала выказывать дружелюбие испанской короне. Однако она понимала, что война — лишь вопрос времени. Религиозный фанатизм Филиппа, его уверенность, что завоевание Нового Света благословлено Господом, прямой дорогой вели к вооруженной борьбе с Англией.

Стремление Испании к мировому господству подкреплялось ее неоспоримым превосходством в Новом Свете. Религиозные и гражданские войны, потрясавшие Западную Европу на протяжении всего XVI века, истощали испанскую казну, из которой черпались средства, чтобы нанимать армии, подавлять мятежи и восстанавливать истинную веру.

Серебро, золотые слитки, маски, украшенные изумрудами и жемчугом, привозили конкистадоры из Нового Света. Трюмы их кораблей были забиты сокровищами, награбленными в диких краях. Испания вновь поднялась на вершину могущества. Богатства текли в страну из Новой Испании, территории, простиравшейся с юга на север от острова Тринидад и устья реки Ориноко до Кубы и Флоридского пролива и с запада на восток — от Центральной Америки и Мексики до Багамских островов.

Естественно, Испания не могла спокойно распоряжаться на такой территории. Французские, голландские и английские пираты грабили испанские корабли, отбившиеся от сопровождения, по дороге в Севилью, однако лишь немногие отваживались заниматься грабежом вблизи испанских владений в Новом Свете.

Время шло. Все больше храбрецов устремлялось в Новый Свет, чтобы добыть себе кусочек испанского пирога. По морям в районе Центральной Америки плавали пиратские суда. Авантюристы, искатели приключений и владельцы кораблей, надеявшиеся разбогатеть на торговле с Новым Светом, бросили вызов всемогущей Испании и Филиппу II.

Елизавета втайне поддерживала промысел своих храбрецов. Но эти люди никогда не предавали ее. И мало кто знал о поддержке королевы, во имя которой англичане пускались в опасные путешествия за золотом и серебром и чьи труды приносили богатства казне и честь Англии. Каждый капитан и команда, отправлявшиеся в опасное плавание, знали, что им желает доброго пути и за них молится сама Елизавета Английская. Белый флаг с красным Георгиевским крестом гордо реял на грот-мачтах. Отважные англичане, получив доброе напутствие королевы, держали курс в самое сердце западных испанских владений.

ЧАСТЬ ПЕРВАЯ

ПУТЕШЕСТВИЕ

Глава 1

Воспользоваться мы должны теченьем,
Иль потеряем груз.

*Уильям Шекспир**

Январь 1571 года
Вест-Индия, пятнадцать лиг к северо-востоку от
Наветренного пролива

«Арион» отправился в плавание из Плимута. Переплыв Ла-Манш, он вышел в бурные воды Атлантики. Недели через две показались Канарские острова. Там были пополнены запасы провианта и свежей воды. Судно, подгоняемое норд-остом, летело на юго-запад на всех парусах.

Капитаном корабля был англичанин Джеффри Кристиан, любимец королевы, отважный моряк. Вместе с ним плыли его жена и дочь. Донья Магдалена Аурелия Росальба де Кабрион Монтере встретилась со своим мужем семь лет назад. Корабль дона Монтере, на борту которого находилась его семья, направлялся в Мадрид с Эспаньолы**.

---

* Пер. М. Зенкевича.
** Эспаньола — старое название острова Гаити. — *Здесь и далее примеч. пер.*

В Испании семья собиралась отпраздновать день рождения первого внука Монтере. Его старшая дочь Катарина была замужем уже пять лет. Она подарила жизнь трем красавицам дочкам, но мальчик родился только сейчас. Больше всех радовался отец, дон Педро Энрико де Вилласандро: теперь славное имя его найдет продолжение в потомстве. Все семейство радовалось, что на свет появился мужчина, который пойдет по стопам своих предков.

Дон Педро был представителем древнего аристократического андалузского рода. Его принимали при испанском дворе. Немногие могли бы похвастать благоволением сильных мира сего, однако обратная сторона медали — у дона Педро было много врагов. Дон Родриго понимал, какая честь оказана его семье: дон Педро де Вилласандро выбрал именно его дочь, хоть и знатную, но никогда не бывавшую в столице. Дон Педро был очень богат: он владел поместьями не только в самой Испании, но, как королевский гранд, на Эспаньоле и Кубе. На собственном судне он бороздил моря Новой Испании*.

У Магдалены тоже был жених — дон Игнасио де Вилласандро, но он годился ей в отцы. Однако дон Родриго считал, что возраст не имеет значения, когда речь идет о мужчине с немалым состоянием и высоким положением в обществе. Магдалена же думала иначе. Ей совсем не нравился дон Игнасио, и девушка не ждала ничего хорошего от этого путешествия.

Семья Монтере отправилась в Испанию на борту галиона дона Педро со звучным именем — «Прекрасная Мария». Дон Педро вез гостей в Севилью, где их ждала Катарина с малышом, а потом обещал доставить их в Кор-

---

* Новая Испания — территории в районе Карибского моря, захваченные испанцами к 1510—1540 гг.

дову*. Там поджидал Магдалену дон Игнасио. Выйдя из порта Санто-Доминго, «Прекрасная Мария» присоединилась к флотилии, которая везла сокровища из Гаваны. Так было безопаснее: в водах Флоридского пролива курсировало много пиратских кораблей. Гольфстрим понес их на север, к Бермудским островам. Потом «Прекрасная Мария» поймала западный ветер и свернула на восток, к Испании. Утром третьего дня пути налетел шквал. Галион сбился с курса и отстал от флотилии. В этот момент на горизонте появился небольшой корабль. На мачте его развевался белый флаг с красным Георгиевским крестом. Суденышко быстро приближалось к тяжелому галиону.

Дон Педро был удивлен: англичанин, видимо, сошел с ума. Неужели он думает, что его корыто справится с такой громадиной, как «Прекрасная Мария»? После первого же залпа от английской посудины останутся одни щепки! Дон Педро поднялся на капитанский мостик и приказал свистать всех наверх. Команда приготовилась брать вражеский корабль на абордаж. Надо показать этому наглому английскому капитанишке, кто такой Педро Энрико де Вилласандро, и проучить выскочку. Чтобы неповадно было другим совать нос в испанские владения. Испанец знал, что победит. И он еще больше удивился, когда загрохотали пушки английского корабля, а вслед за этим раздался треск, верхушка грот-мачты и бизань-мачта с такелажем полетели в море.

«Корыто» каким-то чудом мгновенно успело оказаться вне досягаемости корабельных орудий «Прекрасной Марии», а затем (дон Педро готов был поклясться, что тут не обошлось без колдовства) очутилось с подветренной стороны

---

* Кордова — крупный город на юге Испании в Метрополии. Именно о нем идет речь. То же название — Кордова — имеет столица испанской провинции в Южной Америке (современная территория Аргентины).

тяжелого и неповоротливого испанского галиона и ударило из дальнобойной пушки в борт испанского корабля. Потом все было как в дурном сне: ядра полетели на палубу испанцев. Галион угрожающе накренился, корма была разбита, мачты обломились. «Прекрасной Марии» ничего не оставалось, кроме как сдаться англичанам.

Дон Педро Энрико де Вилласандро никак не мог прийти в себя от случившегося. Капитан английского судна Джеффри Кристиан предложил испуганным пассажирам перейти на борт «Ариона». Весело, словно ничего не произошло, он сообщил плененным испанцам, что «старушка Мэри» пойдет ко дну раньше, чем подоспеют испанские корабли сопровождения. Он сказал также, что считает себя ответственным за безопасность пассажиров разбитого им корабля. Беспечным тоном англичанин обратился к Монтере: на борту «Ариона» им опасаться нечего. Кораблик хоть и неказистый, зато прекрасно держится на плаву, а вот галиону осталось жить считанные минуты. Испанцы вправе сами выбирать, что им делать: отправиться в Англию с пиратами-англичанами либо на дно — кормить рыб. Если они выберут первое, то смогут уплыть в Испанию на любом из курсирующих между двумя странами кораблей.

Вскоре трюмы «Прекрасной Марии» опустели. Их содержимое перекочевало в трюмы английского суденышка. Дон Педро рвал и метал. В ответ на гневные проклятия и призывы небес покарать негодяя весельчак капитан только улыбался. Дон Педро остался с командой дожидаться конвоя, а Джеффри Кристиан на своем «Арионе» уплыл восвояси. Гордый испанец скрежетал зубами от унижения и обиды, но сделать ничего не мог.

Джеффри Кристиан тут же забыл о капитане «Прекрасной Марии». Самая очаровательная девушка находилась на борту пиратского судна. Донья Магдалена. Красавица. Кожа цвета слоновой кости. Глаза цвета бронзы. Волосы — темно-красное венецианское золото. Сердце англичанина пронзила стрела Амура. Душа у испанки была прекрасна, как и ее внешность. Никто не осмеливался сказать донье Магдалене ни единого грубого слова. Казалось, от пошлости этот южный цветок мгновенно завянет. Донью Магдалену и ее мать донью Ампаро проводили в отдельную каюту. Магдалена чувствовала себя на борту английского судна как дома. Девушка получила отсрочку: не придется встречаться со стариком Игнасио. За это она готова была расцеловать всю команду.

Вскоре члены команды полюбили улыбчивую молодую сеньориту. Красавица порхала по палубе, словно бабочка, и сумела найти общий язык со всеми. А уже через несколько дней плавания она так здорово передразнивала капитана, отдающего команды, что матросы падали со смеху.

Джеффри Кристиан делал вид, что не замечает шпилек красавицы испанки. Он знал: донье от него никуда не деться — рано или поздно она станет его возлюбленной. Очередная битва — и корабль «Сердце Кристиана» взял корабль «Сердце Магдалены» на абордаж — испанка без памяти влюбилась в капитана.

Дон Родриго побагровел от гнева, когда англичанин посмел просить у него руки дочери. Об этом не могло быть и речи.

Но дочь дона Родриго думала иначе. Никто, даже любимый папочка, не посмеет ей указывать. Она любит Джеффри Кристиана, а если папочке так нужно богатство дона Игнасио, пусть сам и выходит за него замуж. Любовь дороже золота. И донья Магдалена сбежала со своим красивым светловолосым возлюбленным. Во время скромной церемонии, совершенной монахом в присутствии нескольких друзей Джеффри Кристиана, без благословения католической церкви, которой принадлежала невеста, и против воли семьи

Магдалена произнесла перед алтарем слова клятвы человеку, которого полюбила.

Прошли годы. С рождением первого ребенка жизнь
Магдалены приобрела новый смысл. Она была по-настоящему счастлива в супружестве. Джеффри Кристиан, после
того как жена разрешилась от бремени, заявил всем, что
ребенок явился на свет смеясь, а не плача, как остальные
младенцы. Малышка — маленькое солнышко — принесла в
дом радость.

Лили Франциска унаследовала от матери темно-рыжие
венецианские волосы и веселый нрав, а от отца — светло-
зеленые глаза и любовь к приключениям. Открытое окно
манило ее, словно дверь в неведомый мир. Если приглянув-
шееся девчушке румяное яблоко висело слишком высоко,
Лили тут же лезла на дерево. Кряканье утки на противопо-
ложной стороне пруда звучало как призыв добраться туда
вплавь. Неугомонный характер Франциски доставлял немало хлопот ее няне, Мэри Лестер. Немало седых волос появилось у доброй женщины раньше времени из-за шалостей
и проказ Лили.

Через семь лет донья Магдалена получила письмо от
отца. Дон Родриго писал, что мать Магдалены при смерти.

Он больше не мог оставаться глухим к мольбам жены,
мечтавшей перед смертью в последний раз взглянуть на дочь.
Дон Родриго не был уверен, что Магдалена выполнит его
просьбу. Ведь он отказался благословить ее брак, а потом
заявил, что в его сердце нет места непокорной дочери. И
вот теперь... Только ради доньи Ампаро Монтере решил
написать дочери.

Джеффри Кристиан был тогда дома, в Хайкрос-Холл.
Он вернулся из плавания в начале лета. Не откладывая дела

в долгий ящик, Джеффри снарядил корабль и повез семью на родину жены.

Лили Кристиан задрала вверх кудрявую темно-рыжую головку и считала звезды, беззвучно шевеля губами.

— Почему нельзя пересчитать всех звезд? Звездочеты же считают. А утром... Почему звезды исчезают? Куда они деваются? Они что, падают в море?

Джеффри Кристиан улыбнулся и подхватил малютку.

— Ну что, баловница, хочешь потрогать звезды? Они скоро поблекнут, тогда нам их уже не достать.

— Да, папа! Хочу! Я хочу потрогать звезды! Только давай скорее! А то солнышко просыпается.

— Обхвати меня за шею руками и держись крепче, Лили Франциска. Мы с тобой сейчас полезем на небеса! — произнес Джеффри и чмокнул дочь в щеку. — Ну, поехали!

Сэр Бэзил Уайтлоу вышел на палубу. Это был человек недюжинного ума, тонкий дипломат, один из немногих доверенных лиц ее величества. Расправляя примявшееся кружево плоеного воротника, Бэзил Уайтлоу с тоской смотрел в небо. «Опять будет жара», — подумал он.

Вдруг он увидел на самой верхушке мачты капитана. А на спине у того, словно обезьянка, висела малышка Лили.

У сэра Бэзила закружилась голова и к горлу подступила тошнота. Страшно даже представить, что произошло бы, потеряй капитан «Ариона» равновесие. Сейчас сэр Бэзил молился лишь об одном: чтобы мать девочки поспала подольше и не стала свидетельницей такого ужасного зрелища.

— Эй, сэр Бэзил, что-то у вас угрюмый вид! Не с таким лицом встречают славный денек! — крикнул Джеффри джентльмену, с неодобрением взиравшему на него снизу. — Выше нос! Не все так плохо! Скоро вы почувствуете под ногами твердую почву, сэр Бэзил. Эспаньола от нас всего в нескольких лигах.

Если бы долгожданным берегом была благословенная Англия, может быть, сэра Бэзила и приободрили бы слова капитана, но испанский остров Эспаньола мало его радовал. Сэр Бэзил чувствовал, что его вынудили заняться делом, которое ему очень не нравилось. Он не относился к той категории людей, которых влекут приключения, и совершенно не понимал тех, кто пускается в такие путешествия по своей воле, и тем более тех, кто отправляется на поиски неизведанных земель по морям, не отмеченным ни на одной карте. Сэр Бэзил уже в который раз пообещал себе, что в будущем, какие бы пожелания ни высказывала королева, какие бы подарки ни обещала, он никогда не покинет Англию. Пусть такие, как Джеффри Кристиан и его брат Валентин, носятся по морям, раз эта работа им по душе, он же будет сидеть дома. Там тоже дел немало.

— Сэр Бэзил, вы вовремя встали. Наш кок приготовил настоящий пир для капитана и его доблестной команды! — громогласно провозгласил Джеффри Кристиан. Затем, заметив боцмана, который шел по нижней палубе, изо всей мочи заорал: — И да сжалится Господь над простофилями, которым еще только предстоит позавтракать и подняться наверх!

— А, это вы, капитан! — отозвался боцман и, не дожидаясь повторной команды, пошел разносить лентяев.

— У нас сегодня печеные яблоки и яйца с маслом, папа? — с надеждой спросила Лили.

— И не только это, моя дорогая. Еще цыплята и пирог. Может быть, нам даже удастся уговорить кока, чтобы тот выдал сэру Бэзилу херес! — И Джеффри вновь захохотал.

Сэр Бэзил кивнул в знак того, что с благодарностью принимает любезное предложение капитана. Он даже заставил себя улыбнуться. Однако улыбка получилась отнюдь не веселой. Выходки Кристиана удручали его. Сэр Бэзил Уайтлоу дружил с Джеффри и его женой уже много лет. Он был свидетелем во время венчания Кристиана и доньи Магдалены. Тогда поступок капитана «Ариона» очень удивил как его друзей, так и семью. Но теперь, получше узнав этого сумасброда, Бэзил понимал, что такая женитьба вполне соответствовала образу жизни капитана.

Всех поразило не то, что Джеффри женился на испанке, а то, что он вообще женился. Друзьям казалось: капитан так и останется холостяком до конца своих дней. Хартвел Барклай, двоюродный брат Джеффри, следующий по праву наследования Хайкрос, был недоволен таким поворотом событий. Говорили, что он даже заболел от огорчения и пролежал в постели не меньше недели. Он так и не смог простить кузену его выходку с женитьбой, тем более на католичке.

Несмотря на то что Магдалена — католичка, она была хорошо принята при дворе. Вскоре у нее появилось много друзей и поклонников. И Джеффри Кристиан как был любимчиком Елизаветы до своей женитьбы, так и остался им после брака. Магдалена нередко появлялась при дворе в сопровождении сэра Бэзила и его жены Элспет, приезжала с ними в Лондон и останавливалась у них в Кэнон-Роу, пока Джеффри был в море. Магдалена с дочерью часто гостила в загородной усадьбе Уайтлоу. Пока муж был в плавании, они жили в Уайтсвуде по месяцу и больше.

И вновь, как бывало всякий раз, стоило Бэзилу вспомнить Лондон, Вестминстер и свою королеву, тяжкий вздох вырвался из его груди. Как он мог допустить такое? Как позволил затащить себя на борт «Ариона»? После визита к королеве, после вручения ей рождественских подарков сэр Бэзил мечтал лишь об одном: поскорее приехать в Уайтсвуд, чтобы провести оставшиеся дни Рождества с женой и сыном. Ничто, казалось, не мешало его скромной мечте исполниться...

Вероятно, звезды отвернулись от сэра Бэзила в тот день. Ему выпало несчастье получить аудиенцию у королевы в тот же час, что и Джеффри Кристиану.

Прошение Джеффри разрешить ему с женой и дочерью отправиться в Вест-Индию было подвергнуто весьма тщательному рассмотрению со стороны королевы и сэра Уильяма Сесила, первого министра. Принять участие в обсуждении пригласили Фрэнсиса Уолсинхэма, английского посла во Франции. Он был лично причастен к созданию обширной шпионской сети на континенте и принимал непосредственное участие в арестах и допросах тех, кого считали замешанными в заговоре против королевы и короны. Сэр Бэзил даже не подозревал о том, что Уолсинхэм окажется в Лондоне. Не каждый человек умеет находиться одновременно в двух местах.

Бэзил думал сначала, что Уолсинхэма вызвали лишь затем, чтобы выслушать его мнение по поводу прошения Джеффри Кристиана. Посол мог ссудить капитана некоторой суммой. Уолсинхэм нередко помогал снаряжать корабли для путешествия в испанские колонии.

Предчувствие Бэзила не обмануло. Весь ужас своего положения он понял, когда Уолсинхэм заговорил о сопровождающем, которого надо отправить вместе с Джеффри Кристианом. На Бэзила, как на человека самого верного в глазах королевы, мог пасть этот «почетный» выбор. Он прекрасно понимал, что никто лучше его не смог бы разобраться в обстановке, сделать соответствующие заключения. Его отчет помог бы лучше оснащать последующие экспедиции в Новую Испанию и послужил бы интересам английской короны.

— Думаю, зять вашей жены, дон Педро Энрико де Вилласандро, зачастил из Алькасара в Мадрид, — проговорил Уолсинхэм.

Джеффри удивился: откуда посол знает о передвижениях родственников жены? — но не показал своего удивления.

— Было бы неплохо узнать, что у вашего родственника на уме. Вдруг он о чем-нибудь проговорится... Мы не должны упустить такой возможности, сведения могут оказаться полезными, — продолжал Уолсинхэм. — Сэр Бэзил, вы говорите на многих языках. Я полагаю, на испанском тоже. И вы с капитаном друзья. Да, все это очень хорошо... И донья Магдалена — любимица...

— Моя любимица, мистер Шпион. Понимаю, куда вы клоните, и не желаю больше слушать об этом. Довольно о заговорах и предательстве. Я скоро и шагу не смогу ступить в собственном дворце спокойно, — сказала Елизавета. — Я даю Джеффри разрешение на путешествие в Вест-Индию, потому что не хочу брать греха на душу. Не могу же я не пустить дочь к умирающей матери. Что там замышляете вы, меня не касается. — Тем не менее взгляд королевы говорил обратное. — Однако, если сэр Бэзил решил поехать со своим добрым другом, это весьма похвально. Он мог бы передать мои наилучшие пожелания семье доньи Магдалены. И конечно же, я с удовольствием почитаю его доклад. У него такая очаровательная манера письма.

Сэр Бэзил посерел. А Джеффри, который прекрасно умел читать между строк, хмыкнул:

— Прекрасно! Своими глазами увидишь мир, о котором тебе, приятель, до сих пор приходилось только читать! — Слова его скорее предназначались для того, чтобы позабавить ее величество, чем приободрить друга.

— Позвольте, я... — запинаясь, начал Бэзил.

Он понимал, что его ловко обвели вокруг пальца. И изменить ничего было нельзя.

— Мы не всегда можем располагать собой и своим временем, сэр Бэзил. Бог видит, как мне неприятно это говорить, но часто во имя службы отечеству нам приходится забывать о своих желаниях, — тихо и терпеливо, словно втолковывая ребенку, говорила королева.

Сэр Бэзил еще больше смешался и поспешил заверить королеву, что не собирался отказываться.

— Я буду служить вашему величеству даже у врат ада!

— Верно сказано! Именно там мы и встретимся с его преосвященством, у врат ада. Да уж, дочь дьявола...

Сэр Бэзил нашел не слишком удачные слова, чтобы засвидетельствовать свою верность короне, упомянув врата ада. От такой оплошности ему стало еще хуже.

— Ну что же, сэр, — помолчав, продолжала королева. — Вам не придется заходить так далеко ради меня, всего лишь до Вест-Индии.

Уголки губ Елизаветы дрогнули, и все присутствующие вежливо улыбнулись.

Джеффри Кристиан жалел беднягу Бэзила. А он ведь твердил, что никогда в жизни не поднимется на палубу корабля. Теперь ему предстоит плыть в Вест-Индию.

— Примите мою искреннюю благодарность, сэр Бэзил, за то, что согласились для меня сделать. Это принесет пользу Англии. — Елизавета протянула сэру Бэзилу руку для поцелуя.

Глава 2

Видно, склад душевный
Заложен свыше.

*Уильям Шекспир**

Приспустив паруса и флаги в знак почтения к испанским властям в Санто-Доминго, «Арион» зашел в порт в устье Рио-Осама. Одновременно с «Арионом» на якорь вставали с полдюжины испанских галионов. Англичане старались держаться подальше от испанских кораблей. Жизнь в порту кипела. С одних кораблей сгружали вино, маслины, растительное масло, одежду, домашнюю утварь, всевозможные необходимые в быту вещи, которых не найдешь в Новом Свете. На другие матросы затаскивали товар фермеров — сахар, полученный из сахарного тростника. Мешки с сахаром пополняли груз, бережно уложенный в трюмах: тюки с индиго, табаком, какао; сундуки с золотом и серебром, с жемчугом, добытым у берегов Венесуэлы, изумрудами; мешки со шкурами экзотических животных — с теми сокровищами, которые обогащали испанский двор. С этим грузом галионы должны были плыть в Гавану и оттуда, присоединившись

* Пер. Б. Пастернака.

к торговой флотилии из кораблей Картахены, Номбре-де-
Дьоса, Барселоны и других портов, следовать домой, в мет-
рополию.

Капитан «Ариона» наблюдал за разгрузкой. Нетрудно догадаться, какие чувства будили эти испанские галионы в голове капера. Но выражение его лица оставалось
бесстрастным. Когда вокруг одни враги, нужно уметь скрывать свои мысли.

Сейчас Джеффри Кристиан принимал у себя на борту
испанских чиновников. Они производили таможенный дос-
мотр. Среди чиновников оказался и брат дона Педро Вилласандро. Он должен был проследить за тем, чтобы к команде
«Ариона» не придирались понапрасну и не задерживали
высадку на берег.

Защищенный с моря крепкой каменной стеной, Санто-
Доминго был красивым городом с широкими улицами, на-
рядными зданиями и высокими пальмами. Внутри роскошных
особняков располагались дворики и сады. Многие здания
имели галереи с колоннами, высокие стрельчатые окна и
кованые железные ворота — следы влияния Старого Света.

Каса-дель-Монтере, дом, который Магдалена не видела
с тех пор, как покинула Испанию, казался величавым и
гордым, как, впрочем, большинство домов испанской знати
в Севилье или Мадриде. Толстые стены помогали сохранить
в доме прохладу, а сводчатые высокие потолки и узкие вы-
тянутые окна создавали спасительные сквознячки. Окна оставались открытыми круглые сутки. Их закрывали ставнями
только во время шторма.

Дон Родриго постарел. Но даже годы не смогли изменить его гордую осанку. Он встретил гостей у подножия
высокой лестницы, ведущей в Каса-дель-Монтере.

Джеффри Кристиан одной рукой прижимал к себе дочь,
с любопытством озиравшуюся вокруг, другой придержи-

вал шпагу у пояса. Когда старик испанец и капитан «Ариона» посмотрели друг на друга, ненависть сверкнула во взгляде отца, так и не простившего свою непослушную дочь. Джеффри Кристиан понял: дон Родриго ждал Магдалену, но без мужа.

Молодая донья робко поздоровалась с отцом. Она хотела обнять старика, но тот сделал вид, что не заметил порыва дочери, и лишь еле заметно кивнул в ответ. Упрямый испанец, видимо, не собирался никому ничего прощать.

Однако от Джеффри Кристиана не укрылось выражение лица дона Родриго в те мгновения, когда он, уверенный, что за ним никто не наблюдает, смотрел на дочь. Джеффри мог бы поклясться, что заметил на лице старика улыбку, когда Лили, подойдя к деду, на прекрасном испанском потребовала поцелуя от своего abuelo*. Родриго, очевидно, не ожидал такой смелости от малышки.

Но старик не пошевельнулся. Он стоял и в упор смотрел на внучку.

Магдалена затаила дыхание. Сейчас она волновалась за дочь куда сильнее, чем когда та сидела на рее.

— Разве мы представлены? — произнес наконец дон Родриго, неодобрительно взглянув на Магдалену, словно хотел напомнить дочери, что ей надо бы поучиться хорошим манерам. Как будто перед ним была все та же смешливая девочка, которую так и не научили выказывать соответствующее уважение к старшим.

Лили нахмурилась, уверенная, что замечание сделано ей. Затем кивнула:

— Хорошо, сэр. Меня зовут Лили Франциска Кристиан. Вы — дон Родриго Франциско Эстебан де Кабрион Монтере. Сейчас я знаю вас и вы меня знаете. Так вы меня поцелуете или нет?

---

* дедушка (исп.).

Дон Родриго был удивлен тем, что девочка произнесла его полное имя без запинки. Поскольку она так и стояла перед ним, смотрела ему прямо в глаза, испанцу пришлось наклониться. Он медленно, с видимым удовольствием произнес:

— Лили Франциска...

Испанское имя ласкало слух старика. Значит, его заблудшая дочь не совсем забыла о своем происхождении. Дед внимательно смотрел на внучку. «Все-таки испанского в ее внешности больше, чем английского». Малышка совершенно не знала характера человека, который стоял перед ней. За свою дерзость она могла получить пощечину. Но она глядела на дона Родриго таким невинным взглядом, что испанец растрогался.

— Mi dulce batata pequeña*, — пробормотал он, целуя ребенка в розовую и нежную, словно лепесток розы, щечку.

— Batata!** — засмеялась девочка, повторив прозвище, которым, как рассказывала ей мать, любил называть маленькую дочь дон Родриго. — Я не сладкая картошка! Меня нельзя есть!

— Разве ты не знаешь, малютка, что плохие маленькие сладкие картошки часто бывают съедены? — напомнил дон Родриго.

— Но вы же сами назвали меня вашей маленькой сладкой картошкой, — напомнила деду Лили, доверчиво протягивая ему руку. — Папа говорит, что это настоящее сокровище Нового Света и он скорее захватил бы корабль с картофелем в трюме, чем с золотом.

Дон Родриго на миг потерял дар речи от такого заявления Лили. Но, встретив беспомощный взгляд дочери, сменил гнев на милость:

---

* Моя маленькая сладкая картошечка (исп.).
** Картошка (исп.).

— Она пошла в тебя. Ты учила ее испанскому? Тебе разрешили это делать? — добавил дон Родриго, бросив недвусмысленный взгляд в сторону Джеффри Кристиана.

— Si, mi padre*.

— Вы можете считать, что я украл у вас вашу дочь, но я не мог позволить себе лишить ее родины и ее языка. Если враждуют наши страны, это не значит, что мы должны забывать своих предков. Мою дочь всегда учили не стыдиться своей испанской крови и гордиться *всеми* ее предками, — сказал Джеффри.

Только сейчас дон Родриго понял, что зять не такой отъявленный негодяй, каким он считал его.

— Padre! Mi...**

Магдалене не пришлось закончить вопрос, потому что отец и так знал, о чем не терпится узнать дочери.

— Жива, жива твоя мать. Ты приехала вовремя. Напоследок она хоть повидает тебя.

Только после этого дон Родриго удостоил вниманием еще одного англичанина, прибывшего с семьей дочери.

— Мне кажется, мы не представлены, сэр. — Дон Родриго нахмурился. Мало того, что дочь приехала с мужем, так она притащила еще какого-то англичанина. По тону, каким говорил испанец, чувствовалось, что он очень бы хотел так и остаться непредставленным.

Бэзил Уайтлоу стоял, переминаясь с ноги на ногу. Он чувствовал себя не в своей тарелке. Испанец к Джеффри отнесся настороженно. А что бы он сказал, если бы узнал, что в его дом прибыл шпион Елизаветы Английской! Тем не менее сэр Бэзил поклонился старику и протянул ему свиток, запечатанный сургучом с королевской печатью.

---

* Да, отец (*исп.*).
** Отец! Моя... (*исп.*)

Дон Родриго взял послание с некоторым недоумением. Ему не могло прийти в голову, кто же мог написать ему из Англии. Когда испанец увидел английский герб на печати, он чуть не выронил письмо, словно ему в руки сунули раскаленный уголь.

— Madre de Dios*, — пробормотал Дон Родриго, побледнев как полотно, и потянулся к накрахмаленному воротнику, ставшему вдруг тесным.

— Королева передает вам самые сердечные пожелания, дон Родриго, — проговорил Бэзил Уайтлоу и снова поклонился.

Трясущимися руками испанец сломал печать и развернул свиток.

— Ее величество поручила мне выразить вам и вашей семье ее глубочайшие симпатии и пожелания скорейшего выздоровления донье Ампаро. Для ее величества важно благополучие ее подданных, и она была расстроена, узнав о несчастье Магдалены. Примите самые искренние заверения человека, лично присутствовавшего на аудиенции Джеффри Кристиана у королевы, что она благосклонно дала ему и его семье разрешение на это путешествие.

Речь сэра Бэзила, гладкая и обкатанная, лилась свободно, как у прирожденного дипломата.

— Я прибыл, — продолжал он, — чтобы оказывать всевозможную поддержку донье Магдалене и ее семье от имени королевы Елизаветы. Я хотел бы засвидетельствовать вам мое почтение и сообщить, что вы можете располагать мной, как вам угодно. Прошу вас понять, дон Родриго, что я делаю это не только по поручению моей королевы, но и потому, что ваша дочь стала близким другом моей семьи.

— Леди Элспет, жена сэра Бэзила, моя самая близкая подруга, padre. Они помогли мне, когда со мной рядом не было друзей, — произнесла донья Магдалена.

---

* Матерь Божья (*исп.*).

Сэр Бэзил улыбнулся:

— Нам было приятно подружиться с доньей Магдаленой. Впрочем, донья Магдалена сейчас отнюдь не одинока. Она любимица ее величества. Вашей дочери, дон Родриго, выпала высокая честь принимать у себя в Хайкрос королеву. Редко мне удавалось присутствовать при столь изысканном приеме. Несколько раз мне доводилось слышать, как королева с удовольствием вспоминала оказанный ей прием. Вы можете гордиться доньей Магдаленой, дон Родриго.

Сэр Бэзил и сам был удивлен собственной смелостью. Он никогда не думал, что способен на такую длинную речь. Но надо доказать испанцу, что его дочь осчастливила не только Джеффри Кристиана, но подняла в глазах английской королевы и его самого, дона Родриго.

Испанец кивнул:

— Меньшего я не мог ожидать от моей дочери. Она из рода Монтере, сэр Бэзил. Она знает свой долг. А теперь позвольте мне выполнить свой — долг хозяина. Вы должны отдохнуть после путешествия. Анна проводит вас в отведенные вам покои.

Глава 3

Внесу я в книгу памяти моей...
Уильям Шекспир*

Дни в Санто-Доминго мало чем отличались один от другого. Магдалена не отходила от постели матери. Донья Ампаро была прикована к постели и становилась беспокойной всякий раз, как Магдалена исчезала из виду. Сейчас старушка хотела, чтобы именно дочь ухаживала за ней. Казалось, донья Ампаро знает, что дни ее сочтены, и хочет провести то драгоценное время, что ей осталось, с дочкой и внучкой.

Джеффри неожиданно объявил, что отправляется в плавание.

«Арион» взял курс на юг, вдоль берегов, принадлежащих Бразилии и Португалии... По крайней мере именно так думали испанцы. А уж какого курса придерживался «Арион» на самом деле, знали только капитан и команда.

Сэр Бэзил остался в Санто-Доминго. Он напомнил своему другу, что моряк из него неважный и больше пользы от него на берегу: он будет слушать во все уши и смотреть во все глаза. На самом деле Уайтлоу панически боялся моря и

---

* Пер. С. Бируковой.

предпочитал сражаться в шахматы с доном Родриго, чем драться с испанцами с оружием в руках.

Собственно, вначале все именно так и было. Они с доном Родриго в основном проводили время за шахматами. Потом посетили сахарную плантацию Монтере и его дом возле маленькой деревни южнее Санто-Доминго. И хотя дон Родриго не управлял плантацией сам, он провез сэра Бэзила по полям. Показал мельницу. Впервые в жизни англичанин видел, как делают сахар: срезанный тростник перемалывают и выжимают, а сладкий сок варят до образования темного сиропа, из которого впоследствии выпаривают сахар. Жара стояла такая, что у сэра Бэзила не было сил ни удивляться, ни восхищаться. Он слишком усердно утолял жажду предложенным хозяином ромом.

Дон Родриго провез гостя по Санто-Доминго. Сэр Бэзил вел себя как настоящий джентльмен. Он так внимательно и доброжелательно слушал, что владельцы магазинов и рабочие доков, моряки и богатые горожане рассказывали ему о городе и своей жизни очень охотно. Вскоре переплетенный в кожу журнал доктора Бэзила был полон заметок. На бумагу ложились строки, в которых подробнейшим образом описывались всевозможные, на первый взгляд малозначительные детали жизни города. Он описал виды укреплений, численность войск в форте, количество кораблей в порту, груз, который они привозили и увозили, точное число складов, их вид и объем товаров в каждом из них. Сэр Бэзил составил детальный план города и южных окрестностей. Имена, даты, слухи — все было занесено в журнал.

Бэзил сопоставлял факты, делал замечания, пояснения. Оказалось, что собранные по крупицам сведения дают ключ к невероятно интересным знаниям. Каждая мелочь, каждое случайно брошенное слово оказываются важными, если знаешь много других мелочей.

Уайтлоу закончил план Алькасара — резиденции вице-
короля Вест-Индии и губернаторского дворца. Со вздохом (его мучила совесть, оттого что он так коварно
воспользовался радушием благородного дона) Бэзил спрятал журнал на дно сундука, под одежду. Чем лучше про-
двигались дела по сбору сведений, тем тяжелее становилось
у него на душе. Временами у Бэзила создавалось впечатление, что он предает друга. Англичанину нравилось проводить время с хозяином Каса-дель-Монтере. Оказалось,
что у них, несмотря на различие в вероисповедании и
национальности, было много общего. Он презирал себя
за то, что вынужден шпионить и по ночам записывать в
журнал все, что рассказывал ему дон Родриго.

Однажды во время сиссты сэр Бэзил решил прогуляться, дабы развеять мрачные думы, терзавшие его. В этот
момент внизу послышался странный шум. Разве мог сэр
Бэзил предположить, что с этой минуты жизнь его сделает
весьма крутой поворот!

Дон Педро Энрико де Вилласандро, капитан «Утренней
звезды» и бывший капитан «Прекрасной Марии», отправ-
ленной на дно милостью Джеффри Кристиана, стоял посреди вестибюля.

— Да что же это такое?! — воскликнул он с нескрываемым раздражением. — Есть здесь кто-нибудь? — Но
никто не отвечал. — Madre de Dios! — проворчал он, когда
в дом вошли его жена с детьми и двое англичан.

— Педро, пожалуйста! — взмолилась Катарина. Женщина не хотела, чтобы, не успев войти в дом, Педро поссо-
рился с ее отцом.

— Ну, знаешь ли. Когда слуги бегут от хозяина, словно
мыши от кота, это уже слишком. Можно подумать, что мы —

незваные гости или, того хуже, англичане какие-нибудь! — воскликнул дон Педро.

Разумеется, он понимал, что те двое сзади его слышат, но его это нисколько не волновало.

— Мне нехорошо, мама... — захныкал маленький мальчик, повиснув на руке у Катарины. — У меня голова кружится.

— Dios mio!* Если тебя снова стошнит на мое платье, Франциско... — пробормотала измученная мать мальчика.

Неужели Педро не может сдержаться! Зная, что любое волнение, и Франциско... К тому же одна ее дочь щиплется, другая хнычет, мать больна, а отец где-то пропадает.

— А-а-а! — закричала Катарина.

Мальчик побледнел и стал оседать на пол. Дочери завизжали. А муж, резко обернувшись и выхватив шпагу, тут же ее уронил. Оружие упало, запуталось в пышных складках платья испанки.

— Что? — Катарина развернулась к мужу, тщетно пытавшемуся поймать шпагу.

Джентльмены расхохотались. Испанский капитан взъярился.

— Sangre de Dios! — выругался дон Педро. — Ты не можешь постоять спокойно, Катарина? — раздраженно спросил он жену, пытаясь найти в шелковых складках ее платья шпагу.

В тот самый момент, когда оружие наконец удалось нащупать, его жена и шпага потонули в другом море шелка.

Когда дон Педро понял наконец, кто обнимает его драгоценную супругу, он, обернувшись к джентльменам, прошипел:

— Это жена Джеффри Кристиана. Если не хотите неприятностей, идите отсюда во двор, пока вас не заметили! Быстрее!

Джентльмены сразу исчезли.

---

* Боже! (*исп.*)

— Магдалена! Mi hermana*, — плакала Катарина.

— Катарина! Как давно мы не виделись! — со слезами на глазах воскликнула Магдалена.

Катарина, плача и смеясь, держала сестру за руки и смотрела, смотрела на нее.

— Ты похорошела! Впрочем, ты всегда была красивее меня. Хорошо, что Педро первой увидел меня! И еще хорошо, что ты была тогда моложе...

Катарина прижала к себе сестру.

— Педро! — Она вдруг вспомнила о муже. — Это Магдалена, Педро! Трудно поверить, si?

— В самом деле, — сухо заметил тот, — мне странно вас видеть в доме дона Родриго. Я хорошо помню, сколько горя вы принесли ему своим предательством. Трудно поверить, что он простил вас. Или тот великолепный англичанин бросил вас ради другой? А может, вы вдова?

Магдалена гордо вскинула голову.

— Отец написал мне и попросил приехать. Это он, дон Педро, первым протянул мне руку. Mi madre очень больна. Я приехала, чтобы скрасить ей последние дни. Я также рада сообщить вам, дон Педро, что я очень счастлива. И муж мой, Джеффри Кристиан, в добром здравии. — Магдалена говорила так, словно не слова произносила, а давала пощечины.

— Жаль, — пробормотал дон Педро. — Я не видел его корабль в порту. Он не поплыл в Санто-Доминго? Может быть, ему надоели моря и корабли и он ушел на покой? Может, он превратился в одного из этих ленивых инглéс, которые только и знают, что валяться возле своего камина, и не решаются даже на два шага от дома отойти? Жаль, жаль... Я знал, что это должно было случиться. — Испанец надеялся, что Магдалена, задетая за живое, тут же выложит ему все про «Арион».

_____

* сестра моя (исп.).

— Если вы жаждете увидеть моего мужа, он скоро появится, — сказала Магдалена. Дон Педро никак не ожидал, что Джеффри посмеет появиться в этом доме. — Да, — продолжала Магдалена, — mi padre* любезно принял моего мужа как гостя.

— Ваш муж приплыл сюда вместе с вами? Он в Санто-Доминго? — с вытянувшимся лицом переспросил дон Педро.

— Нет, его сейчас нет в городе. Но мы ждем его прибытия со дня на день. Боюсь обмануть ваши ожидания, дон Педро, но «Арион» ни разу не расчехлял пушки. До сих пор никто из наших соотечественников не пострадал. Скорее наоборот, ущерб понесли члены команды корабля, если считать ущербом разбитые сердца некоторых английских моряков. Впрочем, такие потери случались и раньше, не так ли?

Дон Педро прекрасно понял намек. Воспоминания о событиях семилетней давности не давали ему покоя. Он поклялся тогда отомстить, и, может быть, скоро представится случай...

— Магдалена, por favor!** — нервно воскликнула Катарина. Она никогда не посмела бы разговаривать с Педро таким вызывающим тоном. Что нашло на ее маленькую добрую сестренку? — Магдалена, ты еще не видела Франциско. Иди сюда, мой мальчик! Подойди и поцелуй твою тетю Магдалену. — Катарина подтолкнула сына к сестре. — А что с мамой? Она еще не...

— Нет.

— Ах, тогда хорошо. А то мы не могли отплыть из Севильи раньше. Пришлось ждать каких-то иностранцев. Из-за них мы так поздно приехали. — Катарина оглянулась, но мужчин, о которых она говорила, и след простыл. — Знаешь, я не могу

---

* папочка (*исп.*).
** пожалуйста (*исп.*).

простить Педро этой задержки. Что касается меня, то я сыта по горло этими морскими прогулками. Я останусь здесь с детьми, когда Педро повезет их...

— Прекрати, Катарина, — перебил жену дон Педро. — Не болтай всякой ерунды. Магдалене вовсе не интересно, куда поплывет «Утренняя звезда» и что за дела у моих пассажиров. Торговцы... — сказал он, пожав плечами.

— Мы плывем во Францию, и папа сказал, что я поплыву с ними. Однажды я буду великим моряком, капитаном, как мой отец, — сказал Франциско. — Вот только я не хочу быть капитаном. Меня тошнит от качки.

Дон Педро весь напыжился, глядя на своего сына. Но Магдалена и Катарина уже говорили о своем.

— Dios! — воскликнул дон Родриго, торопливо спускаясь в холл.

Видя, что на него не обращают внимания, дон Педро выскользнул из дома. Надо было побыстрее спровадить на корабль своих пассажиров. Не дай Бог они попадутся на глаза Магдалене!

Но на этом испытания испанца не кончились. Когда он вышел во двор, то увидел, что его пассажиры болтают с маленькой рыжеволосой девочкой. «Это еще кто такая?» Естественно, сбылись худшие опасения дона Педро. Дерзкое рыжее создание оказалось не кем иным, как отпрыском того самого Джеффри Кристиана.

— Почему у вас один глаз голубой, а другой карий? Вы каждым глазом видите по-разному? — спрашивала девочка молодого человека. — В нашей деревне недалеко от Хайкрос тоже живет один странный человек. Волосы у него белые, а глаза розовые. Говорят, он волшебник. А вы знаете, что людей с разными глазами сжигают на костре? Люди думают, что это колдуны.

Лили болтала и болтала.

— Папа говорит, что все священники болваны. А вы священник? — обратилась Лили к человеку в сутане. Обладатель разноцветных глаз облегченно вздохнул. Пусть теперь святой отец повертится. — У нас в Англии теперь редко когда увидишь священника. Их много было в аббатстве возле Хайкрос, но его сожгли дотла, а монахи сбежали во Францию. Привет! — обратилась Лили к дону Педро. — Меня зовут Лили Кристиан. А вы кто? Вам что, плохо?

Дон Педро зло взглянул на девочку. Священник отвел его в сторону и заговорил вполголоса по-испански.

Лили продолжала рассматривать англичан и уходить не собиралась.

— Váyase! Váyase!* — сказал ей дон Педро.

Отчего-то под взглядом этих зеленых глаз ему становилось не по себе.

— Váyase! — повторил он снова. Девочка ушла с обиженным видом. Но Вилласандро не придал этому значения.

— Дон Педро! — Один из англичан заговорил с капитаном по-английски. Священник переводил. — Вы говорили, что та женщина — жена Джеффри Кристиана. Она может узнать нас. Что нам теперь делать? Может быть, нам стоит исчезнуть, пока мы не столкнулись, не дай Бог, с самим Джеффри Кристианом? Быть может, от этого проиграет дело, но мы все останемся живы. У меня нет никакого желания вставать на пути у Джеффри Кристиана.

— Не паникуйте. Его нет в Санто-Доминго. И насчет дела вы ошибаетесь. Оно не проиграно. Донья Магдалена вас не заметила. И не заметит. Отсюда можно выйти через другую дверь.

— Не собираетесь же вы поселить нас в городе? А на корабль я не вернусь, — сказал англичанин с разными глазами. — Меня тошнит от моря. Я даже рыбу есть не могу.

* Пошла! Пошла! (*исп.*)

Дон Педро еле заметно поморщился. Если бы не личное распоряжение его величества доставить разноглазого в Санто-Доминго в целости и сохранности, дон Педро давно отправил бы его за борт.

— Пошли. Там по крайней мере вы будете в безопасности. Я обязан доставить вас в Англию, а уютно вам у меня на корабле или нет — мне плевать. Странно, что я должен напоминать вам о важности вашей миссии.

— А как насчет девочки? Она нас видела.

— Ну и что? Вы разговаривали с ней о деле?

— Нет, но мы говорили по-английски. Значит, она знает, что мы не испанцы.

— Это дочь Джеффри Кристиана. На каком еще языке она должна была с вами разговаривать? Кроме того, вы похожи на англичан, — добавил дон Педро.

— Она может кому-то рассказать, что нас видела.

— Ну и что? — пожал плечами дон Педро. — Она видела гостей дона Родриго. Что в этом особенного? Не забивайте себе голову. Она всего лишь дитя. Стоит ли делать из мухи слона? Ладно, пошли. Чем быстрее мы вернемся на корабль, тем лучше.

Разноглазый огляделся.

— Хотелось бы мне не делать из мухи слона. Но моя внешность очень запоминается. Хорошо бы, чтобы эта девчонка не говорила обо мне ни с кем.

Дон Педро старался не смотреть англичанину в глаза. У испанца мурашки пробегали по спине от такого сочетания голубого и карего. Более того, дону Педро всякий раз хотелось перекреститься, прежде чем подойти к этому неприятному человеку.

— Девочку я беру на себя.

С этими словами дон Педро направился в дальний конец патио. Англичане и священник — за ним. Вскоре звук шагов стих — четверка покинула дом.

Сэр Бэзил перевел дух. Притаившись за одной из колонн, он ловил каждое слово.

Сначала Уайтлоу думал, что ему просто кажется. Все было как во сне. Самое странное, что одного из англичан он хорошо знал. Другой все время держался в тени. Он, видимо, был более осторожным, чем его напарник. Третьего, испанца, сэр Бэзил видел впервые. За четвертого все говорила одежда — сутана и тяжелый крест на груди.

Бэзил нахмурился. Что делают в Санто-Доминго англичане, испанец и священник? За этим скрывается какая-то тайна.

Глава 4

В нелегком деле мужество крепчает.
Уильям Шекспир*

Рыбак, нащупывая золото, приятно оттягивающее карманы, подошел к «Утренней звезде». Ночь была для него самая что ни на есть удачная: без луны и без звезд. Оставалось, воспользовавшись покровительством небес, незамеченным пробраться к смутно белеющему корпусу испанского галиона. Рыбак улыбнулся в бороду. Эти франтоватые идальго на деле оказывались большими скупердяями, но на этот раз жадность одного из них принесла бедному рыбаку целое состояние. Он не раз перевозил вот таких джентльменов под покровом ночи на корабль и обратно. Заниматься контрабандой под носом у таможенных чиновников не каждый способен, но рыбак любил рисковать.

Сегодняшний пассажир мало чем отличался от сотни других, в разное время побывавших в его лодке, разве что нервничал побольше. Незнакомец явно боялся быть узнанным: прижимал к носу кружевной платок, так что лицо было видно только наполовину, да и говорил приглушенно. Он

_____
* Пер. Н. Рыковой.

явно разыгрывал гранда. Однако едва волна подхватила лодку, всякая величавость манер исчезла напрочь. Тогда же рыбак заметил, что джентльмен в лодке не очень-то крепок. Моряком этот человек никогда не был.

Вцепившись в борта лодки, сэр Бэзил сидел ни жив ни мертв. Нет, морское дело ему не по душе. Зачем он только ввязался во все это? Теперь придется лезть на судно. Канат как будто специально для него оставили. Он же не обезьяна и не матрос. Он не умеет лазать по канатам. А надо. Во имя Англии. Подтянуться. Добраться до выступа на корме. Вскарабкаться на козырек.

Свет горел лишь в кают-компании. Все остальное было погружено во мрак. Сэр Бэзил заглянул внутрь.

Три джентльмена и священник сидели вокруг стола. Сквозь маленькое стекло Уайтлоу увидел того самого испанца, за которым наблюдал в патио. Теперь он знал его имя — дона Педро ему представили прошлым вечером в Каса-дель-Монтере. Капитан корабля поднимал серебряный кубок. Англичанин что-то говорил.

Бэзил пригляделся. Нет, ошибки быть не могло: англичанин, которого он видел во дворе дома дона Родриго, оказался его близким знакомым. И другого Уайтлоу тоже знал хорошо. Они встречались не где-нибудь, а в его собственном доме. В Уайтсвуде. Около года назад. Тогда Бэзил устраивал пир в честь восшествия на престол Елизаветы. Кажется, именно этот молодой джентльмен провозгласил тост за здоровье королевы.

Бэзил прислушался.

— Ее легко будет убить. Я стоял к ней так же близко, как сейчас к вам. Дворцы ее почти не охраняются, днем она часто выходит на прогулки. Гуляет себе по Стейт-Джеймскому парку, словно какая-нибудь девка. Очень даже просто.

— Если Елизавета умрет, наша настоящая королева, Мария Стюарт, наденет корону, и Англией не будет править дочь шлюхи. Жаль, что король не отправил ее в ад вместе с матерью.

— Наберитесь терпения, сын мой, — сказал священник. — Справедливость будет восстановлена и солнце вновь взойдет над Англией в тот день, когда мы присягнем достойнейшей. Вы должны поддерживать связи с остальными, с теми, кто сохранил истинную веру и признает власть папы. Мы должны знать, кому мы можем доверять, кто пойдет за нами, когда наступит время. Во имя Бога мы восстановим справедливость. А пока пусть жарче горят костры и кровь пропитывает землю, пусть становится Англия островом еретиков, оплотом сатаны и землей проклятий, — все больше распалялся священник. От его слов по спине у сэра Бэзила пробежал холодок.

— Во имя Господа, — со слезами на глазах откликнулся англичанин, — я готов пожертвовать жизнью. Я скажу нашей истинно верующей пастве о моем единении со Святой церковью, расскажу о моей встрече с его преосвященством, расскажу, что он и католическая церковь готовы взять нас под свою защиту. Не знать мне счастья, покуда на троне моей страны находится это чудовище, это отродье сатаны.

— Твоя решимость, сын мой, принесет нам победу, но до поры до времени ты должен быть предусмотрительным. Не забывай, что есть и другие, которые только ждут сигнала. Пока мы с вами здесь, в Англии остались те, кто освободит Марию Стюарт. Я видел ее письма. Я знаю: ее поддержат. Чтобы не навлекать на себя подозрений, ты должен притворяться настоящим верноподданным твоей королевы. Ты должен хорошо играть эту роль, сын мой. Жди своего часа, и придет день славы. Ты сам приблизишь его. Прислушайся к своему сердцу. Когда не станет Елизаветы, Англию избавят от языческой веры. Пусть хранит тебя Бог от бездумных речей и поступков. Бог отблагодарит тебя. И Филипп тоже. Запомни это.

— Хорошо, отец, — пообещал англичанин.

«Я тоже запомню», — сказал себе сэр Бэзил. Он спустился с галиона и сел в лодку.

Донья Ампаро умерла ночью. Семья ее и друзья горевали. Она была преданной женой, любящей матерью и истинной дочерью церкви. Сэр Бэзил затосковал. Ему хотелось поскорее вернуться в Англию. День за днем он мерил шагами комнату, то и дело подходил к окну, искал глазами силуэт «Ариона». Но день сменял другой, а корабля все не было. Больше всего его тяготила тайна. Не с кем было поделиться, не у кого спросить совета. И отсюда, с испанского берега, Уайтлоу не мог спасти королеву.

Был бы рядом Джеффри... Хотя это ничего бы не изменило. Не могли же они уплыть из Санто-Доминго, когда донье Ампаро осталось прожить так недолго. Дон Педро заподозрил бы неладное.

Однако сам испанец тоже не мог отправиться в Англию немедленно. Те, кто сейчас находился на борту «Утренней звезды», оказались узниками. Уайтлоу радовался этому: пока корабль дона Педро стоит у причала, заговорщики не осуществят свой план.

Но теперь обстоятельства изменились. Донья Ампаро умерла, и у Вилласандро развязаны руки. Он мог отчалить в любой момент. Но дон Педро оставался в Каса-дель-Монтере. Почему?

Сэр Бэзил потерял аппетит и сон. Днем и ночью он думал о том, что произойдет, если он не успеет предупредить королеву. Он смотрел на капитана «Утренней звезды» так, как смотрят на готовую выстрелить пушку. Но никто не мог предвидеть готовящегося взрыва.

Все началось вполне невинно. Катарина поинтересовалась здоровьем Лили Франциски.

— Мне кажется, что девочка очень тяжело переживает смерть madre, — сказала Катарина. — После похорон она даже гулять не выходит. Девочки все время про нее спрашивают: «Где Лили? Куда она делась? Почему не играет с куклами? Почему не вышивает?»

— Не знаю, что случилось с дочкой. По-моему, она скучает, — вздохнула Магдалена. — И странно, что она ничего не спросила о бабушке. Лили очень любознательная девочка, и часто ее вопросы ставили меня в тупик. Но почему-то ни слова о madre...

— Вашей дочери, донья Магдалена, пора бы запомнить, что детям положено молчать, пока с ними не заговорят взрослые. Она невоспитанна и дерзка. Впрочем, чего еще можно ожидать от англичанки, — заметил дон Педро. — С тех пор как инглес перестали учить свое потомство почтению к Церкви и Короне, неудивительно, что дети платят им неблагодарностью и непочтением. Если бы я воспитывал этого ребенка, я бы живо научил ее уму-разуму.

— Дон Педро, вы гость в моем доме, прошу не забывать об этом, — раздраженно заговорил дон Родриго. Одно дело поносить зятя, и совсем другое — его внучку. Малышку старик полюбил всем сердцем. — Лили — моя внучка, и кровь Монтере, что течет в ее жилах, течет и в жилах ваших детей. Оскорбляя Лили Франциску, вы оскорбляете Монтере.

Присутствующие удивленно взирали на старика испанца.

— Приношу свои извинения, дон Родриго, — ровным голосом ответил дон Педро, — но я как-то позабыл, что Магдалена — испанка. Она так много переняла у англичан.

— Странно. Ее величество всегда считала внешность Магдалены типично испанской, — произнес сэр Бэзил. — Разумеется, делая Магдалене комплименты по поводу изысканности манер, ее величество тем самым отмечала особую стать, свойственную всем испанцам. И я вплоть до недавнего времени не имел случая усомниться в этой истине.

Катарина деликатно покашляла и, глядя на мужа, прикусила губу.

— Мне кажется, я слышала крики и плач наверху прошлой ночью, — обратилась она к сестре. — Это не Лили Франциска? Я не отходила от детей до полуночи. Девочки спали. Франциско мучился несварением желудка. Пришлось с ним посидеть.

— Если бы ты так с ним не нянчилась, Катарина, он вел бы себя как мужчина, а не как пугливая мышь! — взорвался дон Педро. Катарина затронула очень болезненную для семьи тему: как правильно воспитывать детей. Дон Педро придерживался мысли, что воспитание должно быть спартанским, и не раз выговаривал жене за то, что она балует сына. — Он никогда не научится крепко стоять на ногах, если будет постоянно держаться за твою юбку. В этот раз я беру Франциско с собой в море. Он научится...

— Это Лили плакала, — перебила зятя Магдалена. — С тех пор как умерла madre, Лили постоянно снятся кошмары. Горящие корабли, мертвецы. У нее был даже совершенно непонятный сон о колдуне с голубым и карим глазами, который...

Дон Педро поперхнулся.

— Что случилось, дон Педро? Вы не заболели? — спросил Бэзил.

— Ничего-ничего, — ответил красный как рак испанец.

— Бедняжка Лили, — сказал дон Родриго. — Если ты позволишь, Магдалена, я хотел бы поговорить с ней.

— Конечно, поговорите, padre. Если бы Джеффри был здесь, Лили бы развеселилась. Джеффри всегда знает, что сказать. Она так боится разноглазого колдуна. Говорит, что он охотится за ней во сне...

— Ужас какой, — покачала головой Катарина. — Я
сама, наверное, испугалась бы до смерти, если бы думала о
таком чудовище. С разными глазами. Кошмар!..

Катарина осенила себя крестным знамением. И вдруг
глаза ее расширились. Она испуганно смотрела на мужа.

— Это же... — начала было она, но, встретившись
взглядом с доном Педро, умолкла на полуслове и, торопливо глотнув вина, закончила: — ...сказка. Я однажды
слышала такую.

— Хотела бы я, чтобы все это и вправду было лишь
сказкой, но боюсь, Лили и в самом деле видела человека с
разными глазами. Он англичанин и...

Дон Педро снова поперхнулся.

Сэр Бэзил встал из-за стола, подошел к дону Педро и
несколько раз изо всех сил ударил его по спине. Уайтлоу
прекрасно понимал, что случилось с доном Педро. Но...
шпион должен быть хорошим артистом... И англичанин придал
своему лицу озабоченное выражение.

— Вы уверены, что не больны? — спросил сэр Бэзил
и, получив утвердительный ответ, взглянул на хозяина. —
Простите, дон Родриго. — Уайтлоу указал на перевернутый бокал. Белая скатерть была залита вином. — Я, должно быть, уронил его, когда вставал.

— Не стоит извинений, — махнул рукой дон Родриго.
Однако старый испанец видел, что его гость очень взволнован, хотя и старается казаться спокойным.

— Благодарю вас, дон Родриго. Хмм... — задумчиво протянул Бэзил. — Говорите, один глаз голубой, один карий? К
тому же англичанин? Что-то знакомое. Нет, не могу вспомнить, где видел этого джентльмена. Впрочем, джентльмена ли?

— Да, в самом деле. Тот англичанин был джентльмен, — вступила в разговор Магдалена. — Я не могу
припомнить его имя. Он приезжал в Хайкрос в прошлом
году, во время визита королевы. Лили, наверное, видела

его тогда. Думаю, смерть madre так потрясла малышку, что к ней вернулись ее страхи.

Сэр Бэзил не осмелился взглянуть на капитана «Утренней звезды», но очень хорошо слышал вздох облегчения.

— Так бывает, донья Магдалена. Мой сын Саймон тоже страдает от кошмаров. А он постарше Лили. Однажды весь дом на ноги поднял, когда ему приснилось Пучеглазое чудище. Все кричал, что оно сидит в углу. Пришлось оставлять на столе свечку, чтобы мальчик спокойно засыпал.

— А кто он такой, Пучеглазое чудище? — испуганно спросила Катарина.

— Демон. И не из тех, кого легко обвести вокруг пальца, донья Катарина. Нянька рассказывала мальчику, что этот дух охраняет сады от воров. Думаю, мальчишка просто испугался, что Пучеглазое чудище накажет его за украденное яблоко, — хмыкнул Бэзил. — Но с тех пор парнишка ни разу ничего не стащил.

Уже потом, ночью, сэр Бэзил никак не мог заснуть. А когда наконец задремал, то ему тоже приснился разноглазый англичанин. На следующее утро Уайтлоу никак не мог отделаться от странной тоски, предчувствия беды. И в этот день в порт прибыл «Арион».

— Вот так дела! — в который раз воскликнул Джеффри Кристиан, слушая рассказ сэра Бэзила. — Надо было мне остаться в Санто-Доминго. Оказывается, ты здесь не скучал. Стоило ли уходить в плавание, чтобы, вернувшись, узнать, что мой приятель развлекался не меньше меня!

Но Уайтлоу было не до смеха. Хорошенькое развлечение — лезть на вражеский корабль ночью, рискуя в любой момент попасться. Нет уж, увольте. Больше он в эти игры не игрок. Скорее бы попасть домой, а там он отдаст королеве журнал и возьмется за свои любимые книги. И никогда никуда больше не поплывет.

Джеффри не выдержал и расхохотался. Ситуация явно его забавляла.

— Я рад, что сумел вас рассмешить. Интересно, вам было бы по-прежнему весело, если бы в ту ночь мне повезло меньше? — обиженно спросил сэр Бэзил. Шпион поневоле, он надеялся, что его похвалят или по крайней мере посочувствуют.

— Простите, Бэзил, — ответил Джеффри. — Но я не могу представить, что был бы за скандал, если бы вас прибило к берегу с перерезанным горлом! Чем смог бы я оправдаться перед Элспет или, что еще ужаснее, перед ее величеством? Так что, Бэзил, я вам должен быть несказанно благодарен уже за то, что вы соблаговолили вернуться на берег целым и невредимым.

Бэзил покачал головой. Чувство юмора капитана было несколько странным.

— Действительно, — хмыкнул он, — хорошо, что на моем месте не оказались вы. Представляю, как горевал бы дон Родриго, если бы к берегу прибило его любимого зятя с перерезанным горлом.

Джеффри Кристиан усмехнулся и задумчиво взглянул в сторону «Утренней звезды».

— Итак, похоже, наш друг собирается отчалить утром, так? А донья Катарина с детьми останется в Каса-дель-Монтере, — произнес капитан. — Я должен был бы обидеться на почтенного дона за то, что он срывается с места тут же после моего появления в Санто-Доминго. Сдается мне, он меня не любит.

— Я думал, вы скрестите шпаги прямо в Каса-дель-Монтере. Могли бы быть друг с другом повежливее.

Джеффри Кристиан улыбнулся:

— Я ничего не имею против дона Педро.

— Хотел бы я, чтобы и он мог сказать то же самое о вас. Мне лично показалось, что он готов сию минуту вцепиться вам в горло. Будь я на вашем месте, я не стал бы поворачиваться к этому джентльмену спиной. Он возненавидел меня с первого взгляда уже за то, что я англичанин, хотя лично я не сделал ему ничего дурного. Что касается вас...

— Ну что же, — смиренно вздохнул Джеффри Кристиан, — я знаю, что благородный дон ненавидит меня не просто так.

— Да уж. Ограбить корабль и увести девушку... Такое мало кто простил бы.

Джеффри кивнул:

— Это было мое самое удачное предприятие. За один раз — богатство и жена. Неплохо, да? Теперь у меня есть еще и дочурка. А скоро, наверное, будет сынишка.

— Магдалена ждет ребенка?

— Да, она сказала мне об этом вчера вечером. Магдалена очень хочет подарить мне сына. Я говорил ей, что с меня довольно и Лили. Но она считает, что я мечтаю о сыне. Подозреваю, она хочет быть уверенной, что мой дорогой кузен не унаследует Хайкрос.

Сэр Бэзил улыбнулся. Он терпеть не мог семейные склоки.

— Примите мои поздравления.

— Спасибо. Я буду рад и девочке, и мальчику. Хотя, конечно, сынишка — это хорошо. Я буду брать его в море, и мы вместе устроим такую веселую жизнь всем этим французам и испанцам! — Кристиан захохотал. — Пусть только сунутся, мы им покажем, почем фунт лиха. Проклятие, но сейчас мне хочется поскорее расправиться с теми двоими на галионе, — проворчал Джеффри.

— Мы непременно сделаем это, Джеффри. — Уайтлоу тронул друга за плечо.

— А ведь ты молодец, Бэзил. Я не думал, что ты так легко справишься с заданием Уолсинхэма. Ты прямо прирожденный шпион. Никому и в голову такое не придет.

— Мне тоже. Если честно, мне это занятие не по душе. Хочу поскорее вернуться в Англию, дать королеве отчет о моей поездке. И все. Потом — домой, домой, домой. И больше никогда никакого моря.

— Не волнуйся так. Все будет хорошо.

— Ты не понимаешь. Я состарился на целую жизнь за один вечер. Знаешь, что со мной было, когда Магдалена стала рассказывать о ночном кошмаре дочери! Дон Педро, к счастью, сам перепугался и не заметил, как у меня тряслись руки. Теперь он будет утверждать, что Лили видела англичанина в Хайкрос, а здесь никакого разноглазого не было. Думаю еще, что никто, кроме рыбака, не знает о моем ночном «приключении». К тому же он получил добрый мешочек золота и считает меня испанцем. Похоже, Джеффри, я ни разу не оступился. Хотя... Кто знает, может быть, это только кажется. Дон Родриго тогда, за ужином, заметил, что мне не по себе. Но, как бы то ни было, нужно довести дело до конца.

Джеффри кивнул.

— Лили стала совсем другой, как только вы вернулись, — заметил сэр Бэзил.

Джеффри медленно повернулся к другу:

— Моя сладкая дочурка. Бесценное сокровище. Настоящий бриллиант. Если тебе повезет, однажды я позволю Саймону просить ее руки. Он лишится покоя с того момента, как отдаст свое сердце моему цветочку. С другой стороны, что за жизнь без терзаний! — И Кристиан опять захохотал.

— Я буду счастлив, если Лили станет членом моей семьи, Джеффри, — не понимая, что смешного нашел в этом капитан, ответил Бэзил.

— Да, Лили Уайтлоу, вполне приличное имя. Мы еще подумаем об этом на досуге, Бэзил, — сказал Джеффри.

Прошло два дня с тех пор, как Магдалена попрощалась с отцом. Дон Родриго только сейчас понял, как сильно его младшая дочь походит на покойную донью Ампаро, и только сейчас осознал, как будет ему не хватать ее. Дон Родриго знал, что расстается с Магдаленой навсегда.

Рухнула стена, которую дон Родриго возвел между собой и дочерью. Но теперь между ними встанет океан. Магдалена вначале попрощалась с сестрой. Старик стоял в стороне, все такой же прямой и гордый, каким встречал ее после столь горькой размолвки. Со вздохом дочь повернулась к отцу. Времени на прощание оставалось немного — Джеффри и сэр Бэзил ждали ее на улице. Мгновение Магдалена стояла в нерешительности, затем бросилась к отцу.

— Padre, mi padre, — плакала она.

— Mi hija*, — хрипло пробормотал он. — Mi dulce batata pequeña.

— Ты прощаешь меня? — спросила Магдалена.

— Да, mi hija. — Дон Родриго дрожащей рукой гладил дочь по голове. — Ты так похожа на мать. Мне будет недоставать тебя. Возможно, однажды ты вернешься навестить отца. Мне бы хотелось вновь увидеть мою внучку. Возвращайся. Я буду ждать тебя.

— Спасибо, padre. Если бы ты знал, как долго я мечтала услышать от тебя эти слова! — Магдалена взглянула отцу в глаза. — Может быть, когда-нибудь ты приедешь в Англию. Тебе всегда будут рады, padre.

— Посмотрим. — Отец не сказал «нет», а на большее Магдалена не смела надеяться. — Прощай! — тихо сказал старик и, поцеловав дочь в лоб, ушел в патио.

Когда корабль отчалил, Магдалена стояла и смотрела на город, пока берег не скрылся в туманной дымке. Сэр Бэзил стоял у правого борта, глядя, как корабль разрезает воду. Лили с обезьянкой на плече наблюдала за матросами. Те поднимали паруса. Голоса их звучали для девочки веселой музыкой. «Арион» плыл домой.

---

* Моя доченька (*исп.*).

Глава 5

В крови заходит солнце...
Уильям Шекспир*

На всех парусах «Арион» уходил от испанских галионов, показавшихся на рассвете позади корабля.

Крик «Свистать всех наверх!» все еще стоял в ушах сэра Бэзила. Они только сели завтракать, когда вахтенный срочно вызвал Джеффри на палубу. Потом этот крик... И корабль превратился в настоящий ад.

Все стало ясно: дон Педро Энрико де Вилласандро выбрал час отмщения.

Думая о Магдалене и Лили, капитан хотел уже сдаться. Он, конечно, принял бы бой, но рисковать жизнью близких — на это Джеффри пойти не мог.

Однако судьба распорядилась иначе. Капитан не успел дать приказ спустить паруса. «Утреннюю звезду» окутало облако дыма, раздался грохот — и несколько ядер полетели на палубу «Ариона». Джеффри приказал спустить флаг. Но на испанском галионе этого словно не заметили. Ядра снова полетели на палубу английского корабля. Сбило мачту. Пробило паруса.

---

* Пер. Н. Рыковой.

Вот тогда Джеффри Кристиан разозлился.

Грохнули пушки «Ариона». Расчет оказался верным — один из кораблей был подбит. Пушки быстро перезарядили. И снова выстрелы были точными.

Джеффри рассчитывал сдержать галионы и скрыться в одном из каналов. Здесь проходило сильное северное течение, и испанский корабль, подбитый из пушек «Ариона», уже дрейфовал в опасной близости от рифов. Спущенные паруса болтались на сломанных мачтах, и в обшивке зияли дыры. Было ясно, что корабль скоро пойдет ко дну. Другой галион, тоже вкусивший порядком от «Ариона», едва держался на плаву.

Сэр Бэзил кашлял от едкого дыма. Вдруг раздался страшный грохот. Дипломат бросился ничком на палубу, закрыл руками голову и зажмурился. Он уже не надеялся выйти живым из этого ада, но галион оказался слишком далеко, и ядра не долетели до цели.

Когда пушки испанского корабля перезаряжались, «Арион» направился прямо на него, стреляя по наиболее уязвимой его части.

Так «Ариону» удалось пробить брешь в сети, сплетенной доном Педро.

Перебираясь через обломки мачт, канаты и мертвые тела, сэр Бэзил направлялся к капитану. Какой ужас! Что стало с его другом! Кровь текла по виску Джеффри. Левую руку он прижимал к груди — из-под нее тоже текла кровавая струйка.

— Джеффри!

— Со мной все в порядке. Это пустяки — царапины. Клянусь дьяволом, я еще добуду сердце этого испанского негодяя!

В глазах Джеффри полыхал огонь.

— Как Магдалена и Лили? — спросил капитан таким тоном, словно он совершенно не волновался за жену и дочь.

— Пока живы. То есть были живы, когда их я видел в последний раз.

— Не думаю, что пробоина опасна. Этот подонок Педро пожалеет о том, что сделал.

— Ваш родственник? — удивленно переспросил сэр Бэзил. Только сейчас он понял, о ком говорил капитан. — Не может быть! Он должен знать, на какой корабль нападает! Он должен знать, что на борту женщина и ребенок!

— Конечно, он знает. Но, по-моему, этот благородный дон где-то растерял свое благородство. Видимо, ярость затмила его разум. Да ведь он еще и фанатик. Такой не горевал бы, если бы убил собственного отца. Это же во имя Господа! Думаю, он считает, что облагодетельствует мир, если потопит корабль, полный еретиков.

У сэра Бэзила от страха перехватило дыхание.

— Но как... как дон Педро объяснит Филиппу, что ради личной мести готов пожертвовать успехом возложенной на него миссии?

— Почему же ради личной мести? Нет. Ради Церкви. Лили запомнила разноглазого. Будет лучше, если ее уберут с дороги. Думаю, святейший папа благословил бы дона Педро, если бы знал его намерения. Все это делается во имя Господа. Только так и надо бороться с неверными... — Джеффри махнул лекарю. — Позже. Нам надо починить паруса и восстановить мачты. У меня сейчас нет времени перевязывать раны. Мы должны показать этим скотам, на что способны англичане, если их разозлить.

— А что, это еще не конец? — тревожно спросил сэр Бэзил. — Я думал, теперь они до нас не доберутся.

— Те, что остались позади, нам уже не страшны. Но впереди, в проливе, нас тоже ждут.

— И опять будут... как их там... ядра?

— Дон Педро скорее всего поднял по тревоге форт в Гаване. Они контролируют Юкатанский пролив. Мы должны пройти его как можно быстрее.

— Вы чего-то недоговариваете.

Джеффри Кристиан усмехнулся:

— Будь я на месте дона Педро, я бы позаботился о том, чтобы спрятать несколько галионов к северо-западу отсюда, как раз за выходом из пролива. Когда мы обогнем мыс, они ударят нам в спину. У «Ариона» скорлупа неплохая, но ему не выдержать долго, если мы не успеем сделать ремонт. Наша сила в маневренности и скорости. Дальнобойные пушки — тоже хорошо. Но... — Джеффри замолчал, окинув взглядом поломанные снасти и рваные паруса. — Для нас еще не все закончилось, Бэзил. Молитесь Богу, чтобы дон Педро оказался слишком самонадеян и не разработал запасной план. Только в этом случае у нас будет время зализать раны, а если нет...

Джеффри Кристиан сражался. Это была самая страшная и самая главная битва в жизни.

Пока существовал хотя бы крохотный шанс выйти из этой мясорубки живым, он не мог его упустить.

— Право на борт, Эванс!

— Право на борт, капитан?

Юный рулевой недоуменно повторил команду. Следуя этим курсом, они оказывались прямо под ударом ближайшего из галионов и в области досягаемости другого. К тому же в лиге от них находился мыс, лежащий как раз по курсу «Ариона». «Капитан, должно быть, сошел с ума», — в ужасе думал рулевой.

— Быстрее! — заорал Джеффри.

Старый моряк, подручный рулевого, выхватил у растерянного юнца штурвал.

— Стой! — крикнул Джеффри, когда бушприт повернулся по ветру.

Как Джеффри и ожидал, галионы тут же попытались перехватить «Арион» с правого борта — поймать корабль в ловушку, когда тот войдет в пролив между мысом и Большими Багамами. Англичанин делал вид, что хочет улизнуть на юг и спрятаться в одной из диких бухт на необитаемом побережье Кубы.

Несколько моряков, вцепившись в борт, изумленно смотрели на риф прямо перед носом корабля. Каково же было их удивление, когда корабль царапнул дном по песчаному дну и без повреждений продолжал путь. Испанцы же не разгадали хитрость Кристиана и посадили галион на мель. Испанский корабль был тяжелее английского и шел к мысу не под тем углом. В самый последний момент «Арион» увернулся и лег на прежний курс. Сейчас англичанин вошел в воды Флоридского пролива. Курс корабля лежал на север.

Теперь у «Ариона» было больше возможностей для маневрирования, и это давало надежду на спасение. «Утренняя звезда» пустилась в погоню за английским судном. Расстояние между ними неуклонно сокращалось. Джеффри Кристиан понимал, что ему не уйти и бой с родственником — всего лишь вопрос времени. Если они успеют незамеченными нырнуть в одну из бухт на Багамах, только тогда смогут скрыться от испанцев. Если нет, то... Джеффри тряхнул головой и поморщился от боли. Не стоит думать о худшем. Пока не стоит.

— Джеффри!

Он обернулся и увидел Магдалену. В глазах ее блестели слезы.

— Джеффри, Джеффри...

Он видел боль и ужас в ее глазах. Сколько всего ей выпало за один день!

Он протянул руку жене, и она уткнулась лицом ему в грудь.

— Джеффри, за что? Почему все должно кончиться именно так, Джеффри? — тихо спросила она.

— Не должно, Магдалена. Не должно.

Магдалена взглянула в лицо мужу:

— Я люблю тебя, Джеффри.

Он поцеловал ее.

— Единственная любовь моя, ты даже не представляешь, каким счастливым ты меня сделала. Моя жизнь была бы пустой без тебя, моя маленькая испаночка.

Магдалена не могла произнести ни слова, но Джеффри прочел в ее взгляде любовь.

Потом капитан посмотрел на остров, к которому держал курс «Арион». «Скоро», — подумал он.

— Магдалена, спускайся вниз и собери наши вещи. Я пришлю за тобой. Дэвис, помоги Магдалене. И проследи, чтобы в лодку погрузили еду.

А «Утренняя звезда» подходила все ближе и ближе. Скоро «Арион» примет свой последний бой.

— Джеффри, что ты задумал? Я не понимаю. — Магдалена растерянно смотрела на мужа.

— Моя дорогая, мы не сможем укрыться от них. Нам остается только драться. Это наша последняя надежда. Я не хочу, чтобы вы с Лили были во время боя на борту.

— Нет, Джеффри, я не хочу с тобой расставаться! — воскликнула донья.

Капитан поцеловал жену в лоб.

— Я прошу тебя об этом не ради тебя одной. Ты сойдешь на берег. Ты заберешь дочь. Ничего не должно случиться ни с тобой, ни с Лили, ни с ребенком, которого ты носишь, Магдалена. Сэр Бэзил будет с тобой. Выше нос, девочка моя! Разве есть на свете корабль лучше «Ариона»?

Они еще пожалеют, что связались с нами! — пообещал он. — Тысяча чертей, я еще не расстрелял свой последний заряд! Пусть идут, посмотрим, чей флаг будет реять после битвы. Эй, Ватерсон, Рэндал, Лоусон, ко мне! Дорогая, сделай, как я прошу.

Магдалена не двигалась. В глазах ее застыли отчаяние и мольба. Джеффри словно не замечал состояния жены. Магдалена понимала: уговоры бессмысленны. Перед тем как уйти, она еще раз оглянулась на Джеффри. Но тот как будто не видел ее. Женщина опустила голову и пошла прочь. Следом за ней — стюард.

— Лоусон, когда мы подплывем к островам, спусти шлюпку и отвези мою жену, дочь и сэра Бэзила на берег. Сэр Бэзил должен остаться жить. Он везет важные сведения королеве. Они касаются благополучия Англии. Мы должны спасти его во что бы то ни стало.

— Да, капитан, — ответил моряк.

— Спасибо, Лоусон. Джошуа, нам нужно разработать... — Джеффри не договорил — закашлялся кровью.

— Капитан, вы лучше посидите, а мы с Дэвисом пока займемся этим делом. Эта рана в боку неважно выглядит, капитан. — Боцман только сейчас увидел, что капитан ранен не в руку.

— Капитан, у вас в груди приличный осколок, надо бы его оттуда достать.

— Он ведь прав, капитан.

— Позже, — ответил Кристиан.

Было слишком поздно, и помочь ему ничем нельзя. Он хотел одного — умереть на палубе во время боя, а не внизу под ножом лекаря.

— Рэндал. Одно слово. Ничего не говорите о моей ране жене. Она ни за что не сядет в лодку, если узнает.

— Да, капитан, — ответил боцман и поспешил собирать людей.

— Вы знаете, что мы в вас верим, капитан, — осторожно сказал Ватерсон, — но если случится худшее, что станет с вашей женой и дочерью?

— Моя жена, Ватерсон, испанка. Моя дочь наполовину испанка. Сэр Бэзил англичанин, но едва ли он представляет какой-то интерес для испанских властей. Если нас потопят, тогда Лоусон отвезет их на один из галионов. Они не будут палить по лодке с женщиной и ребенком. Их возьмут на борт и вернут в Санто-Доминго. А там уж отец моей жены позаботится о них и поможет сэру Бэзилу вернуться в Англию.

— Вы все продумали, капитан.

— Да, я все продумал.

Сэр Бэзил, Магдалена и Лили поднялись на палубу. Девочка изумленно смотрела по сторонам и не узнавала в этом разбитом, покалеченном судне прежний корабль. Обезьянка у нее на руках что-то возбужденно бормотала, напуганная запахом дыма.

— Джеффри, я протестую... — заговорил сэр Бэзил. — Я не могу покинуть вас в такую минуту!

— Так лучше, Бэзил. Ты не можешь сражаться, а такие люди для нас сейчас обуза. Будь рядом с Магдаленой и Лили. Только тебе я могу доверить их в такую минуту.

— Джеффри, я...

— Друзьям не нужны слова, — как отрезал Джеффри. Лодку уже спускали на воду.

— Возьми вот это. — Кристиан протянул дипломату бортовой журнал «Ариона». — Если мы пойдем ко дну, я не хотел бы, чтобы он промок. — Впервые в жизни капитан пошутил неудачно. — Позже я у тебя его заберу.

Сэр Бэзил запихнул журнал под камзол, туда же, где лежал его собственный.

— Все готово, моя сладкая? — спросил Джеффри, обнимая дочь.

Мартышка, обхватив девочку за шею, что-то возмущенно выговаривала капитану.

— Я должна уходить, папа? — спросила Лили, глядя на отца широко открытыми глазами. — Я хочу остаться с тобой!

— Я не хочу с тобой расставаться, малышка моя. Но что делать? Кто еще присмотрит за сэром Бэзилом и мамой? Ну-ну, не надо слез, Лили Франциска. Ты знаешь, что так надо. Приказы капитана не обсуждаются, подружка моя.

Лили обняла отца, поцеловала его в щеку. Затем Кристиан поднялся и обнял Магдалену.

Наконец пассажиры сели в лодку. Лоусон погреб к берегу.

А корабль поплыл прочь.

Магдалена и Лили сошли на берег и теперь стояли и смотрели, как Лоусон и Бэзил выгружают припасы, которые, по мнению Джеффри Кристиана, могли пригодиться им на острове.

Вдруг раскат грома прокатился по небу. Но когда он повторился вновь, затем еще и еще раз, стало понятно, что это палят пушки. Магдалена бросилась вперед. Волна набежала ей на ноги, замочила подол. Испанка не замечала этого. Она пыталась разглядеть, что происходит. Но горизонт был пуст. «Арион» ушел далеко, и с острова кораблей никто не видел.

Около часа слышалась безостановочная пальба, потом все стихло. В тишине раздался вдруг залп. Тогда Лоусон вскочил в лодку, отчалил от берега и погреб в сторону выстрела.

— Лоусон! — крикнул Бэзил. — Подождите! Куда вы плывете? Вернитесь! Не оставляйте нас здесь одних!

— «Арион» не ответил на залп! Все кончено! Я должен проверить, есть ли кто в живых! — закричал Лоусон. — Я вернусь! Я обещал капитану присмотреть за вами!

Вскоре Лоусон пропал из виду. Больше они никогда его не видели.

***

Сэр Уильям Сесил взглянул на доклад Уолсинхэма. Тот собирал материалы на Ридольфи уже несколько лет. Роберто Ридольфи, итальянский банкир, ярый приверженец папы, был тесно связан с английскими католиками, недовольными правлением Елизаветы. Уолсинхэм допросил банкира о его связях в испанском посольстве и отношениях с папой, а также о переговорах с послом Франции и католическим братством здесь, в Англии. Стало известно, что итальянец связан с переправкой денег на континент, где их использовали для усиления католического влияния на Англию.

К сожалению, пока не хватало доказательств, чтобы задержать его, и пришлось отпустить Ридольфи ни с чем. Однако Уолсинхэм продолжал следить за итальянцем. Он выяснил, что тот в последнее время развил бурную деятельность. Однако так и не удалось выяснить, что конкретно делал итальянец. Но самым неприятным было то, что Ридольфи покинул Англию. Позднее стало известно, что банкир встречался с герцогом Альва, кастилианским грандом, командующим войсками Филиппа в Нидерландах. А вскоре он должен встретиться с папой и с самим Филиппом.

Сесил, подперев рукой подбородок, задумчиво уставился на огонь. Что же на уме у этого итальяшки? Догадаться нетрудно — убийство Елизаветы. Оставалось одно — узнать, кто замешан в этом заговоре и как собираются организовать покушение. У Сесила был список недовольных, но временами казалось, что список неполон. Может случиться так, что единственный фанатик, которого недоглядели, решит исход дела. И тогда грош цена будет всему этому шпионажу и контршпионажу. Елизаветы Тюдор не станет, и корону наденет Мария Стюарт.

ЧАСТЬ ВТОРАЯ

ПОТЕРПЕВШИЕ КОРАБЛЕКРУШЕНИЕ

Глава 6

Так вдвоем и будем
Жить, радоваться, песни распевать,
И сказки сказывать, и любоваться
Порханьем пестрокрылых мотыльков.
Там будем узнавать от заключенных
Про новости двора и тосковать,
Кто взял, кто нет, кто в силе, кто в опале,
И с важностью вникать в дела земли...

Уильям Шекспир*

*Январь 1578 года
Лондон
Уайтхолл, двор Елизаветы Первой Английской*

У узкого, похожего на бойницу окна несколько джентльменов вели оживленную беседу.

— Черт, — возмущался один, — скоро в этом дворце станет так же тесно, как на Флит-стрит во время королевского выхода! Да и публика здесь собирается ничуть не лучше уличных зевак. Наверное, и здесь стоит побеспокоиться о своем кошельке, как бы не стащили. С тех пор как

_____
* Пер. Б. Пастернака.

ты уехал, Валентин, двор разросся раза в три. Я не знаком уже и с половиной здешних прихлебателей. У меня такое чувство, что я паду смертью храбрых, затоптанный этой толпой. Меня совсем не замечают. Это возмутительно! Как будто здесь не я, Джордж Хагрэйвс, а пустое место! Бедные мои родные! Как тяжело им придется!

Валентин засмеялся:

— Из-за твоей смерти, как я понимаю?

— Нет, из-за бесчестья. Представляешь, коротышка бросил вызов многоголовому, многоногому, многорукому придворному дракону! Дабы защитить свою королеву! И... — Хагрэйвс опустил руку, — бесславно погиб, запутавшись в ногах дракона.

— Знаешь, Джордж, — протянул третий кавалер, по имени Томас Сэндрик, — мне здорово не хватало твоих баек. Ремесло адвоката не для тебя. Тебе бы стать придворным шутом, вот это была бы карьера. Вот так бы ты завоевал внимание Елизаветы. Быть может, тебе даже удалось бы получить из ее прелестной ручки рыцарство. Сэр Джордж Хагрэйвс, первый герцог Трепач-Холла, и его дама, танцующая медведица!

— Ну что же, мой пока еще не покойный друг, мне жаль, что ты не доживешь до того дня, когда мне пожалуют рыцарство, — с угрозой в голосе произнес Джордж.

— Да что ты? А как же уверения в искренней дружбе и обещание назвать одного из своих медвежат моим именем? — Томас скривился.

— Скорее всего я натравлю на тебя самого зубастого из них, — пробурчал Джордж.

— Однако я сильно сомневаюсь, что Уолсинхэм забавлял королеву, чтобы заслужить ее милость и получить рыцарство, — проговорил Томас Сэндрик, заметив Уолсинхэма.

Том, чем-то встревоженный, прошел мимо них. — Теперь он не просто Фрэнсис, а сэр Фрэнсис.

Министр Елизаветы получил рыцарство всего год назад.

— Мне такое не по душе, — сказал Джордж. — Те, кто становится приближенным королевы, теряют способность улыбаться. Лишите человека чувства юмора, и что от него останется? Эй, видели ли вы когда-нибудь такого страдальца?! — И Джордж кивнул на Уильяма Сесила. Советник королевы выглядел очень уставшим.

— Это подагра, — вынес приговор Томас. — Здорово его скрутило. В последнее время с ним стало трудно общаться: и слушать невозможно, а уж тем более говорить о чем-то важном.

— Ты прав, — согласился Джордж и вдруг закричал: — Эй, смотрите! Я же говорил, что королевский двор скоро превратится в балаган.

А сцена и впрямь стоила того, чтобы ее увидеть. Элегантно одетый джентльмен, стараясь завладеть вниманием королевы, споткнулся об одну из шелковых подушек у ее ног, перевернулся через голову и растянулся на полу. Он покраснел, как вареный рак, и затем быстро вскочил на ноги, стараясь при этом выглядеть достойно.

— Какой неудобный способ находят некоторые, чтобы продемонстрировать свое нижайшее почтение, — сказал Джордж.

Валентин смотрел на приятеля с любопытством.

— Вижу, жизнь при дворе здорово повлияла на твой характер. Ты стал прямо рубаха-парень.

— Эх, Валентин, — вздохнул Джордж, — хотел бы я, чтобы и ты побольше времени проводил на суше. Нигде не бывает так весело, как в твоем обществе. Я, конечно, понимаю, у тебя собственный корабль, дом у черта на куличках...

В Лондоне ты скоро совсем перестанешь появляться. Черт побери, я сначала тебя даже не узнал!

— Прости, Джордж.

— Я знаю, заставить тебя смеяться от души не так просто. На тебе я оттачиваю свое остроумие, — сказал Джордж. — Думаю, что суровость у вас — черта фамильная. Твой брат Бэзил тоже не был весельчаком.

— Нет, не был, — ответил Валентин. — Хотя нельзя сказать, что он не понимал шуток.

— Да, конечно. Самую веселую шутку с ним сыграла Елизавета. Представляю, как Бэзил хохотал, когда садился на «Арион». До сих пор, наверное, смеется... — Джордж осекся, потому что Томас ткнул его под ребра.

«За такие слова и в Тауэр можно угодить, — подумал Сэндрик. — Эх, кто меня только за язык тянет».

— Хотел бы я, чтобы Бэзил сейчас был здесь, с нами. — Валентин сделал вид, что не заметил оплошности Джорджа.

— Сколько лет назад это случилось? — спросил сэр Чарльз, четвертый и самый старший из компании, давний друг братьев Уайтлоу.

— Семь лет назад, сэр. Ровно семь лет назад Бэзил поднялся на борт «Ариона».

— Не верится, неужели семь лет прошло?

— Да, — ответил Валентин.

— Не может быть, — покачал головой сэр Чарльз. — Кажется, еще вчера я обедал с Бэзилом и Элспет в Уайтсвуде. Я и сейчас там бываю, но все это уже совсем не то, когда нет Бэзила. Я, конечно, не виню леди Элспет за то, что она вышла замуж второй раз...

— Ну вышла Элспет второй раз замуж. Ну и что? Ее сын как был, так и остался Уайтлоу. Уайтсвуд унаследует он, а не муж Элспет.

— И все же я не очень понимаю.

— Чего вы не понимаете, сэр Чарльз?

— Не понимаю, зачем Бэзил вообще отправился в Вест-Индию. Он не говорил вам?

— Нет, не говорил.

— Странно. Впрочем, странно и то, что на борту не было вас. Вы ведь часто плавали с Кристианом?

— Я не мог поехать, потому что у меня был уговор с Дрейком. Если бы не это, я непременно был бы на «Арионе».

— Я, конечно, плохо знаю Кристиана, но не мог ведь он решиться кого-нибудь ограбить, если у него на борту были женщина и ребенок, — задумчиво произнес сэр Чарльз.

— Он никогда бы этого не сделал.

— Вы уверены?

— Уверен. Вы сами не верите в свои предположения. «Арион» плыл как мирное судно. Он не имел права ни на кого нападать. И его испанцы должны были пропустить.

— Боже! Так вы ничего не знаете?! — удивился Джордж. — Вот что значит годами не появляться при дворе! Вашему «Ариону» здесь все досточки перемыли. Испанский посол заявил Елизавете, что ее так называемый мирный корабль напал (вы только подумайте, какая возмутительная ложь!), *напал на целый испанский флот!* Представляете? Один корабль — на целый флот! Они, испанцы, пытались уклониться от боя. Не могли же они воевать с мирным судном. Но... Обратите внимание. Но — вынуждены были открыть огонь. Да, видимо, Джеффри немало крови попортил всем этим благородным донам, если даже испанский посол врет как... как... сивый мерин. И мы все совершенно спокойно принимаем эту ложь.

— Я слышал об этих глупых предположениях, но не думал, что это заявление испанского посла. Однако если бы на Джеффри напала даже целая флотилия, он бы дрался.

Сэр Чарльз смотрел на юношу с жалостью.

— Эх, молодая горячая кровь. В бой — и не важно, сколько врагов. Все это слишком наивно. Что же случилось на самом деле, никто не знает.

— Я узнаю. Я добуду правду. Я должен сделать это для Бэзила и для Джеффри, — тихо сказал Валентин.

— Где это вы нашли себе такого слугу, Валентин? — резко изменил тему разговора сэр Чарльз. — В его присутствии мне становится как-то не по себе. Готов биться об заклад с самим Робертоном, что он один из евнухов восточного гарема.

— Бог мой, вот уж не думал, что Робертон — евнух! — Джордж оглянулся на здоровяка Генри Робертона.

— Да не Генри! — раздраженно сказал сэр Чарльз, не заметив подвоха. — Я говорю о слуге! О слуге Валентина. При чем здесь Генри?

— А, вы о турке. — Джордж сделал вид, что только сейчас понял, о ком идет речь. — Он настоящий свирепый турок, и я не стал бы соваться к нему с вопросами.

— Мне бы это и в голову не пришло. Да он и не говорит почти. Вы что, отрезали ему язык, Валентин? Я слышал, на Востоке это делают часто. Так они решают проблему верности. Немой слуга не выболтает секретов. Ваш парень не из таких, случаем? — спросил сэр Чарльз.

Валентин ничего не ответил.

— Ума не приложу, зачем вам такой слуга, — продолжал развивать тему сэр Чарльз.

— Не выгонять же мне его. Служит он хорошо. Я могу на него положиться.

Валентин вспомнил тот день, когда впервые увидел Мустафу. На александрийском базаре его внимание привлекла драка. «Бой» был неравным — полдюжины вооруженных людей никак не могли подступиться к одному — отчаянно отбивавшемуся полуголому турку.

Валентин, не задумываясь, поспешил на помощь отважному парню. И вовремя: силы оборонявшегося были на исходе. Вскоре на помощь подоспела команда «Ариона».

Когда битва была закончена, турок повернулся к своему неожиданному союзнику. Он хотел что-то сказать, но тут же рухнул как подкошенный. Валентин понимал: если оставить этого бедолагу здесь, долго он не проживет. Его враги обязательно вернутся. Уайтлоу приказал отнести незнакомца на корабль. Там он будет в безопасности.

Несмотря на то что турок никогда ничего не рассказывал о себе, Валентину удалось кое-что узнать о нем.

Мустафа — так звали турка — любил девушку-рабыню. А вельможа, которому он служил верой и правдой, продал ее африканскому шейху. Жестокий человек не изменил своего решения, несмотря на то что турок готов был заплатить за рабыню крупную сумму золотом. Девушка была красавицей, и шейх дал за нее больше, чем мог дать Мустафа. Турок не простил своему хозяину этого поступка.

Отомстив паше, он последовал за возлюбленной в Египет. Это все, что мог рассказать о нем торговец. «Хотя, — понизив голос, добавил торговец, — матросы с корабля, недавно прибывшего из Константинополя, рассказывали о красавице, которая прыгнула в воду и утонула, только бы не достаться шейху». С заговорщическим видом торговец прошептал на ухо Валентину имя разгневанного шейха, чьи люди напали на турка. Когда корабль вошел в порт, Мустафа проник на корабль, чтобы разыскать любимую. Безумец убил нескольких стражников и, самое главное, сына шейха. Теперь турку не жить. Слуги шейха его из-под земли достанут. Напрасно англичанин вмешался. Теперь ему тоже несдобровать. Если он дорожит своей шкурой, пусть уплывает из Александрии немедленно.

Англичане не стали искушать судьбу и покинули негостеприимный берег. Турка взяли с собой. Из сбивчивого перевода торговца Валентин понял, что турок обязан англичанину жизнью и будет служить ему верой и правдой до конца своих дней.

Турок стал для своего господина не только слугой, но и личным телохранителем. Валентин не смог бы вспомнить, сколько раз за последние несколько лет ятаган Мустафы отводил от хозяина смертельный удар.

— Посмотрите, она идет сюда. — Слова Томаса Сэндрика вернули Валентина к действительности.

— Елизавета? — воскликнул Джордж, готовый преклонить колено перед ее величеством.

— Нет, Элиза Уолчемпс, — проговорил Томас Сэндрик, не сводя восхищенного взгляда с приближающейся возлюбленной.

Джордж Хагрэйвс покраснел. Сделав вид, что расправляет складку на рейтузах, он выпрямился. «У меня сегодня день оплошностей», — подумал он. Джордж взглянул на собеседников, но те не смотрели в его сторону. Взгляды всех были прикованы к женщине несравненной красоты, сопровождавшей юную Элизу Уолчемпс.

Корделия Хауэрд остановилась перед Хагрэйвсом и мило улыбнулась:

— Я опасаюсь гнева Елизаветы. Представляю, что бы с ней было, если бы она увидела, как джентльмен преклоняет колено не перед ней. Прошу вас, запомните это. Я слишком высоко ценю свое положение при дворе, чтобы рисковать им ради рассеянного красавчика. Добрый день, сэр Чарльз.

Здравствуйте, Томас. — Когда она обратила взгляд к Валентину, глаза ее вспыхнули как звезды.

— Корделия, — пробормотал Валентин.

— Я не знала, что вы вернулись, — сказала красавица. — Глядя на вас, я всякий раз думаю, вы передо мной или кто-то другой. Но меня можно простить: последние года два я вас очень редко видела. Однажды, Валентин, вы вернетесь в Англию и обнаружите, что ваши знакомые забыли вас окончательно.

Валентин улыбнулся:

— Я не многим доверяю. Забудут знакомые — не забудут друзья. Им-то не придется думать, кто перед ними — я или не я. Кроме того, встречи после долгих разлук бывают весьма трогательными. Вы не находите?

Корделия вновь мило улыбнулась, словно не поняла намека Валентина.

— Вы знаете малышку Элизу Уолчемпс? Это моя дальняя родственница. Раймонду Уолчемпсу она приходится младшей сестрой. У нее еще пять старших сестер. Отцу грозит разорение, когда он выдаст замуж всех дочерей. Боже, что это с вами, голубушка?! — воскликнула Корделия, глядя на зарумянившееся лицо Элизы. — Вот почему моя дорогая Элиза сейчас в Лондоне. Мы должны подыскать ей мужа, хотя, боюсь, это будет непросто. Приданое маленькое, и... ну и все остальное.

Намек Корделии понять было нетрудно, так как Элиза рядом с темноволосой и темноглазой красавицей выглядела серой мышкой.

И тем не менее Томасу Сэндрику Элиза Уолчемпс казалась самой прекрасной. Никакие Корделии Хауэрд не смогли бы заставить молодого человека разлюбить Элизу. Девушка бросила на Томаса один взгляд — и Сэндрик понял, что любим.

Корделия не пропустила их немой разговор. Она заметила восхищение во взгляде Томаса. Задача может оказаться проще, чем казалось тогда, когда ее попросили пристроить свою бедную родственницу за богатым дворянином.

— Милый мой, любезный Раймонд, — приветствовала Корделия подошедшего Раймонда Уолчемпса.

— Корделия, прекрасная, как всегда, — поклонился тот и, сделав вид, что не заметил сестры, обратился к Валентину: — Уайтлоу, примите мои поздравления.

Валентин удивленно поднял брови: «Разве мы знакомы?» Уолчемпс будто и не заметил его немого вопроса.

— Да, да, — продолжал Раймонд, — здесь только и говорят о том, как Валентин Уайтлоу прямо из-под носа у Дрейка увел самый лучший корабль. Слышал, что бедняга Дрейк вынужден был цепями приковать своих ребят к палубе, чтобы они не переметнулись к нашему герою. Как я понял, вы взяли испанский галион, полный золота и серебра. Что же скажет достойный Филипп, когда узнает, что золото оказалось в ваших карманах, вместо того чтобы пересыпаться в его сундуки?

— Попросит Валентина поддержать деньгами наемников Альбы* в Нидерландах, — нашелся Джордж, и его последние слова потонули во взрыве хохота.

— Возможно, Елизавета наградит нашего бравого капитана титулом, — заметил Уолчемпс.

Джордж Хагрэйвс усмехнулся. Многим было известно, что эти двое искали благосклонности у одной особы, и по взглядам, которые Корделия бросала в сторону капитана, нетрудно было догадаться, кто вышел из этого соперничества победителем. Но надолго ли победитель завоевал серд-

---

* Герцог Альба с 1568 по 1573 г. руководил действиями испанских войск в Нидерландской войне 1568—1609 гг.

це этой дамы — неизвестно, ибо Корделия не отличалась постоянством.

— Сэр Валентин Уайтлоу! Добыл красивое колечко, — промурлыкал Джордж. — Хотя в жизни придворной рифов и мелей не меньше, чем в жизни морской. И все же битву словами выиграть сложнее, чем бой на шпагах. Попробуй-ка взять на абордаж того же Сесила. Не получится. Вас тут же потопят. Часто вы уверены, что плывете, хотя на самом деле давно лежите на дне. Вы согласны, Уолчемпс? Насколько я знаю, вы тоже недавно пытались потопить один кораблик.

Джордж подозревал, что досточтимый Раймонд немало потрудился над тем, чтобы королева была в курсе самых пикантных слухов, имеющих отношение к репутации леди, благосклонности коей он искал.

Уолчемпс молча смотрел в глаза Хагрэйвсу. Он знал, что немногие люди способны выдержать его взгляд, и часто использовал игру в гляделки, чтобы смутить противника. Джордж отвел взгляд. Легкая улыбка играла на губах Раймонда, искорки злого смеха блестели в глазах: карем и голубом.

— В самом деле? Я такого не припоминаю, Хагрэйвс. Скорее всего вы что-то перепутали. Хотя... вы, наверное, пошутили. Извините, я вас не понял. С вашей манерой выражаться никогда не знаешь, воспринимать вас всерьез или нет. — Уолчемпс презрительно улыбнулся. — Следует порекомендовать Елизавете нововведение: приглашать в качестве шутов джентльменов, благо один уже есть на примете — он сумеет позабавить королеву какое-то время, а там, глядишь, подвернется следующий. Я даже берусь добыть колокольчики для вашего колпака.

Джордж Хагрэйвс готов был уже бросить перчатку в мерзкую физиономию Уолчемпса, но Валентин удержал его.

— Послушай, дружище, дело того не стоит. Кроме того, Томас обидится на тебя — ты создашь ему трудности.

— Томас? При чем здесь Томас? — недоуменно спросил Раймонд Уолчемпс.

— Ну что же, объясню. Если Джордж проиграет дуэль, а я думаю, что так оно и произойдет, поскольку вы фехтуете лучше, мне придется вызвать вас. Ваша смерть станет, как я полагаю, причиной траура в семье. Томасу едва ли придется по вкусу год смотреть на очаровательную Элизу, одетую в черное. Не понравится это и Корделии, и вашему духу придется объясняться с ее многочисленными обожателями из-за того, что вы создали ей неприятности.

Джордж хлопнул себя по ноге и расхохотался. Засмеялись и его друзья. Одному только Уолчемпсу рассуждения Валентина не показались забавными. Он впился взглядом в глаза Уайтлоу, но тот не смутился. Раймонд вспыхнул и потянулся за шпагой. Тут за его спиной раздался знакомый властный голос — голос ее величества:

— Видит Бог, я не потерплю драки у себя во дворце! Если вы, джентльмены, из-за не к месту сказанного словца готовы хвататься за оружие — идите во двор. Но тогда не обессудьте, голубчики, если за удовольствие продолжить ссору вы лишитесь шпаг, а заодно и голов, таких симпатичных и юных, — неодобрительно заметила Елизавета.

Довольная тем, что сумела поставить на место забияк, посмевших затеять ссору в ее присутствии, она улыбнулась. Каждый из дуэлянтов был так хорош собой, что, право, не хотелось на них сердиться. Елизавета предпочла бы пофлиртовать с молодцами, вместо того чтобы из-за детских шалостей наказывать их.

— Ах вы, негодник! — Королева погрозила Валентину пальцем. — Не успели вернуться, как вновь стремитесь быть унесенным от нас штормом. Только на этот раз винить вам придется не бурную морскую стихию, а, скорее, свой буйный характер.

— Ваше появление, мадам, для нас все равно что появление солнца из-за туч, — тихо сказал Уайтлоу и поцеловал протянутую ему руку. На пальце королевы переливался изумруд — подарок Валентина ее величеству к Новому году. Он преподнес его королеве, когда был удостоен частной аудиенции.

— Очень мило, — сказала королева, глядя на склоненную голову своего подданного.

— Но и солнце бледнеет перед вашим величием, мадам, — с трогательной искренностью произнес Валентин.

— Ха! Да вы, я вижу, желаете снискать себе лавровый венок! — воскликнула королева и добавила: — Мой славный капитан, как я вижу, не только храбрец, но и весьма обходительный кавалер. Мы должны чаще видеться. Впрочем, нет. Боюсь, Филиппу станет слишком привольно, если один из моих морских псов будет сидеть на цепи у ног своей королевы, — сказала она громко, чтобы слова ее услышал испанский посол.

— Этот год более благоприятен для доброго английского, чем для сладкого испанского вина, — пробормотал Джордж Хагрэйвс, но Елизавета услышала его и рассмеялась. Испанец побагровел от гнева.

Королева взглянула на Уолчемпса. Пусть в его разноцветные глаза смотреть было неприятно, Елизавете он нравился. Раймонда считали красавцем: высокий, статный, тонкие черты лица и шелковистые волосы. Было в нем что-то девичье, но едва уловимое. В движениях ли, в манере говорить. Однако как только он обращал свой взгляд на собеседника, впечатление это исчезало. За такую своеобразную «двуличность» королева прозвала его Хамелеоном.

— Раз уж тут замешаны два таких красавца, ссора вышла из-за женщины, не так ли? — Елизавета бросила недовольный взгляд в сторону Корделии Хауэрд.

— О нет, мадам, — проговорил Уолчемпс, — мы поссорились из-за Джорджа Хагрэйвса.

— Неужели? — удивилась царственная особа и тут же, увидев ошалелое лицо Джорджа, рассмеялась: — Ей-богу, я дам рыцарство всем троим за то, что так меня рассмешили. Или нет, велю вас всех утопить или четвертовать за дерзость!

— Не так я хотел бы умереть за свою королеву, — сказал Раймонд Уолчемпс.

Наряду с изумрудом Валентина королева носила и его, Раймонда, дар — прекрасной ювелирной работы перстень.

— Я слышала, что это кольцо у вас в ухе из испанского золота. Это правда? — спросила королева, снисходительно похлопав веером по руке Валентина.

— Так и есть, мадам. Кольцо с борта испанского галиона, который благосклонно открыл для меня свои трюмы. Постоянное напоминание, мадам, о щедрости Филиппа.

— Ваше величество, я протестую! — возмутился испанский посол. — Этого человека следовало заковать в цепи за пиратство, а вы принимаете его при дворе и чествуете как героя. Это оскорбление Филиппу и Испании! Я требую наказать его и заплатить Испании за нанесенный ущерб.

— Не просите слишком много, вы, маленький человечек. Или получите больше того, что сумеете унести. Если Филипп не умеет хранить свой кошелек, зачем же в этом винить меня? — И Елизавета повернулась спиной к дипломату. — А сейчас кто из вас двоих поведет меня на танец? — спросила она. — Мой капитан или мой Хамелеон?

Придворным у нее за спиной оставалось только завидовать счастливчикам.

— Хамелеон, я позволяю вам танцевать со мной, — великодушно заявила королева. — А вам, Капитан Руж*, я обещаю следующий танец.

---

* Руж — красный (фр.).

— Вы доставите удовольствие мне, мадам, — с поклоном отвечал Валентин.

— Так что теперь вспоминайте па, чтобы меня не опозорить, — предупредила она. — Имейте в виду, что кое-кто, дерзкий и вероломный, постарается завладеть вашим вниманием. — И ее величество бросила взгляд в сторону Корделии.

— Пытаться затмить вас — все равно что фартинговой свечке пытаться затмить солнце, — сказал Валентин и добавил чуть тише: — Кроме того, я всегда питал слабость к рыжим волосам.

— Ах, мой капитан, я не скоро позволю вам меня покинуть, — произнесла королева, беря под руку Уолчемпса.

— Во всяком случае, не завтра, — улыбнулся Уайтлоу. И тут же, как и опасалась царственная особа, черноглазая Корделия завладела его вниманием.

Глава 7

...Изобличится зло,
Хотя б от глаз в подземный мрак ушло.
*Уильям Шекспир**

Во время прилива воды Темзы плескались у крыльца таверны «Прилив», выстроенной на сходнях над рекой. Именно сюда пришел Валентин Уайтлоу в сопровождении своего неизменного спутника. Они поднялись на второй этаж.

Мустафа не дал хозяину войти первым — вдруг там, внутри, засада? Турок открыл дверь, прислушался. И вдруг с молниеносной быстротой подскочил к кровати, скрытой под бархатным пологом.

Дикий вопль Мустафы был тут же подхвачен визгом женщины.

Никогда еще Корделия Хауэрд так не пугалась. Открыть глаза и увидеть искаженное яростью лицо дикаря и занесенную над ее головой кривую саблю — для нежных сердец такое потрясение слишком велико. Корделия тут же потеряла сознание.

_____
* Пер. М. Лозинского.

— Проклятие, Мустафа! — Валентин подошел к женщине. Она лежала, бледная как смерть, черные волосы ее разметались по подушке.

— Мертвая, капитан? — спросил турок.

Валентин присел рядом с Корделией и прижал пальцы к сонной артерии.

— Тебе повезло, Мустафа. Надеюсь, когда Корделия придет в себя, она не станет требовать для тебя смертной казни через четвертование. Придется уговаривать ее, чтобы согласилась на повешение. А это будет нелегко.

В дверь забарабанили.

— Эй! Откройте немедленно! Какого дьявола тут происходит? — кричал хозяин таверны. — Не позволю убивать в моем доме! Можете драться где-нибудь в другом месте! Откройте, я вам говорю!

— Что случилось? — Валентин открыл дверь. — Почему такой переполох?

— Что? Это вы называете переполохом? Да я едва не умер от страха, когда услышал вопли из вашей комнаты!

— Ничего страшного не произошло. Просто некая дама увидела мышь. Вы ведь знаете, какие нервы у этих женщин...

— О, понимаю. А что... что за дама? — Хозяин вспомнил, что его посетитель пришел в таверну один. Если не считать, конечно, этого парня в тюрбане.

Уайтлоу молча смотрел на хозяина, и тот догадался, что интересоваться именем дамы не следует.

— Ну что же, если у вас действительно все в порядке... Но я готов поклясться, что кричали двое! И второй вопль был страшнее. У меня кровь в жилах застыла.

— А, это... Это Мустафа. Он тоже не любит мышей. — И Уайтлоу закрыл перед носом удивленного трактирщика дверь.

Валентин вернулся к Корделии, достал свой платок, намочил его и положил ей на лоб. Когда веки ее задрожали, Валентин приказал турку отойти подальше.

— Она снова лишится чувств, когда увидит твой симпатичный тюрбан.

— Валентин, — простонала Корделия.

— Он самый.

Корделия спрятала лицо у него на груди и разрыдалась.

— О, Валентин! Этот сумасшедший хотел меня убить! Надеюсь, ты забьешь его до смерти. Я, наверное, никогда не смогу прийти в себя окончательно. Этого негодяя надо повесить!

— Какая ты кровожадная, любовь моя, — прошептал Валентин, прижимаясь губами к ее шее.

— Что ты с ним сделал? — спросила Корделия, но судьба турка уже перестала ее интересовать. Ласки Валентина делали свое дело.

— Я отослал его, — объяснил ей капитан, прокладывая губами огненную тропинку вдоль груди женщины. — Любовь моя, — прошептал он, вдыхая аромат ее кожи, — я не ждал тебя.

— Я хотела сделать тебе сюрприз.

— Я рад.

— Я ждала тебя прошлой ночью, — сказала она. — Почему ты не пришел?

— Я видел, как ты уходила вместе с этим... Уолчемпсом. — Валентин не в силах был скрыть ревность.

— Ты разве забыл, со мной была его сестра. Я за нее отвечаю. А может, ты сам наслаждался обществом другой?

— Честно говоря, моя дорогая, я спал без задних ног, — признался молодой человек. — Так я прощен?

Корделия передернула плечами. Ее самолюбие было ущемлено. Валентин смог спокойно заснуть, зная, что она его ждет. Корделия решила, что сейчас же уйдет. Пусть этот соня и дальше спит один. Но она жаждала его поцелуев, его ласк. И осталась.

Валентин улыбнулся. Корделия чувствовала, как становится горячее ее кровь. «Он дьявольски красив, — думала она, откинув назад голову и позволяя лицезреть свое прекрасное тело. — Как он на меня смотрит!»

Но когда дело дошло до его губ и рук, ласкавших ее с таким знакомым и тонким искусством, неизменно вызывавшим в ней ответный взрыв страсти, Корделия почувствовала, что теряет рассудок. Она едва могла сдержать нетерпение, когда он стал раздеваться. Валентину было смешно смотреть на свою страстную возлюбленную. Страсть заставляла ее забыть все уловки: она и не думала притворяться скромницей, оставила и все игры обольщения, чтобы потянуть удовольствие. Она требовала от него немедленного удовлетворения.

Двигаясь ему навстречу медленными и сладко-греховными толчками, чувствуя его горячую плоть, Корделия и в нем будила ту же страсть. Но Валентин не торопился слиться с ней воедино. Лаская и целуя ее, медленно, нежно, он заставлял ее стонать и вздрагивать. А когда наконец любовники слились в единое целое, по телу Корделии прокатилась дрожь. Она готова была молить его о том безумном блаженстве, что, словно бегущий огонь, жгло ее изнутри. Он был нужен ей как воздух. С каждым вздохом она все глубже растворялась в этом огне. В лихорадке желания она вонзала ногти в его спину, обхватывала ногами его бедра. Рот ее жадно искал его губы. Уайтлоу смотрел ей в глаза и видел собственное лицо, отраженное в черном зеркале. Он чувствовал себя околдованным ее телом и затерявшимся в океане наслаждений.

Утро было мрачным. На востоке показался сероватый просвет, но ненадолго. Снова загрохотал гром, и полил дождь.

Валентин вздохнул и поудобнее устроился на подушках. С трепетной нежностью он коснулся губами щеки Корделии. Вдохнул запах ее тела.

— Делия, — прошептал он.

Корделия прижалась к нему спиной, блаженно жмурясь.

— Когда мы объявим о помолвке? — спросил Валентин.

— Любовь моя, ты же знаешь, Елизавета никогда не даст нам разрешения. Она не слишком благосклонно смотрит на супружество, особенно когда дело касается ее любимчиков. Она бы хотела, чтобы все ее фрейлины умерли старыми девами. Если она решила не выходить замуж, то готова всех нас лишить удовольствия, которые дарит...

— ...плоть. — Валентин прижался губами к ее телу.

Корделия засмеялась.

Уайтлоу крепко прижал ее к себе.

— Я женился бы на тебе, Делия, несмотря на гнев королевы. Я постараюсь убедить ее в моей преданности, но я не хочу потерять тебя, Делия.

— Я твоя, Валентин, — проговорила та.

— Я хочу, чтобы ты носила мое имя и моих детей, — выдохнул он.

— Когда-нибудь, Валентин, потерпи, — пообещала его возлюбленная. — А до той поры позволим ей играть в ее игры, но только по нашим правилам. У Елизаветы будут твое восхищение и преданность, а у меня — твоя любовь. К тому же мы не потеряем благосклонности ее величества. Жаль, Валентин, что дом, который ты получаешь в наследство, находится в Корнуолле. Это такая глушь. Да и люди там мало чем отличаются от дикарей Нового Света.

— Ты забываешь, любовь моя, что я и сам наполовину корни*, — напомнил он ей. — В том доме жила моя мать.

_____

* Корни — народность, издревле населявшая Корнуолл, в силу географических условий бывший изолированным от остальной Англии.

— Ну, я все же думаю, что, если бы она не была корни, ты мог бы получить в наследство имение в Беркшире* или Эссексе**. Раз Елизавета тебя так любит, она могла бы пожаловать тебе земли поближе к Лондону. Так было бы намного удобнее.

— Но меня устраивает Корнуолл. И ты тоже полюбишь его, Делия. Я мечтаю показать тебе этот край. Я мечтаю поскорее увидеть, как резвятся наши дети на лужайках возле нашего дома.

Уайтлоу заметил, как поморщилась Корделия. Жизнь в Корнуолле совсем ее не привлекала. Не таким представляла она будущее. И вовсе не так скоро намеревалась она покинуть свет. Ей совсем не улыбалось ждать мужа в каком-то старом заброшенном доме в Корнуолле, в то время как он будет бороздить моря или наслаждаться изысканным обществом при дворе Елизаветы.

С другой стороны, если бы она вышла за него замуж... Сколько любовников могло бы быть у нее! А верный муж никогда бы не узнал, что ему наставили рога.

Корделия получила предложение не от одного лишь Уайтлоу. Ее руки просил и Раймонд Уолчемпс. Он был красив и честолюбив. И тоже обласкан ее величеством.

Легкая улыбка коснулась губ Корделии. Раймонд был ее любовником уже несколько лет. И в постели с ним она чувствовала себя так же хорошо, как с Валентином.

Кроме того, есть еще и Роджер Пенморли. Правда, он не столь красив, как Валентин, и не столь опытен в любви, как Уолчемпс. Но он богаче, чем те двое, вместе взятые, и влюблен в нее.

«К счастью, сейчас, — Корделия вздохнула, — можно не утруждать себя поисками мужа». Пока она свободна, ни

---

* Графство на западе от Лондона.

** Графство, граничащее с Лондоном на юго-востоке.

перед кем, кроме себя самой, она не должна держать ответа. Она может поступать так, как считает нужным, и наслаждаться сполна каждым мгновением жизни.

— Думаю, Елизавета правильно делает, что не выходит замуж, — задумчиво протянула Корделия. — Она делает что хочет. Мужчины служат ей. И ни один не властен над ней. Клянусь, я ей завидую.

— Мне жаль ее иногда. — Валентин поглаживал стройные ножки возлюбленной. — Она одинокая женщина, Делия.

— Зато какие дары ей преподносят! Такие драгоценности растопят сердце любой женщины. Да Елизавета не могла бы надеть сразу и половины всех подарков. Я рядом с ней чувствую себя нищенкой.

— Тебя уж никто не назовет нищенкой, любовь моя, — улыбнулся Валентин.

— Если бы мой отец не оставил мне наследства, мне бы пришлось уже несколько лет назад выйти замуж. За самого завалящего, лишь бы иметь крышу над головой. Не всем так везет, как Елизавете. Уверена, она и не догадывается о цене украшений, что дарит ей поклонник. Была бы я на ее месте, я бы сумела достойно отблагодарить такого щедрого джентльмена.

— В самом деле, мадам? — усмехнулся Валентин. — Ловлю на слове. — И он соскочил с кровати.

Корделия наблюдала за ним сквозь полуопущенные ресницы.

— Что ты делаешь? — спросила она. Капитан опустился на корточки перед сундуком. — Иди ко мне. Я без тебя мерзну.

Валентин поднялся. На лице его играла улыбка. Сейчас он вдруг стал похож на маленького мальчика, который хочет рассказать о своей тайне, но не знает, с чего начать.

Корделия завизжала от радости, когда драгоценные камни покатились по одеялу. Выскочив из-под покрывала, не замечая холода, нагая, она начала собирать камни. Ни один не пропустила.

Смеясь, Корделия прижала камни к груди и откинулась на подушки. Она любила принимать такие подарки. Она обожала богачей.

— Иди сюда. Позволь мне отблагодарить тебя, мой повелитель.

Корделия раскрыла ладонь. Камни рассыпались по ее груди и животу.

Но им помешали. За дверью шумели. Кто-то во что бы то ни стало хотел видеть Валентина Уайтлоу. Этот кто-то оказался не кем иным, как Хагрэйвсом.

— Какого черта Джордж делает здесь с утра пораньше? — пробормотал Валентин, надевая штаны.

Угрозы и ругательства становились все громче. Потом вдруг все стихло.

Валентин открыл дверь. Джордж Хагрэйвс стоял, не смея шевельнуться. Мустафа одной рукой держал его за волосы, другой приставил кинжал к горлу бедняги.

— Не сметь заходить, когда они отдыхать.

— Валентин! — прохрипел Джордж. — Убери своего дикаря.

— Это друг, Мустафа, отпусти его.

— Спасибо. — Джордж потер шею. — Твой тюрбанщик не умеет себя вести. Ты бы хоть немного поучил его хорошим манерам. А то приходишь к тебе, ни о чем не подозреваешь. И вдруг выясняется, что твои слуги на гостей с ножами бросаются. В следующий раз подумаешь, принимать твое приглашение или нет. Хочешь оказать другу услугу, и что из этого получается? Меня чуть было не обезглавил янычар. И это в таверне, где полно народу! Ей-богу, наша столица становится опасным мес-том. Эй, Валентин, ты что так скривился? Не рад своему приятелю? Или я не вовремя?

Джордж заметил задернутый полог кровати и понял, почему его так приняли.

— Прошу прощения, Джордж. Заходи, садись. Вина налить?

— Пожалуй, его понадобится немало, чтобы успокоить-ся, — капризно ответил Джордж, — столько страху натер-пелся, пока до тебя добрался.

— Итак, что ты делаешь у моих дверей в такую рань? — спросил Валентин. Однако Джордж молчал. — Ты пришел ко мне посидеть помолчать? Уж не перебрал ли ты, мой друг? Может, Мустафа проводит тебя домой?

— Я не шляюсь по кабакам, — обиделся Джордж.

— Тогда чем обязан?

— Валентин. — Хагрэйвс запнулся. — Не знаю, как тебе и сказать. Ты можешь думать, что я тебя дурачу, но...

— Что «но», Джордж? — раздраженно спросил Ва-лентин. — Мне сейчас не до твоих идиотских розыгрышей. Давай ты пошутишь в другой раз.

И тогда Хагрэйвс выпалил:

— Бэзил жив!

Глава 8

*Ткань человеческой жизни сплетена из
двух родов пряжи — хорошей и дурной.*
Уильям Шекспир*

День близился к вечеру, когда Валентин Уайтлоу приехал в Уайтсвуд.

Всю дорогу его терзали сомнения. Как сможет сообщить
он сэру Уильяму, что тот больше здесь не хозяин? Как,
зная, что тем самым он разбивает всю его жизнь? А Элспет? Она посвятила себя другому, думая, что Бэзила больше нет. Она подарила жизнь сыну и дочери сэра Уильяма.
А Саймон? Он уже привык называть сэра Уильяма отцом.
Как примут Бэзила в Уайтсвуде? В том, что Бэзил захочет
вернуться, сомнений нет.

Валентин вспомнил, как поразила его новость, выпален-
ная Джорджем Хагрэйвсом тем дождливым утром. Успоко-
ив чересчур взволнованного друга, Уайтлоу вытянул из него
все, что мог. Оказалось, Джордж с группой друзей отправился пировать в трактир «У Марии». Посидев немного,
Джордж уже собрался было уходить, но вдруг услышал, как
какой-то оборванец просил хозяина отвести его к Валентину

* Пер. Мих. Донского.

Уайтлоу. «У меня к нему срочное дело», — заявил грязный и замызганный субъект. Матросы с «Мадригала» якобы сказали ему, что видели здесь Уайтлоу. Вот он и пришел. Джордж заинтересовался: что могло понадобиться этому типу от благородного человека? Он решил расспросить прощелыгу. Несколько кружек рома развязали парню язык. Джордж узнал, что фамилия его собеседника — Рэндал и что его брат, которого считали погибшим уже семь лет, вернулся. Джордж не понял, как возвращение какого-то там Рэндала может оказаться важным для Уайтлоу. Но у него было чутье на интересные истории. И он продолжал поить оборванца. Когда же выяснилось, что брат Джемми Рэндала, Джошуа, был боцманом на «Арионе», Джордж едва не свалился со стула. Когда «Арион» затонул, Джошуа Рэндала и еще нескольких матросов вытащили из воды испанцы. Несколько лет он был чем-то вроде раба у одного вельможи в Мехико, но после попытки бежать его отдали на галеры. Два года он работал веслами и уже примирился с тем, что умрет прикованным к скамье. И тут их галион взял на абордаж английский капер. Боцман Джошуа вновь обрел свободу и вернулся в Англию.

Валентин отправился к Рэндалу.

— Капитан боролся отчаянно, — рассказывал боцман. — Какое-то время нам даже казалось, что мы сможем победить. Но он был ранен в грудь. Он умер до того, как испанские псы отправили «Арион» на дно. Он не видел, как тонул его корабль. Смерть пощадила капитана.

— Твой брат сказал, что капитан Кристиан отправил на остров свою жену, дочь и еще одного пассажира, Бэзила Уайтлоу, это так? — спросил Валентин.

— Да, да. Он еще послал с ними Лоусона. Потом мы бились с испанцами. Их было слишком много. Слишком... И знаете, Лоусон... он бросился к нам на помощь, когда

«Арион» пошел ко дну. Хороший был моряк. Они шарахнули по нему из пушки. От парня ничего не осталось. Бедный малыш Эдди, — пробормотал Джошуа. — Я вначале подумал, что Магдалена и малышка Лили в лодке. Хорошо, что капитан этого не увидел.

— Почему они должны были быть в лодке?

— Капитан приказал Лоусону, когда мы пойдем ко дну, подвезти их к одному из галионов. Леди была испанкой, и капитан сказал, что их не тронут. Капитан ошибался. Если бы Магдалена, малышка и сэр Бэзил оказались в лодке, их бы наверняка убили. Испанцы били тех, кто пытался уплыть, прямо в воде. Устроили китобойню...

— Ты выжил, Джошуа. Это уже что-то.

— Да уж, — вздохнул боцман.

— Ты пометил на карте расположение острова?

— Да, господин Уайтлоу. Больше всего мне жаль малышку Лили. Бедняжке столько несчастий выпало.

— Я найду их, Джошуа. Я найду донью Магдалену, Лили и Бэзила. Я найду их и привезу домой, — решил Валентин.

— Дядя! — воскликнул Саймон Уайтлоу, бросаясь к Валентину. — Я знал, что вы приедете! Я говорил, что никому не удастся вас потопить!

— Саймон, да ты вырос на целый фут. Готов спорить, каждый месяц тебе приходится шить новый камзол и штаны, а уж на следующий сочельник, помяни мое слово, портному придется шить тебе костюм такой же длины, что и сэру Уильяму!

— Валентин, дорогой, — приветствовала Элспет своего бывшего деверя. — Я так рада тебя видеть. Ах, как ты похудел! Надо бы тобой заняться. Ну, за этим дело не станет!

— Здравствуй, Элспет. — Валентин поцеловал ее в щеку. — Ты стала еще краше, чем прежде.

— Да и ты не урод. Не сомневаюсь, что у дам ты пользуешься успехом. Смотри, Валентин, жизнь при дворе меняет людей, самый простодушный и искренний становится пройдохой. Не зря говорят, что и на солнце есть пятна. — Элспет очаровательно улыбнулась. — Придется мне помнить о том, что и половине сказанного тобой верить нельзя.

— Вы слишком пристрастны, мадам, — засмеялся Валентин и повернулся к сэру Уильяму.

— Рад видеть тебя, Валентин. — Сэр Уильям Дэвис пожал руку молодому человеку. — Хорошо поплавал?

— Да, неплохо.

— Сколько испанских галионов вы затопили? — спросил Саймон. Лицо его, по-детски наивное, выражало полнейшее восхищение.

— Саймон, прошу тебя, у тебя еще будет время, чтобы послушать байки дяди, — остановила мальчика Элспет. — Мне сообщили, что ты даже на ночь не захотел остаться.

— Как это, Валентин?! — Сэр Уильям покраснел. — Уайтсвуд всегда останется вашим домом. Послушайте, я знаю, что у вас есть дом в Корнуолле, но я всегда надеялся, с того самого дня, как стал здесь хозяином, что вы, ваша сестра и тетя будете продолжать считать этот дом своим, и приезжать сюда, и жить здесь сколько захотите.

— Спасибо, сэр Уильям. — Валентин чувствовал себя неловко. Одно его слово разрушит всю эту идиллию. — Нам надо поговорить. Тогда вы поймете, почему я так тороплюсь.

— Саймон, скажи няне, пусть уложит Бетси и Уилфреда спать.

Саймон кивнул, взял младших за руки и вывел их из комнаты.

Огонь в камине уже догорал, когда капитан закончил рассказ.

Элспет слушала, уставившись в пол. Сэр Уильям не отрывал взгляда от пылающего в камине огня.

— На рассвете я отправляюсь в Хайкрос. Нужно известить двоюродного брата Джеффри Кристиана. Затем я вернусь в Лондон, потом отправлюсь в Корнуолл и сообщу все сестре и тете. А после, — помолчав, добавил Валентин, — поплыву в Вест-Индию.

Элспет кивнула, но глаз так и не подняла.

— Конечно. — Сэр Уильям встал. Как-то разом он постарел. Плечи его поникли, губы дрожали. Валентину было жалко этого человека. Всего час назад капитан видел его счастливым и гордым, добрым хозяином дома, отцом семьи. И вот теперь Дэвис терял все — дом, жену, семью.

Рука сэра Уильяма слегка дрожала. Он положил ее на плечо Уайтлоу и произнес:

— Я знаю, что ты должен ехать. По-другому нельзя. Что бы ни случилось, на все воля Божья.

Не сказав больше ни слова, он вышел из комнаты.

— Элспет, — тихо позвал Валентин.

Элспет подняла голову. В глазах ее было страдание.

— Семь лет прошло, Валентин. Я считала его погибшим. Я любила его так, как никого не любила. Вначале мне трудно было привыкнуть к мысли, что его нет. Потом я привыкла. Я приняла как подарок судьбы то счастье, которое, как мне казалось, больше недоступно для меня. Я не думала, что смогу полюбить другого. Я не просила у Господа любви. Я хотела, чтобы все чувства во мне умерли вместе с Бэзилом. Но я вновь обрела счастье, и я люблю Уильяма, Валентин. Понимаешь?

— Да.

— Как может такое великое счастье приходить вместе с такой печалью? Когда я услышала, что Бэзил, может быть, жив, мое счастье не знало границ. Знать, что он жив! Боже, как я молилась, только бы услышать эту новость. Но сейчас... Если он вернется, нашей жизни с Уильямом наступит конец. Что нам делать, Валентин? — спросила она.

Валентин хотел ответить, но Элспет покачала головой.

— Пусть благословит тебя Господь в твоем путешествии, — прошептала она.

И, вздохнув, вышла следом за Уильямом.

Хайкрос, семейный дом Кристианов, выглядел совсем не так, как в бытность прежних хозяев. Казалось, дом состарился на несколько десятков лет. Не таким помнил его Валентин, когда приезжал нанести визит Джеффри Кристиану и Магдалене. Тогда Хайкрос излучал радость и свет.

Угрюмый конюх неторопливо шел к нему от конюшен. Судя по соломинкам, прилипшим к его штанам и куртке, он спал на сеновале. И слуга не собирался скрывать от гостя своего неудовольствия из-за того, что ему помешали.

— Хозяин знает о вашем приезде? — Слуга загородил капитану дорогу. — Откудова вы взялись?

— Пойди передай хозяину, что к нему приехал Валентин Уайтлоу.

— Скажу вам, долгонько придется ждать хозяина, пока он занят этим портретом. Один чудаковатый джентльмен приехал из Лондона, чтобы нарисовать портрет с хозяина. Он хотел сделать королеве подарок, вручить ей свое изображение. — Конюх захихикал. — Хозяин от себя без ума. Только вот ведь незадача: королева и не думала его приглашать. Но не беда. Портрет-то все равно не был готов. Не мог же он подарить ей картину с одним глазом и без волос, хотя, если поразмыслить, может, так оно даже больше ему идет. Как бы то ни было, он просил его не беспокоить. Он, знаете ли, может рассердиться, а когда хозяин сердится, то становится слегка не в себе. Лупит чем попало...

— Я, пожалуй, рискну испытать судьбу, — прервал Валентин конюха.

— Как хотите. Дверь не заперта. Хозяин в галерее. Вашей милости будет угодно, чтобы я распряг лошадей?

— Мы ненадолго.

Конюх пожал плечами и пошел прочь. Потом спохватился, вернулся, взял лошадей под уздцы и повел их в конюшню.

Двое господ в дальнем конце галереи не заметили появления нежданных гостей. Хартвел Барклай стоял, одной рукой упершись в бедро, и, глядя в окно, озирал свои владения.

— О, господин Барклай, этот портрет будет вершиной моего искусства, — восклицал художник, переводя взгляд с образца на холст и добавляя изображению свежей краски.

— За те деньги, что я тебе плачу, ты должен создать шедевр, не меньше, — ответил Барклай визгливым голосом, нелепым и странным для такого солидного мужчины.

Валентин остановился в нескольких шагах позади художника. Его присутствия по-прежнему никто не замечал. Взглянув на портрет, Уайтлоу понял, что нарисованный человек мало похож на оригинал.

Человек на портрете походил на греческого бога. Лицо неземной красоты в обрамлении вьющихся пшеничных волос. Красавец в шелковых панталонах, обтягивающих мускулистые ноги, стоял в непринужденной позе. Художник немало внимания уделял и другим деталям: богато украшенный гульфик, пропорции которого были значительно преувеличены художником, говорил о несомненных мужских достоинствах его обладателя.

В отличие от копии внешность оригинала была отталкивающей. Ни о каком римском профиле речи не шло. Нос у Хартвела был картошкой, глаза близко посажены, подбородок двойной, волосы — там, где они еще оставались (на макушке их не было совсем) — представляли собой неопрятную блеклую массу. Что же до весьма внушительного живота, то его не стыдно было запечатлеть в, так сказать, первозданном виде. Что художник и сделал.

— Черт, у меня шея затекла. Время ленча уже, верно, прошло. Можно подумать, что ты церковь расписываешь, так у тебя долго дело идет. С меня пока довольно! — Желудок Хартвела Барклая вторил своему обладателю.

— Я тоже не против передохнуть, — согласился художник.

— Ты опустошишь все мои кладовые, — фыркнул хозяин. — У меня и так с тобой буфет опустел. Имей в виду, что, когда придет время расчета за работу, я учту все расходы. Попробуй только возьми за ужином второй кусок мяса!

Хартвел подошел к портрету.

— Здравствуйте, Хартвел Барклай! Вы, я вижу, любезны и гостеприимны по-прежнему, — приветствовал его Валентин.

— Что... Кто это? — Толстяк подслеповато щурился, силясь рассмотреть находящегося в тени визитера.

— Валентин Уайтлоу.

— Какого черта тебя впустили? Говорил же, что твои проклятые путешествия меня больше не интересуют. Можно подумать! Мстит испанцам за то, что те потопили корабль моего братца! Они мне только одолжение сделали! Спасибо, что Джеффри больше не разбазаривает наследство! Он мертв! Я — новый хозяин Хайкрос!

— Может быть, и нет, — промурлыкал капитан.

— Что? Как ты смеешь являться в мой дом и говорить со мной подобным тоном? Может, тебя здесь и привечали, пока был жив Джеффри, но теперь я тут хозяин! И Хайкрос мой! Кто это с тобой? — спросил Барклай, подходя поближе. Но, разглядев турка, отступил. — Чужестранец! Язычник! Вон из моего дома, вы оба — вон!

— Я и не собираюсь здесь задерживаться.

— Если вы сейчас же не уйдете, я позову слуг. Куда они подевались? Одел! Одел! — завопил Хартвел. — Ты такой же, как он. Такой же наглый и бесцеремонный. Знаю, женщины ползают у твоих ног. Ходишь по Уайтхоллу будто какой наследный принц. И Джеффри был такой же. У него был Хайкрос. Он был красавец. У него было богатство и все прочее. О, как ему нравилось смеяться надо мной!

В голосе Хартвела звучала ненависть. Что с того, что предмет его ненависти давно лежал на дне морском!

— Как я мечтал, что однажды он сдохнет в море и я стану наследником Хайкрос! Молился об этом каждый день. Потом он женился на испанке. Думал меня одурачить, утащить Хайкрос у меня из-под носа. Сделал папистку хозяйкой моих владений. Но я посмеялся последним! Они все пошли на корм рыбам!

— Может быть, и нет, — протянул молодой человек.

Хартвел Барклай покраснел. Недоброе предчувствие закралось в его сердце. Он быстро сообразил, что Уайтлоу приехал в Хайкрос не просто так.

— Что тебе надо?

— Ничего.

— Тогда почему «может быть, и нет»? Отвечай! Ну!

— Я думаю, тебе будет приятно узнать, что Джеффри Кристиан на самом деле мертв, — спокойно сообщил Валентин.

Хартвел Барклай смотрел на Валентина так, будто перед ним был сумасшедший.

— До тебя и впрямь новости доходят долго. Я знаю об этом уже семь лет.

— Да, но ты не знаешь, что Джеффри Кристиан успел высадить на берег жену и дочь, а с ними и моего брата. Только после этого «Арион» пошел ко дну.

Толстяк выглядел так, будто получил удар под дых.

— Врешь! Врешь! — заорал он, едва придя в себя. — Как смеешь ты являться сюда с такими известиями?! Одел! Одел!

Но никто не появился. Тогда хозяин Хайкрос кинулся на обидчика с кулаками, но Мустафа остановил его.

— Эта испанская шлюха и ее выродок не могут быть живыми! Хайкрос мой!

Валентин спокойно смотрел на беснующегося Барклая. Брезгливость была написана на лице молодого человека.

— Ты ведь собираешься привезти их в Англию, я знаю! Будь ты проклят! Одел! Одел!

Валентин, не желая больше присутствовать при столь безобразной сцене, повернулся к хозяину спиной и пошел к лестнице. Турок — за ним. Барклай ринулся следом.

— Они, верно, все передохли! Господи, семь лет! Они мертвы, мертвы! Ты напрасно потратишь время и деньги! Если ты за ними не поедешь, я щедро тебе заплачу. Я богат. Куда богаче тебя! Я могу дать тебе денег на другое плавание. Ты никого не сможешь нанять на корабль, если решишься плыть туда ради шлюхи!

Валентин с Мустафой спускались, не обращая внимания на вопли Хартвела. У подножия лестницы им преградили дорогу двое слуг. Мустафа, вращая глазами, вышел вперед. Северных людей так легко напугать. Сейчас он оскалит зубы, и те двое пустятся наутек.

Фарли и Фэрфакс Одел, один низкий и темный, другой высокий и светлый, во все глаза смотрели на двух джентльменов, спускающихся по лестнице. Человек со странной штукой на голове был явно не в себе. Переглянувшись, бравые молодцы, следуя древнему инстинкту самосохранения, поспешили убраться с дороги. Пусть хозяин сам разбирается со своими гостями.

— Остановите их! Остановите! — орал Хартвел.

Но Фарли и Фэрфакс были не дураки и дали деру.

Усмехнувшись, Уайтлоу покинул «гостеприимный» дом.

Но, уезжая из Хайкрос, он, казалось, слышал мерное, как стук лошадиных копыт: «Мертв... мертв... мертв...»

— Будем надеяться, что детеныш Кристиана мертв.

Раймонд Уолчемпс ходил из угла в угол.

— Семь лет — срок немалый, — тихо сказал отвернувшийся к окну мужчина.

— Проклятие! Кто мог подумать, что Кристиан высадит их на берег? Если эта мерзкая девчонка сказала Уайтлоу, что она видела двух англичан в Санто-Доминго, мы можем считать, что эти семь лет нам дарованы милостью Божьей. Господи, я уже думал, что мы в безопасности, когда этот корабль пошел ко дну! Интересно, дон Педро знает?

Собеседник Раймонда ответил не сразу.

— Боюсь, что нет.

— Проклятие на его душу! Мы должны были убедиться в том, что они мертвы.

— Мы? — переспросил тот, что был у окна.

— Ах да, я забыл, что ты всегда питал отвращение к насилию. Радуйся, что корабль затонул и никто не знает, где мы были в тот момент. Кристиан бы нас не пожалел, и ты напрасно жалеешь его, как, впрочем, и девчонку. Она была для нас опасна.

— На каком берегу ты стал бы их искать? Там же куча островов. Ты знаешь, где их оставил Кристиан? Нет. Все равно не удалось бы их найти. Я надеялся, что мы можем забыть о том, что случилось тогда, и спокойно жить дальше.

— Забыть? Забыть, о том, что Елизавета все еще здравствует? Забыть о нашей цели? Изменить истинной вере? Я буду молиться за то, чтобы пришла еще одна Варфоломеевская ночь. Тогда мало было пролито крови еретиков.

Собеседник вздохнул:

— Не думаю, что кровопролитие приведет нас к цели.

— Это единственный путь!

— Переворот может стоить нам всего. К власти придут не те люди. Как бы мне ни хотелось восстановления в Англии истинной веры, испанское вторжение для моей страны страшнее, чем королева-еретичка.

— Только так можно скинуть Елизавету с трона! И едва они начнут борьбу с еретиками, у власти окажемся мы.

Товарищ смотрел на Уолчемпса с жалостью.

— Пока мы сидим тут в бездействии, Елизавета правит страной. Помни об этом!

— Помни и то, мой нетерпеливый друг, что мы живы. В отличие от других наших сподвижников. Многих уже взяли под стражу. Участь сия не миновала даже Норфолка. Когда Сесил перехватил послание Ридольфи, жизнь наша висела на волоске. Счастье, что он ничего не узнал о нас. Видимо, Бог пожелал, чтобы мы оказались в стороне от заговора. Я уже потерял счет священникам, которым давал приют за последние годы. Я даже в лицо всех припомнить не могу. Но они больше пользы принесли нашему делу, чем любая резня. Быть может, наше предназначение в том, чтобы помогать людям, которые стоят за наше дело.

— Ты так красиво говоришь! Ну что же, ты ведь не страдал эти годы? Ты жил припеваючи. У тебя были и деньги, и власть, и положение. Тебе ведь не хочется все это потерять? — язвительно проговорил Уолчемпс. — Так вот, молись-ка ты лучше, чтобы те, которых высадили на острове, были мертвы, не то придется нам гнить на континенте, а что более вероятно — положить головы на плаху здесь, в Англии.

— Тетя Квинта! Артемис! — Валентин открыл дверь в уютную гостиную и остановился на пороге.

— Валентин! — воскликнули дамы.

Квинта, высокая и худая темноволосая женщина лет пятидесяти, пошла навстречу племяннику.

— Здравствуй, тетя Квинта. — Валентин обнял и поцеловал ее. — Добрый вечер, Артемис. — Он сжал сестренку в объятиях. Та рассмеялась и расцеловала молодого человека. — Как твоя нога? Лучше?

Артемис была не очень похожа на брата, но волосы у нее были такие же темные и такие же вьющиеся и все норовили выбиться из косы, которую она короной уложила вокруг головы.

— Прекрасно! Бэзил жив! Я так счастлива, что совсем перестала хромать. Я могу сейчас хоть пешком дойти до того острова.

И тут капитан заметил в комнате еще двух человек. Мужчина встал.

— Я приехал из Лондона на прошлой неделе и зашел засвидетельствовать свое почтение вашим родным. Боюсь, что я несколько поторопился. Мне казалось, вы уже возвратились в Холл и сообщили им о Бэзиле. Я приходил, чтобы пожелать вам доброго пути. Когда я узнал, что вас здесь не было, я, как бы сказать, не мог не поделиться с ними новостями.

— Добрый вечер, Роджер. — Валентин кивнул и повернулся к женщине, которая сидела в кресле рядом с Роджером Пенморли. — Здравствуйте, Гонория.

— Здравствуйте, Валентин. — Она улыбнулась молодому человеку. — Давно мы вас не видели. Вы все плаваете, а о друзьях и родных совсем забыли.

— Мы были настойчивы до неприличия. Выспросили у Роджера все, что он слышал о Бэзиле. — На щеках Артемис выступил румянец. — Знаешь, мне и не хочется, чтобы ты уезжал, и хочется, чтобы ты поскорее уехал. Ты привезешь нам Бэзила, нашего милого, любимого Бэзила.

— Бог услышал твои молитвы. — Квинта взглянула на племянницу, а потом повернулась к гостям: — Прошу к столу. Для вас уже поставили приборы.

— Нам, право, надо уходить. Мы злоупотребляем вашим вниманием. — Роджер, несмотря на кажущуюся сердечность встречи, не был уверен в том, что Валентин рад гостям.

— Я очень прошу вас остаться и пообедать с нами, — сказал капитан. — Прошу меня простить, но я должен вас покинуть на время. Мне нужно переодеться.

— Конечно, конечно. Из Лондона путь нелегкий, — согласился Роджер.

— Честно говоря, я ехал из Плимута, «Мадригал» стоит на якоре в плимутской гавани. Мои ребята снаряжают корабль.

— Я удивлен. Мне казалось, что Фалмут ближе к Холлу.

— У меня были дела в Плимуте.

— Ах да! Сэр Хэмфри Джилберт — ваш поставщик, не так ли? Если вам только понадобится... Впрочем, в другой раз. Я с нетерпением жду возможности поговорить с вами за обедом. Очень хотел бы услышать подробности вашего плана спасения Бэзила.

Роджер и Бэзил были старыми друзьями. Они часто встречались при дворе, любили поговорить. Сходство характеров сблизило их. Каждый считал другого приятным собеседником и единомышленником.

— Я скоро вернусь. — И Валентин вышел из комнаты.

Он не прошел еще и половины коридора, как услышал позади себя торопливые шаги. Тетя догоняла его.

— Мой дорогой, мне не хочется тебя задерживать, но я должна знать, как эту новость восприняли Элспет и сэр Уильям. Мне не хотелось говорить об этом в присутствии сэра Роджера и Гонории. Ты ведь сказал им о Бэзиле, да?

— Да. Сказал. — Молодой человек провел рукой по лицу и вздохнул.

— Трудное положение. А как Саймон?

— Саймон не знает.

— Нет?

— Что, если...

— Что, если Бэзила нет в живых? Было бы несправедливо по отношению к мальчику зародить в нем пустые надежды. — Квинта высказала опасения Валентина. — Как бы я хотела, чтобы судьба пощадила Артемис! Она обожала Бэзила. Он был ей вместо отца. Как она расстроится, если... Нет, не буду даже думать об этом. Бэзил должен быть живым. Теперь, когда мы обрели надежду, было бы жестоко отнимать ее у нас. Ладно, иди, Валентин. Мы будем ждать тебя в гостиной. Я знаю, что ты скоро уедешь от нас. Скажу тебе одно: что бы ты ни нашел на этом острове, прими как данность. Так было угодно Богу. Пожалуйста, помни это.

Глава 9

Отец твой спит на дне морском,
Он тиною затянут,
И станет плоть его песком,
Кораллом кости станут.
Он не исчезнет, будет он
Лишь в дивной форме воплощен.

Уильям Шекспир*

До самого горизонта простиралась водная гладь. Ближе к берегу цвет морской воды менял оттенок, на отмели становился бледно-зеленым. У дальнего мыса, поросшего высокими пальмами, бились о скалы волны.

Причудливая цепочка из отпечатков босых ног вилась у самой воды. Но набегал прилив и слизывал эти нестойкие свидетельства человеческого присутствия.

— Он был здесь, Лили! Смотри, это его следы! — крикнул забежавший вперед Тристрам и упал на колени перед следами тяжелых лап.

Собиравшая ракушки Дульси завизжала от страха. Ее испуганный визг подхватила мартышка.

---

* Пер. Мих. Донского.

— Чоко тебя не обидит. — Лили тревожно вглядывалась в кусты.

— Он съест нас! Я не люблю его, Лили. Почему он от нас не отстает? — сквозь слезы повторяла Дульси.

— Не бойся, малышка. Все будет хорошо. Я не дам тебя в обиду.

— Он любит только тебя, Лили. Он разбудил меня ночью. Он был прямо под нашими окнами и так страшно рычал. Я думала, он сейчас войдет и схватит меня. И Колпачок его боится.

Лили тоже слышала Чоко. Леденящие кровь звуки и ей волновали душу, но она не испугалась.

Черный как ночь Чоко редко показывался на глаза днем. Совсем по-другому он вел себя, когда был детенышем. Около двух лет назад Лили нашла его полумертвым на отмели. Тогда она держала его на коленях, ласкала и кормила с рук кусочками рыбы и крабов. Он мяукал и ластился, как котенок. Но еще тогда мать предупредила, что Чоко — дикая кошка. Бэзил сказал, что это детеныш весьма редкого ягуара. В отличие от своих сородичей он был почти черным. Несколько месяцев Чоко не отходил от Лили, прыгал, играл.

Ягуар подрастал. Вскоре он стал уходить в джунгли, где частенько сам добывал себе обед.

Шло время, и ягуар все реже приходил к людям. Лили часто видела мелькавшую в подлеске тень. Однажды она слишком далеко зашла в лес. Вдруг она заметила Чоко. И испугалась. Ягуар не отрываясь смотрел на нее. В какой-то миг Лили решила, что Чоко на нее прыгнет и разорвет. Но, почуяв знакомый запах, ягуар зарычал и, раздраженно взмахнув хвостом, будто досадуя на то, что его обманом лишили добычи, исчез.

— Похоже, он раздобыл себе черепаху, — сказал Тристрам, исследуя место предполагаемой охоты.

— Нас! Нас! Съест! Пррра! Прааак! Он съест нас!

— Замолчи, Циско! — Лили погрозила большому зеленому попугаю, который сидел у нее на плече.

— Прррааак! Тише, Циско! Подними ногу, Тристрам! Тристрам отбросил со лба прядь темно-рыжих волос.

— Что мы сегодня будем есть на обед? — Мальчик недобро взглянул на Циско. — Птичку?

— Прраак! — заорал попугай и вспорхнул.

— Если ты не поможешь мне поймать что-нибудь, мы останемся сегодня вообще без обеда, — напомнила младшему брату Лили.

Тристрам Кристиан, которому исполнилось почти семь лет, гордо выпрямился.

— Я когда-нибудь забывал о своих обязанностях?

Тринадцатилетняя Лили была на голову выше своего вспыльчивого брата.

— Ты еще спрашиваешь? Ну-ка вспомни, кто сегодня уснул на посту? Кто мирно посапывал вместо того, чтобы следить за морем, не покажется ли парус? — Девочка покраснела от гнева. Лили и Тристрам унаследовали от своей матери испанки не только темные волосы, но и темперамент.

— Я не спал, — принялся оправдываться мальчик, — я просто лежал с закрытыми глазами.

— Хорошо еще, что, открыв их, ты не увидел французского пирата или, того лучше, целый отряд испанцев. Бэзил всегда говорил, что пусть лучше нас совсем не найдут, чем найдут враги. Как капитан этого острова, я должна принять меры против того, чтобы такого не случилось.

Тристрам смотрел на сестру с растущей тревогой.

— Что ты хочешь сказать? Я все еще боцман! Разве не так?!

— Я могу разжаловать тебя в матросы, — безжалостно ответила Лили. — Папа мог бы вообще не взять тебя на борт, а если бы и взял, то быстро вышвырнул бы в море. У него была самая лучшая команда. А вот собственный сын никуда не годится.

— Лили! — воскликнул Тристрам. — Папа мог бы мной гордиться! Честное слово! Я никогда так больше не сделаю! Обещаю! Я хочу быть боцманом, Лили!

— А я — помощник боцмана, — важно заметила Дульси.

— Ладно, разрешаю тебе быть боцманом. Но чтобы больше такого не повторялось!

Тристрам пробурчал:

— Я вообще не знаю, кто тебя сделал капитаном. Мне казалось, что все капитаны — бородатые мужчины. А ты — девчонка.

— Не думаю, что из тебя получился бы хороший капитан. Из всех нас только я плавала в море с папой, — напомнила брату Лили. — Кроме того, у тебя тоже нет бороды.

— Когда-нибудь у меня будет борода. Хотел бы я с ним плавать! Он бы разрешил мне, правда? Он гордился бы мной, Лили. Я бы никогда в жизни его не подвел. Бэзил сказал, что я такой же, как мой отец. Бэзил говорил, что гордится тем, что может называть меня сыном. И папа тоже гордился бы, правда, Лили? — с надеждой в голосе спросил мальчик.

— Да, — согласилась Лили. Тристрам, хоть и заснул на посту, и вправду был славным пареньком.

— Как ты думаешь, кто-нибудь заберет нас отсюда? — спросил Тристрам, глядя в море.

— Однажды мы увидим крест святого Георгия. Это английский флаг. Только тогда нас заберут. Бэзил говорил, чтобы мы больше никому не показывались.

— А я думала, нас спасут белые кони, — протянула пятилетняя Дульси.

— Это сказка. В ней нет ни слова правды, — с грубой прямотой сказал мальчик. — В крест я тоже не верю. Никто к нам сюда не приплывет. Мы состаримся и умрем здесь, а наши кости засыплет песок.

Дульси заплакала.

— Тристрам, как тебе не стыдно? Нельзя так говорить! — пожурила брата Лили.

— Мы умрем, Лили? — всхлипнула младшая сестренка. Тристрам опустил глаза.

— Ты хочешь помочь мне ловить крабов? — вдруг спросил он девчушку.

Дульси подняла заплаканное личико.

— Помочь тебе? Честно? Хочу! — Слезы тут же исчезли.

— А ты пойдешь с нами, Лили? — робко спросил Тристрам.

— Идите с Дульси вперед. Я за вами. — И Лили улыбнулась.

— Ты не сердишься? — спросил мальчик и, когда сестра покачала головой, тоже улыбнулся. — Пошли, Дульси! Убегай от меня!

Лили опустилась на землю под пальмой и стала смотреть вдаль, на море. Горизонт был пуст. Возможно, Тристрам прав: им не суждено покинуть этот остров.

На груди у Лили на золотой цепочке висел изящный медальон. Отворив миниатюрный замочек, она взглянула на маленький портрет мамы и папы. Жаль Тристрама. Он никогда не видел папочку.

Бэзил часто рассказывал детям об их отце. Как здорово у него это получалось! После того как родился Тристрам, мать снова стала смеяться, вспоминала о муже, о том, как они встретились, как она полюбила его. Лили до сих пор помнит, как была напугана мать в ту ночь, когда родился Тристрам. Бэзил был рядом, успокаивал ее. Он всегда готов был помочь. Всегда находил нужные слова для утешения, умел заставить их улыбнуться. Лили никогда не боялась, если шла куда-то с Бэзилом. День проходил за днем. Постепенно Лили стала замечать перемену в отношениях матери и Бэзила. Они говорили как-то по-другому, смотрели друг на друга как-то по-новому.

Бэзил полюбил маму. Должно быть, мама тоже полюбила Бэзила. Франциска видела однажды, как они вместе лежали в темноте. Бэзил сказал тогда, что они — его семья, и, когда родилась Дульси, он заявил, что не знал большего счастья.

Девочка смахнула слезу. Бэзил так самоотверженно о них заботился. Он никогда не падал духом. Он сам построил хижину. Он научился разводить костер, хотя поначалу ему это удавалось с трудом. Он плел сети, ловил и готовил рыбу, крабов, омаров, креветок и черепах. Он сделал лук и стрелы и охотился за дикими кабанами. Они вместе собирали фрукты и орехи. Бэзил разыскал на острове источники пресной воды, без которой они бы здесь не выжили.

Бэзил каждый день делал записи в своем журнале. Он всегда мог точно сказать, сколько они прожили на острове. Он даже сделал солнечные часы.

Каждый день он проводил уроки: учил детей грамматике, языкам — латинскому, греческому и французскому, учил истории, литературе, богословию и естественным наукам.

Все дни были однообразными. Вставали на рассвете, потом охотились или рыбачили, затем уроки, несколько часов свободного времени. Вечером долго разговаривали у костра. Такой была их жизнь до той поры, пока не разразилась беда.

Они собирали плавник для костра. Иногда попадались и вещи, которые морские волны выносили на берег.

В этот раз пленники острова наткнулись на невероятное количество самых разных предметов. Несколько деревянных сундуков были выброшены на берег и уже наполовину засыпаны песком. У некоторых крышки открылись, а содержимое вывалилось на песок. Рядом валялась пушка, вернее то, что от нее осталось. Островитяне подошли к сундукам. Тристрам подбрасывал вверх золотые дублоны, а Дульси подкидывала пригоршни золотого песка.

Лили до сих пор помнила, как радовалась мать серебряным ножам и вилкам, и сервизам. Теперь они могли есть, как короли, смеялась она. Когда же она вытащила из сундука шелковый камзол, а следом атласное платье и другую одежду, восторгу ее не было предела.

Лили улыбнулась, вспомнив свое изумление при виде Бэзилла, бегущего по берегу, смешно приплясывая, в шапочке из ярко раскрашенных перьев, плаще с нашитыми перьями и в золотой маске.

Тристрам бежал следом и волочил за собой золотую тяжелую цепь. Дублоны мальчик беззаботно кинул в песок.

Лили дотронулась до своих сережек — золотых колец старинной работы.

Кольцо с изумрудом, украшавшее ее палец, было найдено в тот же день. Девочка пригладила выгоревшее на солнце атласное платье. Сейчас оно стало ей коротко — за последние два года Лили выросла на пару дюймов.

Когда Лили искала на песчаной отмели золотые монетки, она вдруг услышала мяуканье. Звук доносился из полузатопленной деревянной клетки. В ней оказались два детеныша ягуара. Выжил только Чоко. Потом девочка нашла клетку с птицами. Там как раз и сидел Циско. Клетку выбросило на скалу, так что вода до птичек не добралась.

Вскоре жизнь, как казалось, вернулась в обычную колею. Магдалена начала шить детям новую одежду. Теперь они ели из блюд, сделанных из чистого золота. Лили все время возилась со своим «тигром» и попугаем, у которого было сломано крыло. Остальные птицы улетели, когда дети открыли клетку.

Бэзил сказал, что раз им не на что пока тратить их солидное состояние, да и пираты в любой момент могут нагрянуть, разумно было бы подыскать для сокровищ укромное местечко. Вспомнив о подводной пещере, он предложил убрать все богатства туда. В верхней части пещеры всегда сухо. Там все хорошо сохранится.

Прошло почти две недели. Лили помнила, как гуляла тогда по пляжу. Ей пришло в голову вскарабкаться на скалу, чтобы оттуда осмотреть окрестности. Как она испугалась, когда увидела протянутую к ней руку! На ее пронзительный крик сбежалась вся семья.

На скале лежал изможденный мужчина, весь исцарапанный, в рваной одежде. Сначала никто не мог понять, откуда он появился. Потом Тристрам заметил недалеко от берега шлюпку. Оказалось, что мужчина приплыл не один. На берегу островитяне нашли еще двух женщин.

Бэзил притащил несчастных в хижину. У всех троих был жар. Из несвязных речей мужчины стало понятно, что эти трое — пассажиры другого корабля. Их судно тоже пошло ко дну. Они спаслись случайно — успели прыгнуть в шлюпку. Несколько дней страдальцы плыли куда глаза глядят. Без воды, без еды. Им повезло — их прибило к острову.

Лили не поняла, почему Бэзил отослал ее, Тристрама и Дульси из дома. Бэзил построил большой шалаш из пальмовых листьев на берегу. Там он и Магдалена ухаживали за больными. Вначале все казалось игрой. Больше не было уроков. Дети целыми днями резвились под ласковым солнышком. Время от времени Бэзил или мама звали их, но не позволяли приближаться. Кричали, что у них все хорошо. Потом Бэзил сказал, что мужчина умер. Через четыре дня умерла одна женщина. На следующий день умерла другая. Дети думали, что теперь все станет по-прежнему. Но родители оставались в хижине. Бэзил строго-настрого запретил подходить к ним. Он объяснил детям, что те трое умерли от лихорадки.

Лили хорошо помнила запах от костра, когда Бэзил сжигал все, что оставалось после умерших: их одежду, матрасы... Девочка теперь оставляла для матери и Бэзила воду и еду на краю леса. Потом отходила подальше. Только после этого ее приемный отец забирал принесенное. Прошла еще неделя, и мама не вышла из хижины.

Лили увидела Бэзила и побежала к нему. Но тот приказал ей остановиться. Лили была поражена тем, как он выглядел. Глаза у него были красные, щеки запали. На исхудавшем лице остались следы от слез. Девочка поняла все.

— Лихорадка отняла ее у нас, Лили, — тихо сказал Бэзил. — Я похоронил ее под тем деревом. Она так любила под ним сидеть. Ты должна теперь заботиться о младших, Лили. Я поручаю их тебе.

Бэзил дрожал, как от холода, хотя и стоял на солнцепеке.

— Если я не выйду, — продолжал он, — если не буду выходить несколько дней, не заходи в шалаш. Обещай, что сделаешь то, о чем я тебя попрошу. Поклянись, Лили. Сожги мой шалаш. Это единственный способ вам уцелеть. Сожги его, пусть тело мое остается внутри. Ты знаешь, что я люблю тебя, Лили. Ты такая же моя дочь, как и Дульси. Я обещал твоему отцу, что буду заботиться о его семье. Я старался, Лили. Я не думаю, что Джеффри хотел бы, чтобы Магдалена остаток жизни была одна. Я должен знать, что вы останетесь живы.

Лили кивнула. Бэзил посмотрел на нее каким-то странным взглядом, вздохнул и скрылся в шалаше.

Больше он не выходил. Неделю спустя Лили подошла к шалашу. Было утро, и неяркий свет освещал его изнутри. Девочка стояла снаружи, глядя в проем. Она стояла долго, очень долго. Бэзил не шевелился.

Ночью в небо взметнулось пламя. На следующий день, когда пепел остыл, Лили и Тристрам положили то, что осталось от пожара, в могилу, которую выкопали рядом с другой, отмеченной скромным деревянным крестом.

Когда бы Лили ни проходила здесь, взгляд ее всегда устремлялся к опушке леса и дереву с двумя крестиками под ним. Мама и Бэзил лежали здесь вместе.

***

— Эй, Лили! Пойдем поплаваем! — крикнул Тристрам.

Девочка смотрела на братишку. Вода была такой прозрачной, что она ясно видела его, даже когда мальчик плыл под водой. Когда он вынырнул, в руках у него была большая раковина. Тристрам засмеялся и с самодовольной улыбкой заявил:

— Обед!

Швырнув розовую раковину на берег, маленький боцман нырнул опять и показался на поверхности только возле скал.

— Так ты идешь?

Лили продолжала сидеть.

— Нет, мне не хочется.

— Ты всю неделю не купаешься, Лили, — недовольно протянул Тристрам. — Ты что, разлюбила купаться?

— А я люблю плавать! — закричала Дульси.

— Может быть, завтра я поплаваю с вами, — сказала старшая сестра.

— То же самое ты говорила вчера, — проворчал мальчишка и снова нырнул.

Лили поднялась, расправила смятое платье. Вздохнув, она взглянула на свою округлявшуюся грудь. Кажется, она с каждым днем становится больше. С завистью старшая сестра смотрела на Дульси, которая резвилась в невинной наготе.

К тому времени, как дети поели, небо окрасилось в пурпур и золото. Оставив на потом мытье посуды, они пошли гулять вдоль берега. Нежный плеск прилива успокаивал их. Растянувшись на песке, дети начали свою любимую игру — кто раньше всех заметит первую звезду.

Тристрам лежал, подложив руки под голову. Дульси прижималась к Лили, Колпачок сидел у нее на коленях.

— Расскажи мне сказку о белых конях, Лили, — попросила Дульси.

— Да ты уже выучила ее наизусть, — хмыкнул Тристрам. — Я вижу! Я вижу первую звезду! Вот она!

— Ты всегда видишь первым. Это нечестно, — надула губки малышка.

— Там, смотри, Дульси, вот они! — Лили показывала на белые барашки волн. — Они скачут сюда!

— Белые кони, — выдохнула девочка.

— Смотри, как они танцуют и скачут так высоко! Они могут допрыгнуть даже до Тристрамовой звезды.

Дульси засмеялась.

— Они будут лететь быстрее ветра. Мимо пещеры злой волшебницы и морского дракона. Мимо острых рифов и затонувших кораблей. Они перепрыгнут гигантскую волну из белой пены. Им не страшны ни горы, ни болота. Упряжь их будет украшена золотыми дублонами, а морские звезды будут у них вместо седел. Бородатый Нептун верхом на громадном Пегасе выедет им навстречу из своего подводного замка. Он запряжет белых коней в свою колесницу из пурпурных кораллов и помчится через моря. Потом он закинет в воду свою сеть, сплетенную из мигающих звезд, поймает нас в свои волшебные сети и понесет через моря, мимо солнца и луны.

— В Англию?

— Да, в Англию.

— В Уайтхолл? Чтобы вернуть королеве ее белых лошадей?

— Совершенно верно. Эти белые кони принадлежат королеве. Вот почему ее дворец носит имя Уайт, белый. Эти лошади украл из золоченых королевских конюшен колдун.

— И мы отдадим королеве ее лошадей и спасем ее от колдуна с голубым и карим глазами, — продолжала Дульси. — И мы уни... уни... Что мы сделаем с этим колдуном с разными глазами, Лили?

— Мы уничтожим его и спасем королеву от заговорщиков, которые мечтают ее убить.

— Хотел бы я, чтобы так все и было, Лили, — сказал Тристрам.

Старшая сестра смотрела на море, оно было пустынным. Не было на нем ни паруса, ни белых коней.

Глава 10

Ты не пугайся, остров полон звуков —
И шелеста, и шепота, и пенья,
Они приятны, нет от них вреда.

Уильям Шекспир *

На верхушке грот-мачты «Мадригала» гордо развевался флаг: красный крест святого Георгия на белом поле. Капитан велел направить корабль туда, где далеко впереди волны бились о рифы.

Вдалеке Валентин уже мог разглядеть берег: желтый песок, затем зеленый лес. Скалистый мыс выступал над морем. С правого борта другой мысик выходил в залив, но вдруг резко поворачивал буквой «Г», образуя естественный волнолом, так что за ним получался заливчик.

Валентин взглянул на карту. Джошуа Рэндал не ошибся. Остров выглядел именно так, как на карте. Что такое семь лет для острова!

— Скоро мы узнаем правду, Мустафа. — Валентин вновь посмотрел на остров. Берег был тих и спокоен. Есть ли на нем люди?

---

* Пер. Мих. Донского.

С борта «Мадригала» спустили шлюпку. Гребцы заняли свои места. Валентин плыл навстречу брату.

Лили вошла в бирюзовые воды залива. Длинные волосы ее покачивались на воде.

Девочка плыла по своему королевству, где были и замки из ярких кораллов, и сучковатые деревья с желтыми коралловыми ветками, и забавные причудливые рыбы всех цветов радуги.

Лили нырнула и поплыла по узкому коридору. Постепенно становилось все темнее. Со всех сторон был камень.

Лили нащупала ногами дно. Потом, цепляясь за выступы, выбралась из пещеры на шельф и вскарабкалась вверх по склону. Свет проникал в подобие окна — щели в скале. Снаружи никто никогда бы не догадался, что здесь есть пещера. Чтобы добраться сюда по суше, надо было перелезть через завалы. Со стороны, если даже приглядываться, ничего нельзя было заметить: нагромождение камней, и только.

Лили склонилась над сундуком. Ржавые петли на крышке недовольно скрипнули, но поддались. Девочка вытащила плащ из перьев, золотую маску и причудливую шапочку. Под ними сверкали золотые и серебряные испанские монеты.

Под дублонами в сундуке лежали золотые крючки. Они нужны были, чтобы ловить рыбу. Вчера Тристрам потерял один, и пришлось плыть сюда за новым. Лили задумалась. Ей нравилось перебирать вещи. Она достала журнал Бэзила. Где-то рядом был судовой журнал «Ариона». Бэзил наказал хранить эти два письменных свидетельства их несчастий как зеницу ока.

Лили накинула на плечи плащ. Затем надела золотую маску и нахлобучила шапочку. Разумеется, плыть в таком костюме невозможно. Она решила перебраться через завалы, незаметно прокрасться к Тристраму, а потом... «Если

Тристрам опять уснул, — подумала Лили, — я напугаю его так, что на всю жизнь запомнит».

— Вы уверены, что это тот самый остров? — Томас Сэндрик выпрыгнул из лодки. — Кажется, тут никто не живет. Семь лет — срок немалый.

— Рэндал не мог ошибиться. Он точно знал, сколько лиг проплыл «Арион» до острова. Он составлял карту. И потом, у него прекрасная память. Береговая линия острова, которую он набросал, в точности соответствует тому, что мы видим. Здесь ошибки быть не может.

— Капитан, следы! — закричал один из матросов. — Некоторые из них ведут к лесу! Смотрите, еще!

— Пойдем по этим следам. Если они построили хижину, то она должна находиться где-то в закрытом от ветра и прилива месте, рядом с каким-нибудь источником. Давайте, ребята, ищите.

Матрос приставил ногу к крохотному следу на песке.

— Даже самый большой отпечаток совсем невелик. Да и обуви никто не носит.

— Эй, вы не знаете, не живут ли где-нибудь поблизости дикари? — спросил толстоватый товарищ того, кто первым заметил следы.

— Если и живут, не беда! Тебя одного им хватит на месяц, а то и на два! — хохотнул рыжий моряк.

— Ничего смешного! — обиженно проворчал толстяк.

— Уж очень здесь тихо, — сказал худой матрос. — Эй, смотрите! Черт... Там мелькнула какая-то тень.

Если бы кто-то наблюдал за моряками со стороны, он принял бы их за пиратов. Вид у них был угрожающий: заросшие лица, грязная одежда. Они могли бы сойти за разбойников и в глазах взрослых людей, а для маленького

ребенка, особенно для того, кто не привык к чужакам, они
были оравой людоедов.

Именно такими увидела их Дульси, спрятавшаяся за
пальмой. Глаза ее от страха стали как блюдца. Если бы
девочка могла шевельнуться, она бы стремглав помчалась
к Тристраму и Лили, но ноги отказались повиноваться
ей. Все, на что малышка была способна сейчас, — это с
ужасом смотреть на приближающихся к их хижине боро-
датых мужчин.

Валентин первым зашел в хижину.

— Боже правый! Они едят с золотых блюд! — пробормотал рыжебородый матрос, изумленно глядя на красиво
накрытый стол, золотые тарелки, серебряные приборы и кубки
тончайшего стекла. — Здесь, пожалуй, не хватает только
королевского трона! Вот уж никогда не думал, что так можно жить на острове!

— Смотри, они даже рыбу ловят золотыми крючками! —
воскликнул другой матрос, заметив аккуратно сложенные ры-
боловные снасти.

Лайм О'Хара, ирландец благородного происхождения,
который пошел на «Мадригал» матросом, чтобы приобрести
жизненный опыт и попасть в какое-нибудь приключение,
взял золотую тарелку, внимательно осмотрел ее, пощупал и
с видом знатока сказал:

— Испанская. И серебро тоже испанское. И еще посмотрите на кинжал и шпагу на стене. Клянусь, это из То-
ледо. Я узнал бы эту работу хоть с закрытыми глазами, —
добавил он и, взглянув на капитана, спросил: — А вы уверены, что на двери именно ваш герб, а не какого-нибудь
испанского гранда? Честное слово, не знал, что вы католик!

Томас Сэндрик тоже смотрел на друга с удивлением, но
Валентин только хмурился. Тогда О'Хара указал на висев-
шее на стене золотое распятие.

— Жена Джеффри Кристиана, Магдалена, католичка. Кстати, и испанка тоже, — наконец ответил Валентин.

Если происхождение распятия было как-то объяснено, то, что касается остального, загадка оставалась. Не с «Ариона» же они все это привезли?

Все были озадачены. Валентин огляделся. В хижине стояло пять стульев. Стол был накрыт на пятерых. Бэзил, Магдалена и ребенок — трое. Кто же еще двое? И тем не менее матрасов было только три. Под окном стоял большой обитый железом сундук. Откинув крышку, капитан заглянул внутрь. Там оказалась одежда: мужская и женская, разных размеров и стилей, но не слишком модная. На крышке другого сундука сидела тряпичная кукла. Глаза и нос ее были из ракушек, а платье сшито из нарядных кружев. Валентин нашел женские гребни и прочие личные вещи, в том числе жемчужное ожерелье и изумрудный кулон, которые принадлежали Магдалене.

Дом был обитаемым. И жили в нем именно Бэзил, Магдалена и ребенок. И в то же время присутствовало ощущение какой-то странной пустоты.

— Капитан, пепел в костре еще не остыл! — сказал один из матросов, заглядывая в хижину. — За поляной ручей. Там мы нашли кастрюлю, видно, в ней они готовят еду.

— Над костром сделана жаровня с вертелом и решеткой, — добавил другой.

Валентин Уайтлоу отдавал приказы по поискам обитателей острова. Теперь у него не оставалось сомнений, что он найдет брата.

Послав О'Хару и нескольких других в лес, он с Томасом Сэндриком и Мустафой отправился в противоположную сторону, к маленькой бухте.

Они не успели отойти далеко, когда со стороны леса раздался крик. Валентин остановился. Турок шепнул хозяи-

ну, что заметил что-то интересное на другой стороне залив-
чика. Уайтлоу дал Мустафе знак продолжать поиск, а сам
вместе с Сэндриком остался ждать матросов. Они тащили
что-то тяжелое.

— Это пушка, капитан!

— Мы нашли ее в песке.

— Она с испанского галиона!

— Мы видели его!

— Разбился о скалы.

— Груз, наверное, выбросило на берег.

— Может быть, кто-то и выжил.

— Теперь уж неизвестно, кого мы можем найти на этом
острове.

— На нас могут напасть! Может быть, так произошло и
с вашим братом, капитан?

— Что-то мне не по себе, ребята. Куда, черт побери,
они все подевались?

Валентину тоже было не по себе. В самом деле, куда все
попрятались? Может быть, на Бэзила, Магдалену и девочку действительно напали матросы с того корабля?

— Веди людей в лес. Обыщите весь остров, — приказал Валентин.

— Да, капитан, — ответил матрос.

Вдруг раздался нечеловеческий вопль. Валентин успел
заметить лишь странное существо, взметнувшееся в воздух,
и тут же из-за пригорка появился Мустафа. На подгибаю-
щихся ногах он шел к хозяину. Вдруг турок покачнулся и
рухнул на землю.

Тристрам уснул, как и предполагала Лили. Уснул, сидя
под своим любимым деревом. Конечно, он не увидел корабля с развевающимся на мачте белым флагом с красным крестом, бросившего якорь вблизи от берега. Не видел он и

лодки, приплывшей на берег позже, когда тень от скалы заслонила солнце. Мальчик спал так крепко, что не услышал крики Колпачка, пока не было уже слишком поздно. Мальчик протер глаза, зевнул и... застыл от ужаса.

Страшный пират стоял над ним. Огромный, весь черный. С какой-то странной штукой на голове. Зверское выражение застыло на его лице. А в руках... В руках страшилище держало кривую саблю.

Тристрам закричал и вскочил на ноги, а может быть, его и подняли на ноги. Грозный гигант железной рукой ухватил мальчика за плечо. Ребенок принялся царапаться и кусаться. Самое страшное во всем этом была даже не встреча с пиратом... Тристрам холодел при мысли о том, как он все объяснит Лили. Вот тогда она уже точно убьет его за то, что не слушался ее.

Слезы текли по лицу мальчика. И вдруг, словно сказочный дракон, к нему подлетела Лили и кинулась на бандита.

Мустафа от неожиданности сделал шаг назад — и полетел кувырком. Последнее, что он видел, была ослепительная сверкающая гримаса демона.

— Скорее, Тристрам! — Лили схватила брата за руку, и дети бросились наутек.

Колпачок бежал за ними. Циско летел, почти касаясь крыльями головы Лили. Вся компания в считанные секунды скрылась в лесу.

Задыхаясь от быстрого бега, брат и сестра остановились друг напротив друга. Трясущимися руками Лили сняла маску и шапочку.

— Кто это был? — спросила она тоном, не предвещавшим добра.

Тристрам молча смотрел на сестру, не в силах вымолвить ни слова.

— Почему пират схватил тебя? — продолжала допрос девочка. — Ты снова уснул на посту! Я предупреждала,

Тристрам. Ты думал, что это все игра? Вот и доигрался. Счастье твое, что я оказалась поблизости. А если бы меня не было? Что тогда? — Вдруг Лили спохватилась: — Где Дульси?

У Тристрама глаза расширились от ужаса.

— Она... — начал мальчик заикаясь, — она искала ракушки на берегу. Я видел ее там как раз перед тем, как я...

— ...уснул.

— Лили! Я не хотел! Я просто на секундочку закрыл глаза. Что нам делать? Ты думаешь, Дульси у них? О, Лили, прости меня! Прости! — плакал мальчик.

— Не думаю, что пираты нашли ее, если только она не заснула, как ты, — задумчиво протянула девочка. — Она должна была заметить, как они высаживаются на берег. Дульси скорее всего прячется где-то здесь, ждет, пока мы подойдем.

— Что мы будем делать, Лили? — Тристрам шмыгнул носом. — Этот пират не был похож на англичанина. Мне кажется, я узнал бы англичанина, Лили.

— Они, наверное, только сейчас высадились. Их корабль бросил якорь там, за дальними рифами, потому мы его и не видим. Не думаю, что они подплыли к острову с другой стороны и нашли нашу хижину. Дульси, наверное, там. Ждет нас возле ручья, — решила Лили. — Нам надо вначале отправиться к хижине, Тристрам. Там все наше добро. Эта шайка все у нас украдет.

Завернув маску и шапку в плащ, Лили спрятала узелок под корнем дерева и прикрыла его пальмовыми листьями.

— Что ты делала с этим? — нахмурившись, спросил Тристрам. — Зачем ты все это нацепила?

— Пошли, Тристрам, не задавай лишних вопросов. Нам надо найти Дульси.

— Что, если они нас уже ищут?

Лили улыбнулась:

— Это наш остров, Тристрам. Пусть попробуют нас найти!

И с этими словами она потащила брата за собой в чащу.

— Мустафа, — позвал слугу капитан, — ты можешь мне толком рассказать, что произошло? Мустафа!

Турок повернулся к капитану, но глаз не поднял. Уайт-лоу догадывался о том, что не давало турку покоя: бесстрашный, он испугался чудовища.

— Что ты видел? — снова спросил Валентин.

— Мальчик... под деревом... спать, — произнес Мустафа.

— Мальчик? — переспросил молодой человек. — Ты уверен, что это была не девочка?

Турок покачал головой:

— Мальчик. Спать. Просыпаться. Мустафа его хватать. Он кусаться. Потом... — Турок замолчал. — Затем джинн. Плохой джинн. Злой. Надо уходить. Злой джинн.

— Джинн? Что за джинн? Это кто? — спросил кто-то из команды.

— Слушай, Мустафа. Здесь нет никаких чудовищ. Здесь нет джиннов. Это был человек. И этот человек скорее всего был так же испуган, как и ты, а может быть, и больше.

Турок замотал головой и опять забормотал.

— Сколько было лет ребенку, Мустафа?

Турок поднял руку на уровень пояса:

— Вот такой.

— Да, не очень-то взрослый. Слишком маленький, чтобы быть... Он говорил?

Мустафа кивнул:

— Да, кричать. Заклинания.

— Что кричал? На каком языке?

Мустафа нахмурился и затянул:

— Лилипомоги, лилипомоги, лилипомоги, лилипомоги-и-и.

— Лили, помоги? — повторил капитан. — По крайней мере теперь мы знаем, что ребенок говорит по-английски. Лили, — тихо повторил он. — Так звали дочь капитана Джеффри Кристиана.

— Он хотел, чтобы Лили ему помогла, так? — спросил Сэндрик.

— Лили, помоги... — с улыбкой повторил Валентин и вдруг нахмурился. Почему мальчик не звал на помощь Бэзила?

— Я думал, что здесь только один ребенок, капитан, — сказал кто-то из команды.

— Я тоже, — ответил Уайтлоу. И приказал: — Берите несколько человек и идите к хижине. Они, вероятно, вернутся туда. Мы должны их там ждать. Попробуйте поймать их, если сможете, но не обижайте. Они всего лишь дети.

Молодой человек решил сам как следует осмотреть остров. Что могло произойти с Бэзилом и Магдаленой?

Отослав почти всю команду назад к хижине, Валентин направился к бухточке. У пальмы он увидел два холмика, обозначенных простыми крестами. На одном из крестов было написано: «Бэзил».

Валентин закрыл глаза. Надежды больше не было. Судя по дате, выцарапанной на кресте, Бэзил умер два года назад. Рядом была могила Магдалены.

Моряки уже почти дошли до хижины, когда из-под куста, словно зверек, метнулся худенький черноволосый ребенок.

Как бы быстро ни бежала девочка, Валентин догнал ее. Боднув дядьку головой, малышка впилась зубами ему в руку. Из ранки потекла кровь. Тихо ругаясь, капитан пытался отцепить девчушку. Не тут-то было. Она не разжимала зубы, да еще принялась лягаться.

— Я не хочу тебя обидеть, малышка, — тихо сказал Валентин. — Я хочу только помочь тебе, а не обидеть.

Внезапно девчушка перестала драться. Уайтлоу опустил ее на землю, но крепко держал за руку. Мудрая предосторожность, поскольку едва девочка почувствовала под ногами почву, как тут же попыталась удрать.

— Как тебя зовут? Ты меня понимаешь? — спросил малышку капитан.

— Может быть, она не понимает по-английски, капитан? Может, она с того затонувшего корабля? Девочка похожа на испанку.

— По мне, она больше похожа на цыганку, — заметил другой моряк.

Валентин взял малышку за подбородок.

— Цыганка, говоришь? — Он покачал головой. Потом ласково провел ладонью по смуглой щеке, затем коснулся изящно изогнутых бровей.

Если бы кто-то присмотрелся к бровям Валентина, он бы непременно заметил сходство. Как и у молодого человека, одна бровь у девочки была чуть выше другой. Уайтлоу-младший мог не спрашивать, кто отец этого ребенка. Он догадался, что этот дикий котенок — дочь его брата.

— Ты не хочешь сказать мне, как тебя зовут? — Валентин улыбнулся. Но девочка молчала. В ее глазах стояли слезы. Бедная малышка! Что она может о них подумать! У матросов был такой вид, что кроме как пиратами их назвать нельзя. — Успокойся, моя сладкая. Я не обижу тебя. Ты видел кого-нибудь возле хижины? — спросил он у боцмана.

— Нет, капитан. Ни одной живой души. Мы шли к вам, когда увидели вот это создание. Я оставил двоих сторожить дом на случай, если кто-нибудь заглянет.

— Хорошо. Идите туда и заберите все, что сможете найти. Мы станем здесь лагерем на ночь. Будем надеяться, что дети объявятся.

— Так вы считаете, что ждать нам придется долго?
Валентин усмехнулся:

— Эти дети знают остров лучше нас. Сомневаюсь, что нам удастся найти их, если нам не помогут.

— Почему бы нам просто не позвать их, капитан? Скажите им, кто мы.

— У этих детей нет причин нам доверять. Бэзил был человеком предусмотрительным. Он, я думаю, научил их осторожности. Они спрячутся. Лили Кристиан выросла на этом острове. Я уверен, что она сейчас наблюдает за нами и придумывает, как вызволить вот эту малышку.

— Лили — капитан! А я — помощник боцмана! — выпалила Дульси.

Вдруг глаза малышки расширились. Она смотрела на что-то позади Валентина. Тот обернулся. Сзади никого не было. Но девочка не отрывала взгляда от корабля: флаг! Красный крест на белом поле!

— Крест святого Георгия! — воскликнула она. — Лили всегда говорила, что однажды мы увидим его и нас заберут. Тристрам говорит, что это сказка, такая же, как про белых коней, которые привезут нас в Англию, но он есть! Есть! Пустите меня! Я пойду расскажу Лили! Нас нашли!

— Хорошо. Тебя нашли, но отпустить я тебя не могу. Пока не могу. Лили скоро найдут. Лили твоя сестра, не так ли?
Дульси кивнула.

— А Тристрам?

— Тристрам — мой брат.

— У тебя есть еще братья и сестры?

— Только Лили и Тристрам.
Валентин убрал с лица девочки вьющуюся прядь.

— Так как тебя зовут? Ты мне скажешь? Я хочу с тобой дружить.

— Дульси. — Малышка потупилась.

— Дульси — красивое имя.

— И Розалинда.

— Чудное имя — Розалинда!

— Так любил звать меня папа, как Лили говорит.

— А что с ним случилось?

— Он ушел. И мама тоже.

— Куда они ушли?

Дульси указала рукой на бухточку.

— Ты не знаешь, почему они ушли?

— Лили говорит, из-за лихорадки. Мы все время играли, и уроков у нас не было. Так Лили говорит. Потом мы делали крест. Мы ходим туда каждый день и здороваемся с ними. И хотя папы и мамы с нами больше нет, мы все равно накрываем на стол и для них тоже. Лили говорит, это для того, чтобы мы про них не забывали. К другим мы ходим редко. Тристрам говорит, что нам вовсе не надо туда ходить, но Лили говорит, что мама и папа хотели бы, чтобы мы туда ходили. Лили говорит, что папа всегда хотел, чтобы мы были благородными.

— Другие — это кто, Дульси?

— Ну, другие. Кресты там не такие красивые.

— Что там за люди?

— Такие, как мы. С корабля. Лили говорит, их корабль потонул и они одни выжили. Папа и мама старались их спасти, когда мы нашли их на пляже, но они все ушли.

— Почему же вы остались, Дульси? — спросил Уайтлоу свою маленькую племянницу.

Дульси пожала плечами:

— Мы развели большой костер, самый большой. Мы сожгли все, что было на пляже. Папа велел нам так поступить. Я хочу есть. Могу я теперь идти? Лили будет меня искать. — Девочка опять постаралась высвободиться.

— Прости, Дульси, но я хочу, чтобы ты осталась с нами. Пока не придет Лили. Ты не знаешь, где она? Есть здесь какое-то секретное место, куда она берет тебя и Тристрама, если считает, что здесь опасно?

Дульси подозрительно посмотрела на дядю:

— У нас много секретов, но я тебе о них не скажу. Я обещала не говорить.

— Твой папа хотел бы, чтобы ты мне рассказала. Он доверял мне так, как ты доверяешь Лили, Дульси. Ты не позовешь ее, если я попрошу? Если она выйдет из леса, я смог бы поговорить с ней и рассказать, что знаю ее папу. Я ее не обижу. Ты ведь хочешь, чтобы она пришла, Дульси? Когда вы все трое будете здесь, я возьму вас всех на корабль, и мы поплывем в Англию. Этого хотел твой папа, Дульси.

— Лили не очень-то будет вам рада, — сказала малышка. — Она больше не сможет быть капитаном.

Уайтлоу засмеялся:

— Почему это?

— Потому что у тебя борода. У капитанов должны быть бороды и корабли. Лили не настоящий капитан. Теперь ты будешь командовать, а Лили это не понравится. Лили всегда была капитаном.

Новоиспеченный дядя улыбнулся:

— Ну что же, я буду очень стараться, чтобы она стала такой, как я.

Он не представлял, какую трудную задачу взял на себя.

— Где Дульси? — спросила Лили.

Брат и сестра спрятались за пальмой и наблюдали.

— Я ее нигде не вижу, — сказал Тристрам. — Смотри! Вон там! Два пирата зашли в хижину. Лили, как ты думаешь, они слышали, как мы звали Дульси? Если она там, она должна была бы нас слышать. Нигде ее нет. Ее не было возле родника.

Она же знает, что мы встречаемся там. Где она может быть? Не могли же они увести ее с собой, правда, Лили?

— Не знаю, — ответила девочка.

Она не знала, как поступить. Бэзил никогда не рассказывал, что́ они должны делать, если одного из них захватят пираты. Наверное, Бэзил не думал, что такое может случиться.

— Смотри, Лили, вон еще подошли пираты, — прошептал мальчик и показал на идущую к хижине группу.

Несколько минут спустя дети услышали голоса и смех.

— Смотри! — ахнул он. — Они все у нас забирают, Лили! Матросы вытаскивали из хижины сундуки.

— Это мамин сундук, — сердито сказала старшая сестра. — Там моя одежда. Они забрали даже ракушки Дульси! Ракушки-то зачем им понадобились?!

— Вот крючки и удочка, — пробормотал Тристрам.

Боцман выполнял приказ капитана. Торопиться было некуда. У них оставалось еще четыре часа. Для того чтобы забрать из хижины все, много времени не требовалось. Сундуки перевязали и унесли. Столовое золото, серебро и стекло пересчитали и убрали в ящик. Все: одежду, личные вещи, еду, даже матрасы и одеяла — убрали и сложили на берегу. Вскоре в доме ничего не осталось, кроме грубого подобия мебели.

Ночью на берегу разложили огромный костер. Команда «Мадригала» пировала по-королевски: жареная свинина с луком и картофелем, ароматный пирог с голубятиной, ром. Повар мог быть доволен: все ели и хвалили его стряпню. Один из матросов достал волынку и заиграл. Некоторые моряки пустились в пляс. Кто-то запел.

Валентин укрыл Дульси одеялом. Она так плакала, когда Лили не пришла. Позже малышка тихонько сидела у огня. Она все время глядела в сторону леса. Оттуда за ними наблюдали Тристрам и Лили. Валентин с отвращением взглянул на веревку, один конец которой он намотал себе на руку, а другой обвязал вокруг пояса девочки. Как бы ни претили ему подобные меры, иначе он поступить не мог. Если Дульси убежит, им не поймать остальных.

В лесу послышалось рычание ягуара. Вначале Валентин принял рассказ Дульси о тигре за детскую выдумку, но девочка говорила правду. И сейчас в одной чаще с хищником под открытым небом находились дети. Зверь зарычал вновь. Вдруг послышался треск веток, а следом раздался выстрел.

— Ты что наделал?!

— Я убил его!

Уайтлоу взорвался:

— Ты даже не знаешь, куда ты стрелял. Ты мог попасть в кого угодно! Там могли быть дети!

— Это был тигр, капитан! — настаивал О'Хара. — Я сам его слышал. Я видел, как там что-то двигалось. Это моя добыча! Я повешу его шкуру на стене!

— Если ты еще раз разрядишь ружье, я сделаю так, чтобы твою шкуру увидел весь Лондон, — злился Валентин.

— Чтоб твоя голова украсила Лондонский мост, — пробормотал один из матросов. Многие недолюбливали хвастливого и заносчивого О'Хару и радовались, когда капитан ставил его на место.

— Вы завидуете мне! Все! — возмутился ирландец. — Вы злитесь, потому что я выстрелил первым! Хотел бы я посмотреть, как бы вы запрыгали, если бы пошли в кустики и наткнулись на зверя! Ну ладно. Настанет утро, тогда посмотрим.

Валентин вглядывался в темноту.

— Смотрю, тебе не терпится, — сказал другу Томас, увидев, что тот разматывает веревку. — Не хочешь ждать утра?

— Не хочу, — ответил Валентин и, к несказанному удивлению Сэндрика, сунул ему девочку. — Оставляю ее на твое попечение.

Мустафа зажег факелы для себя и хозяина.

Лайм О'Хара увидел, что капитан не намерен дожидаться утра. Не желая делить славу с кем бы то ни было, ирландец выхватил из костра головешку, рванулся вперед, обогнал капитана и...

Крик ужаса вырвался из глотки ирландца. Все остановились. Странное существо, так напугавшее Лайма, осветили несколькими факелами.

Это оказалось чучело, одетое в накидку с перьями и смешную шапочку, а вместо лица у него была золотая маска.

Мустафа изучал землю вокруг чучела. У турка самого сердце чуть не выпрыгнуло, когда он увидел это чудовище. Но теперь джинн был не страшен.

— Кровь! Джинн убить! Джинн убить! — И Мустафа принялся приплясывать. Затем присел возле самого чучела, поднес свою руку к свету, и все увидели, что пальцы его в крови.

— Проклятие, — выдохнул Валентин.

Турок недоуменно посмотрел на хозяина. Он думал, что капитан будет рад — ведь страшилище убито. Почему он хмурится?

Валентин повернулся к О'Харе:

— Молись, чтобы твой выстрел только задел ребенка, не то тебе придется пожалеть о том, что ты поднялся на борт «Мадригала».

О'Хара улыбнулся, но улыбка у него получилась кривой и бледной.

— Откуда вам знать, что это кровь ребенка? Вы все слышали тигра. Я ранил его.

— Наверное, тигр встал на задние лапы и сделал это чучело, — язвительно заметил один матрос. — Я всегда сомневался в твоих умственных способностях, но чтобы быть таким дураком...

Ирландец потянулся за шпагой, но его предполагаемый противник уже был занят другим. К шляпе чучела золотым рыболовным крючком была приколота записка.

— Что это, Валентин? — Сэндрик вертел в руках записку. — Похоже, это вам.

Валентин взял послание.

— О чем это, капитан?

— Нам выдвигают ультиматум, — улыбнулся тот. — Мне приказывают отпустить девочку на рассвете и покинуть остров. Я могу взять себе эту маску и все, что украл из хижины. И если я сделаю так, как сказано, я получу пригоршню дублонов в придачу. Они, очевидно, думают, что мы пираты и ради денег способны на все. Не вижу иного пути, как последовать их указаниям. На рассвете мы покидаем остров, — решил Валентин.

— Лили! Просыпайся! Нам надо идти сейчас, не то будет поздно! — Тристрам тряс сестру за плечо.

— Я так устала. — Лили попыталась сесть и упала бы, если бы братишка не поддержал ее.

— Ты уверена, что хорошо себя чувствуешь, Лили? Выглядишь ты плохо.

— Нет-нет, все нормально. Это просто царапина. — Девочка притронулась к ране на голове и поморщилась. Она убрала руку — пальцы были в крови. Стараясь казаться здоровой, улыбнулась.

— Ой, — прошептал Тристрам, — кровь...

— Прааааккк! Кровь, Лили! — повторил Циско и засмеялся.

— Говорю тебе, ничего страшного. Почти совсем не больно, — солгала девочка; голова болела невыносимо. — Пошли. Надо спасать Дульси. Думаю, этим жадюгам хватит ста дублонов.

Колпачок забрался на руки хозяйке, и она покачиваясь пошла к выходу из пещеры.

Тристрам взял мешочек с дублонами и отправился за сестрой.

— Не хотелось бы отдавать им наши вещи, — пробурчал он.

— Надо спасти Дульси.

Дети выбрались из пещеры. Циско уселся хозяйке на плечо, Колпачок бежал рядом.

— Мы не воры. Он не сможет обвинить нас в обмане. Свое обещание мы выполним. Бэзил всегда учил нас поступать честно.

Лили и Тристрам подошли к опушке.

— Смотри! — прошептал мальчик, показывая на одинокую фигуру на берегу. — Это Дульси. Рядом никого. Пойду заберу ее. Не понимаю, почему она все еще там стоит. Давно удрала бы.

— Подожди! А что это у нее вокруг пояса?

— Похоже на веревку. Наверное, ее привязали, чтобы не убежала.

— Он хочет быть уверенным, что получит свои проклятые деньги.

— Лили, смотри! Лодка! В ней полно людей! Там, за рифами!

Девочка старалась разглядеть то, о чем говорил брат, но все расплывалось у нее перед глазами. Приходилось верить Тристраму на слово. Глубоко вздохнув, она вышла из-за деревьев и пошла к Дульси.

— Лили! Лили! — закричала малышка. — Они оставили меня здесь! Велели вести себя хорошо, и тогда со мной ничего не случится! Почему они ушли, Лили? Они были хорошие.

— Хорошие, как маленькие крокодильчики, — хмыкнула сестра. — Тристрам, давай скорее. Отвязывай ее.

— Я не могу вытащить кол. Он слишком глубоко сидит.

Лили попыталась развязать веревку у пояса сестренки, но ничего не получилось.

— Почему ты плачешь, Дульси? — спросила она. — Еще немного, и я освобожу тебя.

Дульси размазывала слезы по щекам:

— У тебя лицо в крови, Лили. Ты умрешь? Я не хочу! Я не хочу, чтобы ты ушла от меня, как мама и папа!

— Конечно же, я не умру. Я просто ударилась головой. Вот и все, — успокоила ее сестра. — Почему я не догадалась захватить нож? Пойди в хижину и принеси его мне, Тристрам.

Но тот стоял, глядя на нее как на сумасшедшую.

— Ты что, не слышал?

— Лили, ты не помнишь? Они забрали все. У нас больше нет ножа. Что мы будем делать?

— Ничего не надо делать, — ответил голос из-за скалы.

Лили обернулась и чуть не упала, так сильно закружилась у нее голова.

— Вы?!

— Здравствуй, Лили, — сказал Валентин. — Сейчас ты готова ехать домой?

— Но... но вы обманули меня! Вы должны были убраться с острова! Я сдержала обещание, а вы... вы мошенник! — закричала она. — Бежим, Тристрам!

Со стороны мыса путь им преграждал Валентин. Лили побежала к воде, крик Тристрама остановил ее. Она обернулась и увидела, что братишку держит тот самый человек, который едва не захватил его раньше. Только на этот раз мальчику было не вырваться.

Лили нырнула. Волны подхватили ее. Девочка вынырнула, чтобы вдохнуть. Но море и небо перемешались, вместо воздуха она глотнула соленой воды. Море было теплым и нежным, и ей хотелось спать. Лили закрыла глаза. Как же хочется спать!

Глава 11

Но видел я, куда стрела упала:
На Западе есть маленький цветок;
Из белого он красным стал от раны!
«Любовью в праздности» его зовут.

Уильям Шекспир*

Лили Франциска Кристиан смотрела на свои ноги. С каким удовольствием она скинула бы туфли, которые сжимали пальцы, скатала бы чулки, так неприятно щекочущие кожу, и, подхватив юбки, побежала бы босиком по воде.

На улице шел дождь. Лили поежилась: как тут холодно! Чтобы согреться, она забралась с ногами на подоконник и накрылась бархатной портьерой. Так она и сидела, обхватив руками колени и· положив на них голову.

«Очень некрасиво», — наверняка сказала бы Гонория Пенморли. И обязательно бы поморщилась. Или бы фыркнула. Ну, конечно, Гонория даже в детстве, наверное, не залезала на подоконник. Она с пеленок была настоящей леди, соску даже по-благородному сосала. Куда Лили до нее! Ведь они с Тристрамом и Дульси не более чем полудикари, которых никто никогда не воспитывал. Бэзил бы возму-

_____
* Пер. Т. Щепкиной-Куперник.

тился, доведись ему услышать, что говорила о них эта вредная Пенморли. Однако госпоже Гонории пришлось пережить несколько неприятных минут. Со злорадной усмешкой Лили вспомнила, как, войдя в комнату, она приветствовала даму на безупречном французском, затем продолжила разговор на испанском, бросила пару фраз на латыни. Просто для того, чтобы поставить зазнайку на место.

«Если бы только можно было оставаться на борту корабля вечно», — вздохнула Лили. Она готова была совершить кругосветное путешествие под парусами, наполненными ветром, с яркими звездами над головой, но потом вернуться на свой остров, ставший ей родиной, а не сюда, в эту холодную и чужую страну.

Но еще сильнее, чем корабль, ей нравился его капитан. Она не помнила, как Валентин спас ее. Тристрам рассказывал потом, что Уайтлоу нырнул следом за ней, вынес ее на берег. Брат не забыл ни одной детали. Но к тому времени, когда Лили пришла в сознание, они были уже далеко от острова. Девочку никто не стал спрашивать, хочет она уплывать или нет. За нее все решил капитан «Мадригала».

Тристрам рассказывал Лили про то, что она двое суток не открывала глаз и потом больше недели бредила. Валентин очень волновался и не отходил от нее ни днем, ни ночью.

Лили спросила братишку, не рассказал ли он Валентину об их сокровищах, спрятанных в пещере? Тристрам посмотрел на сестру в недоумении. Конечно же, он ничего не рассказал, это же их тайна! Но Лили не понравилось виноватое выражение лица мальчика. И она стала выпытывать у него, в чем дело. Мальчишка признался, что Валентин Уайтлоу расспрашивал обо всем: что они ели, чем занимались, как вообще жили? Собравшись с духом, Тристрам даже решился сказать сестре, что Валентину можно было бы открыть секрет.

Лили напомнила о данном Бэзилу обещании хранить сундук и то, что там находится, в тайном месте. И никому ничего не рассказывать.

Лили не могла простить Валентину обмана и решила промолчать о пещере.

Но Тристрам проболтался еще об одной вещи. Он рассказал капитану, что Бэзил вел «островной» журнал. Валентин очень заинтересовался этими записями. Лили тогда чуть не подавилась. Журнал Бэзила был одним из самых главных их общих секретов, а брат, не думая, выбалтывает его какому-то чужаку.

У нее до сих пор мурашки пробегали по спине, когда она вспоминала, как лгала Валентину тем вечером. А Уайтлоу спрашивал и спрашивал про этот журнал. И как он был расстроен, когда услышал, что журнал сгорел вместе с Бэзилом. Тогда Лили позлорадствовала. Теперь она жалела, что не сказала правды. Сейчас уже поздно было что-то менять. «Ну и пусть. Так ему и надо», — говорила себе девочка.

Когда Лили поправилась, она стала выходить на палубу. Здесь все дышало «Арионом», детством, счастьем. Давно забытое, казалось, произошло только вчера. Поскрипывали мачты, ветер надувал паруса, и «Мадригал» легко летел вперед. Гордый, свободный, бесстрашный.

Дни шли за днями. Лили настолько свыклась с кораблем, что другой жизни и не представляла себе. И еще она всем сердцем полюбила Валентина. Лили любила его так же сильно, как любила отца и Бэзила, но другой любовью. То было не теплое уютное чувство, что испытывала она к самым дорогим в ее жизни мужчинам. Нет. Было больно. Когда она смотрела на Валентина, в душе ее словно распускались розы. И при этом она становилась застенчивой. Никогда раньше она не знала, что такое потерять дар речи. Лили смущалась, когда капитан смотрел на нее. И все же снова и снова ловила его взгляд. Ей нравилось, когда Валентин улыбался, казалось, ей одной.

Однажды Лили приснилось, будто ее преследует чудовище и она мечется по маленькой каюте. Жуткое создание приближалось все ближе и ближе, и она, загнанная в угол, думала, что уже не спастись. Вдруг Лили очнулась. В каюте горела свеча.

Рядом с ней сидел Валентин. Лили вскочила, уткнулась в плечо молодому человеку и заплакала. А капитан гладил ее по голове, успокаивал. Слезы ее высохли, дыхание успокоилось. И вдруг на смену возбуждению от страха пришло возбуждение совершенно иное. Смущенная всплеском доселе незнакомых чувств, Лили вдруг оттолкнула Валентина, чем напугала и его, и себя.

Он ушел, и в каюте сразу стало как-то пусто. Свернувшись под одеялом, Лили повторяла шепотом слова, которые он говорил ей.

А какие замечательные истории рассказывал Валентин! Он одинаково хорошо умел управлять кораблями и травить байки. Так же хорошо, как ее отец или Бэзил. Постепенно неприязнь к нему пропадала. Отвечая на его вопросы, Лили чувствовала себя все свободнее. Потом уже заводила разговор сама. Ведь ей тоже было что рассказать. И однажды, когда Валентин подошел к ней и обнял за плечи, Лили не отстранилась. Так стояли они рядом и молчали. Франциске хотелось, чтобы эти минуты длились вечно.

Лили словно обрела крылья и, душой взмыв ввысь, заблудилась в воздушных замках девичьей мечты. Валентин не подозревал о том, что превратился в ее глазах в волшебного принца. С тех пор время понеслось быстро, даже слишком. Однажды утром раздался крик «Земля!», все высыпали на палубу. В туманной дымке по левому борту был виден берег. Он казался холодным и далеким и совсем не походил на страну зеленых холмов и диких цветов, о которой с такой любовью рассказывал Бэзил.

Но Лили все еще находилась во власти любовных грез. Ей и в голову не приходило, что будущее может быть совсем не таким, каким она представляла его. Лили пребывала в этом состоянии легкой эйфории до тех пор, пока они не прибыли в Равиндзару и она не познакомилась с его семьей и ближайшими соседями. В том числе с красавицей Гонорией Пенморли. Мир за пределами их далекого солнечного острова и волшебных морей, по которым плыл «Мадригал», оказался слишком холодным и мрачным.

Услышав шаги, девочка быстро опустила портьеру. Не хотелось, чтобы ее заметили. Тем более голос, который она услышала, оказался знакомым.

— Я не думала, что тут так холодно. Спасибо за совет. Плащ пришелся весьма кстати. Под дождем и то было бы теплее. Как мило со стороны Валентина оставить нас на ночь. Похоже, дождь не перестанет до утра. Не хотелось бы мне ехать на лошадях в Пенморли-Холл по такой распутице. Дороги ужасные, — говорила Гонория Пенморли.

— Да, это очень мило со стороны Валентина. Тем более что у него и так порядком гостей, а дом перестраивают. Честно говоря, мне кажется, что переделка займет годы. Легче было бы все поломать и построить заново. Хотя Квинту и Артемис, похоже, все устраивает и так, — ответил сестре сэр Роджер.

— Ты знаешь, что он собирается добавить еще два крыла?

— Да, я слышал. Вскоре Холл снова перерастет Пенморли. Надеюсь, прыть Валентина подкреплена содержимым его кошелька. А ты, моя дорогая? Что решила ты? — полюбопытствовал сэр Роджер.

— Я? — переспросила леди Пенморли.

— Мне не хотелось бы допытываться, Гонория, но я твой брат. Я заметил, что ты как-то слишком приветлива с Уайтлоу...

— Не скрою, я подумывала стать хозяйкой Равиндзары.

— Должен предупредить тебя, дорогая, что на это место может претендовать другая.

— Ты имеешь в виду Корделию Хауэрд?

— Ты знаешь?

— Быть может, я и живу здесь затворницей, но я не такая уж наивная.

— Я никогда... — начал было сэр Роджер, но передумал и сказал: — Я заговорил о той даме только затем, чтобы ты не питала напрасных надежд.

— Ну что ты, я нисколько на тебя не в обиде. И благодарна за твое участие. Но ты должен понять, я всерьез задумывалась над этой возможностью, и мое решение — не прихоть влюбленной девчонки, а забота взрослой женщины о ее будущем. Валентину в его доме нужна хорошая женская рука. Не всякая молодая особа, избалованная столичной жизнью или мирными прелестями Хартфордшира и Кента, захочет променять их на жизнь в глуши. Что же касается меня, то я не смогла бы жить нигде, кроме Корнуолла.

До сих пор Гонория говорила тихо и ровно. Но вдруг, к удивлению Лили, голос ее сорвался:

— Я давно общаюсь с Квинтой и Артемис и уверена: они будут приветствовать наш союз. Валентин, разумеется, полагает, что его тетка и сестра будут жить в доме и я, конечно же, буду принимать их у себя. Я не хотела бы, чтобы меня поняли так, будто я намерена выгнать старуху и калеку на улицу, нет. Я поселю их в удобные комнаты в одной из пристроек. Они будут помогать мне с детьми.

— Не стал бы называть Артемис калекой, да и женщины, более деятельной, чем Квинта Уайтлоу, я, пожалуй, не встречал, — заметил сэр Роджер.

— Не хочу выглядеть жестокой, но Артемис хромая, и это всем известно. Большое несчастье для такой привлекательной молодой женщины. Однако, позволю себе сказать, она всегда будет висеть на шее у Валентина. И это ты, мой милый, не сможешь отрицать. Жаль, конечно. Мне бы хотелось, чтобы она вышла замуж до того, как я стану хозяйкой в этом доме. Но мы, я думаю, поладим.

— Что ж, поздравляю тебя, дорогая, ты действительно все разумно рассчитала, — сказал Роджер. — Дело осталось за мелочью. Разве Уайтлоу уже сделал тебе предложение? Мне кажется, он даже не подозревает о твоих планах. Как ты намерена заставить его просить твоей руки?

— Эту часть своего плана я предоставляю тебе, — ответила Гонория.

Теперь они почти вплотную подошли к портьере, за которой пряталась Лили. Роджер остановился.

— Я абсолютно уверена в твоей способности завоевать сердце Корделии Хауэрд.

— Понимаю, — протянул Роджер.

Лили боялась дышать: вдруг услышат?

— Польщен, дорогая, твоим доверием. Конечно, когда прекрасная Корделия не будет стоять поперек дороги, Валентин обратит внимание на тебя.

— Спасибо, дорогой, — сказала Гонория, словно Роджер уже согласился ей помогать. — Я знала, что могу на тебя рассчитывать.

— Я только думаю, что ты кое о чем забыла, — сказал Роджер.

— Разве? О чем?

— Ребенок.

Гонория засмеялась. Лили впервые слышала, как смеялась эта мисс Зазнайка.

— Ребенок? Ах да! Дочь Бэзила.

— Да. Я думаю, что Валентин, Квинта и Артемис как единственные оставшиеся в живых родственники ребенка захотят, чтобы она жила с ними здесь, в Холле, — напомнил сестре Роджер.

— Я этого не допущу, — заявила женщина. — Довольно с меня того, что я вынуждена терпеть его тетку и сестру. Не хватает только привечать еще и незаконнорожденных детей его брата.

— Одного ребенка, — поправил ее Роджер.

— Неужели ты думаешь, что мальчик не от Бэзила? Насколько я помню, у Джеффри и Магдалены была только девочка, когда они отправились в Вест-Индию. Мальчик может быть только сыном Бэзила, что бы он там ни говорил.

Сэр Роджер нахмурился:

— Но почему? Если бы он был сыном Бэзила, зачем бы Бэзил стал внушать ему, что его отец — Джеффри Кристиан? Ведь дочь свою он признал.

— Дорогой, — ядовито улыбнулась Гонория, — ведь это так очевидно. Бэзил, зная, что однажды их могут найти, хотел защитить честь дамы. Стать любовниками так скоро после смерти Кристиана, особенно если учесть, что в Англии у Бэзила осталась жена... В глазах общества все это выглядит предосудительно, дорогой. Зачем Бэзил вообще садился на этот корабль? Я думаю, они с Магдаленой были любовниками уже давно и их связь началась еще в Англии. После этого меня совсем не удивляет то, что произошло на этом острове. Магдалена никогда не отличалась особой щепетильностью. Я всегда считала этот брак глупостью. Жениться на иностранке! Фи! А сейчас мальчик становится наследником Хайкрос-Холл, если, конечно, его притязания будут доказаны. Впрочем, сомневаюсь, что он сумеет это сделать. Записи о рождении нет. Ведь он родился на острове, так? Полагаю, не многие смогут поверить, что он сын Кристиана. Кроме того, мальчик вовсе на него не похож.

— В любом случае Хартвел Барклай потеряет Хайкрос. Если даже мальчика не признают сыном Джеффри Кристиана, поместье унаследует его дочь. И, — с некоторым злорадством добавил Роджер, ибо снобизм сестры и ее удивительное бессердечие несколько его покоробили, — Валентин и его жена унаследуют детей Бэзила.

— Посмотрим, — процедила Гонория и направилась к выходу. Вскоре в дальнем конце коридора стих звук их шагов.

— Не может она выйти за него! — шептала Лили. — Как смеет она говорить такое о Тристраме! Негодяйка! Змея!

Лили отодвинула портьеру и слезла с подоконника. Старательно разглаживая смявшуюся юбку, она заметила грязь на подоле. Должно быть, она испачкалась, когда залезла под кровать, чтобы поймать Колпачка.

Разглядывая свой наряд, Лили заметила, что шов на лифе разошелся, а кайма немного оторвалась. Как вытянется лицо Гонории Пенморли, когда она увидит, что сделалось с ее элегантным нарядом, который эта мисс Жадюга по доброте душевной дала поносить бедной сиротке. Однако Лили позже услышала, как Гонория рассказывала кому-то, что редко надевает этот наряд, потому что цвет никуда не годится.

В этом Лили была согласна с леди Врединой полностью. Грязно-желтый цвет платья и в самом деле мог испортить самый элегантный фасон. В платье Гонории смуглая кожа девочки казалась болезненно-желтушной и грязной, а темно-рыжие волосы, которые Бэзил всегда называл красивыми, — тусклыми.

Вздохнув, Лили побрела в конец коридора. Больше тянуть нельзя: пора спускаться зал, где уже собрались гости. Но когда она подошла к лестнице и посмотрела вниз, на нарядную толпу, ей вдруг расхотелось туда идти. Лили понимала, что все заметят и порванный шов, и подол, и грязь на юбке, и прядь волос, выбившуюся из прически. Она проглотила подкативший к горлу комок. Боже, какой стыд! Как она безобразна!

Лили развернулась и побежала назад.

В комнате она расстегнула платье, стащила его с себя и в сердцах бросила к камину. С еще большим удовольствием она закинула бы его в огонь.

Через некоторое время раздался громкий стук в дверь. Лили открывать не собиралась.

Гостю, наверное, надоело ждать за дверью, и он решил зайти без спроса. На пороге стоял Валентин Уайтлоу.

— Ты уверена, что не хочешь к нам присоединиться? Ты меня очень расстроишь, если не придешь. Я надеялся, что ты будешь мне парой, когда мы спустимся в зал.

Лили смотрела на него во все глаза.

— Это правда? — прошептала она, не веря своим ушам.

— Конечно, — улыбнулся Валентин. — Как я могу веселиться, зная, что ты там, наверху, одна? Мы завтра уезжаем из Равиндзары. Я хотел бы сегодня отпраздновать наше благополучное возвращение в Англию, Лили.

Увидев страх в глазах девочки, Валентин заговорил тихо и доверительно:

— Послушай, Лили. Ты не должна бояться ни завтрашнего дня, ни послезавтрашнего. Не должна бояться будущего. Я никогда тебя не оставлю. Честное слово, Лили. Ты всегда сможешь на меня рассчитывать. Я обязательно приду на помощь, когда буду тебе нужен. Ты дочь Джеффри Кристиана, и уже поэтому я всегда буду твоим другом. Но даже не будь ты дочерью моего друга, я бы все равно с радостью о тебе заботился. Я никому не дам тебя в обиду. Ты запомнишь это?

Лили кивнула.

Уайтлоу улыбнулся. Все прекрасно! К девочке вернулось хорошее настроение. Если бы он знал, о чем думает эта малышка! Если бы знал, какой смысл вкладывает она в каждое его слово!

— Конечно, — Валентин подмигнул, — в таком виде ты едва ли можешь спуститься вниз.

Лили посмотрела на желтое платье.

— Я не смогу пойти, — тихо сказала она.

Валентин нахмурился. Потом без лишних слов открыл сундук и стал выбирать наряд.

— Как насчет этого? — Он вытащил платье, которое Лили носила на корабле. — Оно мне самому нравится. Пошли.

Лили вытерла слезы и соскочила с кровати. Вдруг ему надоест ждать и он передумает идти с ней?

— Ну вот и порядок. — Валентин убрал на место выбившийся локон. — Теперь ты снова стала красивой юной леди, с которой приятно провести время. Прошу...

С этими словами он протянул ей руку. Лили подала ему свою. Ей казалось что она отдает своему капитану сердце. Гордо шла она рядом с ним. Теперь, когда он обещал ей всегда быть рядом, она могла больше ничего не бояться.

Глава 12

Что будет иль что было —
Желанно всем, а что теперь — не мило.
                          *Уильям Шекспир**

Лондонский дом Томаса Сэндрика, Тэмсис-хаус, располагался на роскошной лужайке на южной стороне Стренда, одной из главных улиц Лондона. Из дома был выход на Стренд, и попасть туда можно было из города. Большинство гостей предпочитали подъезжать по реке, тем более что возле дома располагалась собственная пристань Сэндриков. С реки по широким ступеням гости входили в большой зал. Уютные внутренние дворики, просторные и богато обставленные комнаты — дом радовал глаз и изнутри, и снаружи. Вокруг раскинулся фруктовый сад, а спуск к реке украшали зеленые террасы.

Пассажиры «Мадригала» прибыли сюда три дня назад. Томас настоял, чтобы они жили в его доме.

Лили стояла у окна в спальне, которую они делили с Дульси, и смотрела на сады и лужайки, террасами спускающиеся к блестящей глади реки. Вдали виднелись шпили церквей и слышался колокольный звон.

---

* Пер. Е. Бируковой.

Два дня назад Валентин уехал из Лондона в Уайтсвуд, где он должен был рассказать сэру Уильяму и леди Элспет о том, что Бэзил не вернется. Лили нахмурилась, вспомнив, с каким лицом Валентин говорил о необходимости известить Хартвела Барклая в Хайкрос-Холле. Настораживало уже то, что капитан не хотел навещать их двоюродного дядю лично. Каким же человеком был этот Барклай, если при одном воспоминании о нем Валентин морщился, как от лимона?

— Лили!

Лили обернулась. На пороге стояла сестренка.

— Мне не нравится носить эту одежду, — заявила девчушка, путаясь в пышной длинной юбке.

Лили была согласна, что одежда, которую они сейчас носят, менее удобна, чем та, к которой они привыкли на острове. Дульси и вправду было не узнать. В бледно-голубом шелковом платье с рукавами-буфами девочка выглядела как-то странно. Словно не ребенок, а крохотная женщина с очень несчастными темными глазами.

— Где наша бухточка? Я не могу больше плавать, Лили, — хныкала Дульси. — Эти чулки у меня все время сползают. Мне не нравятся эти туфли! Я не могу в них пошевелить пальцами!

— Давай попробуем что-нибудь сделать с твоими чулками. — Лили усадила малышку на сундук.

— Я хочу, чтобы капитан вернулся. Мне без него скучно, — сказала Дульси, наблюдая, как сестра расправляет чулок.

— Вот так. — Лили поправила девочке юбку.

— Мы будем жить с ним в Равиндзаре, Лили?

Лили молчала.

— Будем, Лили, да?

— Не знаю, — произнесла сестра. Не рассказывать же Дульси о своих тревогах. Она все равно ничего не поймет.

— Тетя Артемис говорила, что я могу у нее остаться, если захочу. Она хочет, чтобы я осталась с ней навсегда. Она очень меня любит и хочет, чтобы я была ее дочкой.

Лили слушала внимательно. Ей пока никто не сообщал, что будет с ними дальше.

— Тетя Артемис сказала, что мой отец хотел бы, чтобы она заботилась о его единственной дочери. Она сказала, у меня будет все, что я захочу, Лили. И даже пони. Здорово, правда?

— А как же Тристрам и я, Дульси? О нас она ничего не говорила? — Все это Лили очень не нравилось.

Валентин должен был сказать ей, что их собираются оставить в Равиндзаре, но не сказал...

— Нет, она только обо мне говорила.

— Где Тристрам?

— На реке. Он говорит, что слышит много странных вещей от лодочников, — сообщила Дульси.

— Надо бы Тристраму ноги помыть, чтобы не нанес грязи в дом, — пробормотала Лили.

В комнату вошла Артемис:

— Я тебя повсюду ищу, Дульси. Где ты ходишь? Я волнуюсь. Ты больше не должна бродить где придется, дорогая.

— Я хотела, чтобы Лили поправила мне чулки. — Дульси не понимала, чем недовольна тетя.

— Не надо было затруднять Лили. Я бы тебе помогла. Почему ты ко мне не подошла?

— Я хотела, чтобы Лили мне помогла. Лили всегда знает, что делать, — ответила крошка.

— В дальнейшем помни, что я смогу тебе помочь. — Артемис поправила малышке прическу, нагнулась и поцеловала девочку в щечку. — Сладкая моя, — прошептала она, с обожанием глядя на племянницу.

О Лили забыли. Она смотрела, как Артемис Уайтлоу колдует над Дульси, и спрашивала себя, за что же сестра Валентина так не любит ее, Лили. Нельзя сказать, что тетка обижала ее, нет. Но она ни разу ей не улыбнулась. Франциска старалась быть любезной. Ей понравилась Артемис, и хотелось расспросить ее о многом. У той, однако, ни для Лили, ни для Тристрама времени не находилось. Она видела только Дульси.

— Ну что же, сейчас, когда ты выглядишь как надо, я думаю, ты и вести себя будешь, как подобает Уайтлоу, — произнесла Артемис.

— А зачем?

— Валентин внизу и...

— Валентин вернулся! — Лили бросилась к двери. Дульси побежала следом.

— Да, но я должна посоветовать вам, Лили, вести себя подобающим образом. Вы больше не дикарка! Вы юная леди из хорошей семьи, а ведете себя, как уличная девка! Вы подаете дурной пример брату и сестре!

Лили замерла. От таких слов у нее потемнело в глазах и вспыхнули щеки. Артемис, казалось, пожалела о своей жестокости. Хромая, она подошла к Лили и тоном, все еще недовольным, но более мягким, сказала:

— Позвольте я уберу вот это.

Достав из рукава надушенный платок, тетушка вытерла грязь со щеки Лили.

— Простите меня, пожалуйста. Я напрасно сказала так. Теперь вы прекрасно выглядите. Валентин ждет вас внизу. Идите же!

Франциска не двинулась с места.

— Мы спустимся с вами, — предложила она.

Артемис покачала головой:

— Идите, идите. Я потом подойду. — И Артемис похромала прочь. За ее спиной раздался легкий топот ног. Как она завидовала этим детям! Ей никогда не придется бегать.

— Эй! Подождите! — Тристрам догнал их.

— Я поймал рыбу в Темзе, Лили! — гордо заявил мальчик. Впрочем, он мог бы этого и не говорить — добыча была у него в руках. — Я показал ее повару, — продолжал маленький рыбак, — и он удивился, когда узнал, что я могу ловить рыбу. Интересно, что бы мы ели на острове, если бы я не умел ловить рыбу? Повар сказал, что приготовит ее на обед. Я хочу показать ее Валентину. Мне сказали, что он вернулся.

— Ты не испачкался? — Дульси придирчиво оглядела брата. — От тебя рыбой воняет.

— А ты сама как рыба. — Тристрам надул щеки, потом стал открывать и закрывать рот, словно рыба на суше.

— Неправда! — обиделась Дульси. — Тетя Артемис говорит, что я хорошенькая, как принцесса!

Дети принялись носиться вокруг Лили, причем Тристрам норовил шлепнуть Дульси рыбой.

Визжа и крича, дети вошли в зал. Лили увидела Валентина первой и остановилась как вкопанная. Тристрам и Дульси вопили, обзывали друг друга, но врезались в сестру — и остановились. Наступила тишина.

Капитан стоял у камина. В комнате он был не один. Кроме Квинты Уайтлоу и Томаса Сэндрика, дети никого не знали. А гости во все глаза смотрели на детей. Те смутились, понимая, что сделали что-то очень нехорошее.

Словно очарованная, глядела леди Элспет на ребятишек.

Самую старшую из троих Элспет встречала раньше. Она узнала эти темно-рыжие волосы, так похожие на волосы Магдалены, светло-зеленые большие глаза, унаследованные от Джеффри Кристиана. Эта девочка могла быть только их дочерью Лили.

Мальчика с рыбой в руке Элспет не видела прежде. Он тоже унаследовал необычный цвет волос матери, но глаза... Впрочем, глаза у него были материнские. Валентин говорил, что этот мальчик, Тристрам, сын Джеффри. Он не похож на Кристиана, впрочем, на Бэзила тоже.

Элспет с замирающим сердцем перевела взгляд на самую младшую. Дульсинея Розалинда, дочь Бэзила — красивая маленькая девочка, черноволосая и черноглазая. Миссис Дэвис посмотрела на Саймона. Как они были похожи!

— Ты доволен, Валентин? — со смехом спросила Квинта. — Я же тебе говорила, детям здесь будет привольно. Ты зря волновался. Я, однако же, не могу похвастаться тем, что все обошлось без потерь. Из-за мартышки, которую ты привез вместе с детьми, я лишилась моей лучшей шляпы. Потом кусочки этого произведения искусства находили по всему дому. Пойдемте, дорогие, — обратилась Квинта к детям, — боюсь, своим появлением вы показали себя с наихудшей стороны.

— Я боялся, что меня будут винить во всех неприятностях: и в том, что куры не несутся, и в том, что молоко прокисло. Меня и моих маленьких друзей, которых я бросил в Лондоне на произвол судьбы, — сказал Валентин, поднимая на руки подбежавшую к нему Дульси.

— Капитан, смотри, что я поймал! — Тристрам принялся размахивать над головой своей пахучей добычей. Разумеется, проказник не заметил, что Томас Сэндрик прижал к носу платок.

— Отличный улов, Тристрам.

— Я поймал ее сегодня на ужин. — Тристрам поднес рыбину поближе к Сэндрику, великодушно предлагая подарок хозяину дома, отчего-то позеленевшему.

— Очень мило с твоей стороны, Тристрам. Почему бы тебе не передать улов на кухню? — Томас отступил с кислой улыбкой. Но, едва он собрался позвать слугу, чтобы тот забрал рыбу, шум за окнами привлек внимание хозяина, и он, извинившись, удалился.

— Лили, — произнес Валентин. — Знакомься, это
леди Элспет.

— Здравствуйте, леди Элспет. — Лили присела.
Элспет улыбнулась:

— Ты меня, наверное, не помнишь, зато я тебя помню
очень хорошо и твоего отца и мать тоже. Вы с матерью
часто останавливались в Уайтсвуде, когда Джеффри уходил
в плавание. Валентин все мне о тебе рассказал. Я думаю,
Бэзил любил тебя, Тристрама и Дульси очень сильно.

— И мы его любили, леди Элспет.

— Да, я знаю, дитя мое. Ты не могла бы немного позже
рассказать о Бэзиле и о своей матери, о том, как вы жили
на острове? — ласково попросила она и взглянула на мужа.

Элспет знала, что Уильям понимает ее желание. Бэзил
умер. И хотя они считали его погибшим все эти семь лет,
последние несколько месяцев ожидания были самыми труд-
ными для нее. Живым его найдут или мертвым? Тень Бэзила стояла между ними. Она действительно любила своего
первого мужа и потому была только рада, что он смог обре-
сти на острове счастье.

Лили кивнула. Но улыбка сошла с лица девушки, когда
она увидела сэра Роджера и Гонорию Пенморли. Они и еще
несколько человек поднимались с реки в дом.

Гонорию, очаровательную, как никогда, сопровождал
молодой человек, чьи ужимки вызывали скорее раздражение, чем улыбку. Мисс Красавица быстро освободилась от
своего навязчивого провожатого и поспешила привлечь внимание Томаса Сэндрика.

Джордж Хагрэйвс отвесил даме, повернувшейся к нему
спиной, глубокий поклон, вздохнул с шутливым сожалением
и тут же, отыскав глазами Валентина, принялся наседать на
него с обычной непочтительностью:

— Эй, никак наш красавчик капитан вернулся! Да уж,
давненько тебя не было видно. За это время столько всего

случилось. Уолчемпс уже стал сэром. Ты, Валентин, отстаешь от него. Надеюсь, теперь, когда ты в Лондоне, Уолчемпс сбавит спеси. Хотел бы я, чтобы кто-нибудь укоротил его до моих размеров. Уолчемпсу это не помешало бы. У меня в последнее время возникает впечатление, что рыцарство дают за высокий рост. Жаль, рука Елизаветы с мечом не соскользнула с головы этого выскочки, когда она посвящала его в рыцари. Кстати, ты об этом слышал?

— Слышал.

— Готов поспорить, что слышал, да не то. Впрочем, как и все. — Джордж тряхнул головой. — Везет дуракам, скажу я тебе. Если бы Уолчемпс не лез из кожи вон, только бы ехать рядом с ее величеством, если бы тогда он не умудрился обогнать меня, то вместо простого Джорджа Хагрэйвса перед тобой стоял бы сэр Хагрэйвс, который вылетел из седла и свалился в грязь, когда лошади королевы понесли. Остановил коней Елизаветы Уолчемпс, а не ваш покорный слуга. Вот так всегда. Меня вечно кто-то обгоняет. И в этот раз я упустил свой шанс стать героем. Вот так-то. — Джордж вздохнул.

— Зато Уолчемпс не упустил.

— Да уж. Умудрился даже пораниться. И ее величество была так ему благодарна, что пожаловала рыцарство. Э-эх, не везет так не везет. Вот что значит быть коротышкой... — И Хагрэйвс тут же, не меняя тона, произнес: — Прости, Валентин. Мне уже все рассказали. Прими мои соболезнования.

— Спасибо. — Валентин опустил девочку на пол. — Это Дульси, дочь Бэзила.

— Привет, Дульси. Ты действительно красавица и как раз мне по росту, — сказал Джордж и состроил смешную рожицу.

— По-моему, ты еще не знаком с Лили Кристиан.

— Лили, чудеснейший цветок. Очень приятно.

Девочка сделала реверанс.

Внезапно Джордж нахмурился и потянул носом воздух.

— Хм! — Он оглянулся. — Мне показалось, что запахло Раймондом Уолчемпсом, но, кажется, я ошибся. А, это свежая рыба, которую молодой человек поднес так близко к моему рукаву. Некоторые сэры пахнут так же... Валентин, — продолжал Джордж достаточно громко, чтобы мог услышать хозяин дома, идущий в их сторону. — Если бы я знал, что Томас хочет, чтобы мы принесли продукты с собой, я бы прихватил пару фазанов или, на худой конец, заскочил бы в Биллингсгейт и купил бы пару фунтов устриц.

Сэндрик нахмурился. Затем кивнул слуге. Тот освободил мальчика от его ноши. Но Тристрам едва ли заметил, что у него отняли добычу. Он во все глаза смотрел на Джорджа Хагрэйвса, который сейчас забавно искал в своем камзоле устрицу.

— Это тебе, Валентин. Только что доставили. — Томас протянул свиток с печатью.

— Похоже, я получил королевское послание. Королева вернулась в Вестминстер и сейчас принимает в Уайтхолле. Она удостаивает меня и детей частной аудиенции.

— Лили, мы поедем на встречу с королевой! — воскликнул Тристрам.

— Как в сказке! — захлопала в ладоши Дульси. — Как ты думаешь, белые кони тоже там будут? А карета сделана из ярко-красного коралла? А сиденье у нее из морской звезды? А поводья из морских водорослей?

— Ее величество ездит в золоченой карете, и упряжь ее белых лошадей украшена золотом и драгоценностями. — Валентин слегка приукрасил действительность, чтобы не разочаровывать ребенка.

Дульси бросила на Тристрама победный взгляд, мол, что я тебе говорила! И вдруг ни с того ни с сего сжалась, прошептала: «Колдун! Лили, колдун!» и уткнулась сестре в колени. Только Лили и Тристрам знали, о каком колдуне идет речь.

Джордж, не подозревая, что девочка просто вспомнила сказку, оглянулся. Глаза его расширились, когда он узнал входящую в зал женщину.

— Господи, — пробормотал он. — Вот уж верно, не колдун, так колдунья! Как она только догадалась?! Воистину чудесный ребенок!

Корделия Хауэрд шла по залу, бросая томные взгляды на кавалеров.

Лили Кристиан смотрела на нее затаив дыхание. В платье из темно-розовой парчи, эта женщина была самой красивой из тех, кого Лили видела.

«Никакая Гонория не сравнится с этой красавицей», — думала Лили. Вот Корделия обернулась к Валентину. Сердце девочки едва не остановилось, когда она заметила, каким взглядом ответил красотке Уайтлоу.

«Валентин. Она пришла сюда ради него!». Это Лили поняла сразу. Однако спутник Корделии девочке очень не понравился.

Раймонд Уолчемпс. Лили поежилась. Взгляд у него был неприятным. Этот взгляд преследовал ее в ночных кошмарах уже много лет. Оказывается, на свете есть люди с разными глазами. Лили осмелилась посмотреть на него и, к своему ужасу, поняла, что не может отвести взор. Открыв рот, она смотрела на Уолчемпса и чувствовала, как возвращаются к ней старые страхи. Она вспомнила день, когда умерла бабушка. Она вновь слышала орудийную пальбу и видела, как кровь заливает палубу корабля. Отчего-то перед ее глазами вдруг встала картина (то ли из яви, то ли из сна): священник в капюшоне, с серебряным крестом, а рядом с ним — человек с этими странными глазами.

Если бы не Дульси, Лили закричала бы от ужаса. Вначале, услышав душераздирающий вопль, она решила, что кричит сама. Затем среди наступившей тишины раздались сдавленные рыдания. Это плакала Дульси.

— Боже мой! — воскликнула Корделия Хауэрд смеясь. — Твои beaux yeux*, Раймонд, напугали ребенка до полусмерти. Мой дорогой, не надо так пугаться. Просто подожди, пока она подрастет, может быть, тогда она найдет их привлекательными, — говорила красавица смертельно побледневшему Раймонду.

После некоторого замешательства, шепота, замечаний вполголоса беседа вошла в обычное русло. Все словно заговорили разом.

Артемис наконец вышла и тут же засуетилась вокруг Дульси.

— Она переволновалась. Дети не привыкли, чтобы вокруг было столько народу. — Она вытирала девочке слезы.

— И это неправильно. Я своего так никогда не баловал, — высказался седовласый джентльмен. — Пристроил его здесь, в Лондоне, пажом, едва он научился ходить.

— Полагаю, вы поступили очень мудро, сэр Чарльз, — улыбнулась леди Элспет, — но ваш опыт годится не для всех. Лично я собираюсь отправить своих малышей наверх, к няне. Почему бы и Дульси не пойти с ними?

Миссис Дэвис с детьми ушла.

— Давайте я отнесу Дульси, — предложил Валентин. — Малютка сильно перепугалась.

Взглянув на Лили, он увидел, что и та очень бледна.

— Лили, ты себя хорошо чувствуешь? — спросил он.

— Я помогу Артемис уложить Дульси, — предложила она. Уйти. Скорее уйти от этого кошмара. Иначе она разрыдается, как сестренка. Почему лицо Уолчемпса кажется таким знакомым? Где она могла видеть его раньше?

---

* красивые глазки (фр.).

— В этом нет необходимости, Лили, — быстро откликнулась Артемис. — Я сама могу о ней позаботиться. Оставайся здесь. Там, наверху, ты будешь мне только мешать.

Лили молча смотрела, как Артемис с Дульси на руках уходит из зала.

— Ты уверена, что хочешь здесь остаться? — спросил Валентин.

— Да, я прекрасно себя чувствую, спасибо, — хрипло ответила она.

— Я даже не знаю, что и думать, — с озадаченным видом протянул Джордж. — Ребенок вырос на необитаемом острове, один Бог знает, какие звери жили вокруг нее, и все же...

Хагрэйвс запнулся, украдкой взглянул на Раймонда.

— ...и все же она испугалась нашего сэра Уолчемпса. Хм... Сэр Раймонд, что вы так смотрите на очаровательную Лили? Она тоже вам понравилась?

Лили хотела было подойти к Валентину, но Корделия опередила ее. Подхватив Уайтлоу под руку, красавица повела его к хозяину.

Саймон Уайтлоу, с интересом наблюдавший за всем, что происходило вокруг, подошел к Лили и Тристраму.

— Хотите есть? — застенчиво спросил он.

У Тристрама глаза загорелись.

— Хочу!

— Пошли. Если я не ошибаюсь, малышам уже принесли наверх пудинг. Может быть, и нам достанется по кусочку. А может, и по пирожку с яблоками. Вдруг удастся что-нибудь раздобыть и для обезьянки. Кстати, что она ест?

— Лили, ты идешь с нами? — спросил сестру Тристрам.

Лили вздрогнула. Этот Уолчемпс. Почему он смотрит на нее? Стоит далеко, разговаривает с кем-то и все равно смотрит. Страх, который до сих пор удавалось как-то сдерживать, пополз по спине.

— Да, я иду с вами, — ответила она.

Дети ушли.

— Лили, что с тобой? — спросил Тристрам. Они с сестрой чуть приотстали от Саймона. — Лили, я знаю, почему расстроилась Дульси. Это не из-за того, что она никогда не видела того разноглазого. Разве ты не помнишь? Это колдун ее напугал. У колдуна, который хотел убить королеву, один голубой глаз и один карий.

Лили схватила брата за руку: пальцы у нее были холодными, как у мертвеца.

— Я знаю, Тристрам. Но слушай, я не хочу, чтобы мы кому-нибудь об этом говорили.

Лили и сама толком не могла объяснить, почему об этом нельзя было рассказывать. Нельзя, и все.

— Почему?

— Потому. Это тайна, вот почему. Бэзил не хотел, чтобы мы кому-нибудь рассказывали о пещере или журнале. Помнишь?

— Да, но при чем здесь это, Лили?

— При том. Эту историю рассказал нам Бэзил. Он сказал, что это наш секрет. И мы не должны никому говорить про колдуна. Кроме того, если тот разноглазый — колдун, он может навредить нам как-нибудь. Он может украсть Дульси.

— Колдун может наложить на нее заклятие, Лили? — зазвенел голос братишки.

— Колдун? — Саймон оглянулся на своих новых знакомых. — Я много знаю про колдунов и про ведьм. С ними надо быть осторожнее. Не стоит вообще с ними встречаться, а особенно сердить. Они могут вас сглазить.

Брат и сестра переглянулись.

— Но не надо бояться сэра Уолчемпса из-за того, что он похож на колдуна. Некоторые, конечно, считают, что он продал душу дьяволу, но на самом деле это не так. Я понимаю, почему моя сестра испугалась...

Лили и Тристрам удивились: мальчик назвал своей сестрой *их* сестру Дульси.

Заметив замешательство на лицах приятелей, юный Уайтлоу начал оправдываться:

— Но ведь она моя сестра. Бэзил был моим отцом. Он и Дульси приходится отцом тоже. Ваша мама была и ее мамой. Получается, что она *наша* сестра, — объяснил он, и ребята сразу вспомнили, как то же самое в тех же выражениях пытался объяснить им Бэзил, и рассмеялись.

Саймон нахмурился. Он не любил, когда над ним смеялись, и уже хотел было возмутиться, когда Лили сказала:

— Он точь-в-точь как Бэзил, правда, Тристрам?

— Точь-в-точь, — подтвердил ее братишка.

— Правда? — спросил Саймон.

— Чистая правда, — заверила его Лили.

— Что касается Раймонда Уолчемпса, — продолжал Саймон, — хоть у него и разные глаза, он не может быть колдуном. Он рыцарь. Он даже спас королеве жизнь.

— Вот видишь, Лили, он не колдун, — пробормотал Тристрам. Мальчику вовсе не хотелось вступать в единоборство с этим неприятным созданием. Ведь если Уолчемпс украдет Дульси, кому придется ее выручать? Конечно же, ему, Тристраму.

— Значит, он никогда не обидит королеву? — спросила Лили.

Слова нового друга немного успокоили ее. Но ей не давало покоя то, что она не могла вспомнить, где видела этого человека.

— Обидеть Елизавету? — удивленно спросил Саймон. — Никогда. Сэр Раймонд Уолчемпс один из ее любимцев. Да забудьте вы про этого сэра. Пойдемте скорее, а то без нас все съедят.

Мальчишки побежали вперед. Лили отстала. В голове у нее звучал голос Бэзила. Не зря он повторял для них эту сказку про белых коней и королеву, напоминал, как важно им вернуться в Англию и спасти ее величество. Было еще кое-что, что тревожило девочку. Теперь она была уверена, что видела Раймонда Уолчемпса раньше. Не важно, что образ колдуна из сказки совпадал с обликом сэра Уолчемпса. Бэзил никогда не описывал колдуна, говорил только о глазах. Поэтому колдун, навещавший ее в кошмарах, был как бы размыт. Четкими были только глаза. Но она знала Раймонда. Она видела его лицо. Но где? Франциска никак не могла вспомнить. И почему Уолчемпс так смотрел на нее?

Саймон их не обманул. Тристрам, наевшись до отвала, отправился за приятелем к реке, а Лили пошла в сад.

Уолчемпс не шел у нее из головы. Если бы рассказанная Бэзилом история была лишь сказкой, придуманной для развлечения малышей, а ее опасения не более чем детскими страхами, зачем бы тогда сэр Раймонд следил за ней? Обязательно надо рассказать обо всем Валентину.

Лили торопливо шла по мощеной дорожке, вдоль которой ступеньками поднимались клумбы разных форм. Тут же были живые изгороди, усеянные лиловыми и желтыми бутонами. Тропинка привела Лили к калитке. Она помнила, что Валентин исчез в этом направлении. Открыв калитку, Лили увидела Корделию Хауэрд. Девочка видела, как он коснулся губами губ красавицы, как привлек ее к себе, стал ласкать...

Лили побежала прочь. Слезы застили ей глаза.

Вдруг перед ней словно из-под земли вырос человек. Раймонд Уолчемпс смотрел на нее и криво улыбался.

— Торопишься? Зачем? Не для того ли, чтобы подглядывать и подслушивать? — Он вцепился девочке в плечо. — Кажется, у тебя появилась привычка появляться там, где тебе быть не следует.

У Лили сердце в пятки ушло.

— Пустите! — прошептала она.

— Я напугал тебя, малышка?

Лили смотрела Уолчемпсу в глаза, и воля покидала ее.

— Я не хочу тебя обидеть, — говорил вкрадчивый голос. — Почему бы нам не прогуляться? Мы можем пройтись вдоль реки. Вниз по течению. Там есть очень милое местечко...

— Нет, мне надо... меня ждут...

— Никто тебя не ждет, Лили. Никому нет дела до того, где ты ходишь. Пойдем со мной. Пойдем со мной, Лили. Моя Лили. Я так долго тебя ждал, — шептал Раймонд, и Лили, покорная его воле, медленно пошла рядом. Закрыв глаза, ведомая лишь этим странно звучащим голосом, она двигалась по саду.

Внезапно она открыла глаза и увидела, что на тропинке стоит турок.

Куда делся разноглазый? Или ей это привиделось? Или Раймонд превратился в Мустафу? Ерунда какая-то. Скорее всего турок просто спугнул сэра Уолчемпса.

Лили тряхнула головой. Что с ней случилось? Куда разноглазый ее вел? Неужели он действительно колдун? Что он ей говорил? Про какую-то реку? Но при чем здесь река? Ничего не понятно. Надо скорее идти в дом, туда, где люди. Там Уолчемпс ее не достанет.

Лили улыбнулась Мустафе и побежала по дорожке.

Раймонд ходил взад-вперед перед балюстрадой. Он был почти у цели. Он мог покончить с девчонкой, если бы не этот... в чалме. Когда Раймонд понял, что этот усатый страж с кривой саблей наблюдает за ними, он сделал вид, будто что-то рассказывает девочке. Но в следующий раз... В следующий раз ей не уйти.

И Елизавете не будет спасения тоже. Уолчемпс усмехнулся. Как странно, что это неудавшееся покушение принесло ему рыцарство. Лошадей Елизаветы спугнула его шпага. Он пустил своего коня вскачь, чтобы быть с королевой наравне, но, заметив, что личная охрана Елизаветы вот-вот догонит их, обратил свою промашку в триумф. Вместо того чтобы быть отправленным на эшафот, он был обласкан как герой.

Уолчемпс услышал приближающиеся шаги. Сообщнику он не расскажет ничего. Его счеты с девчонкой останутся только на его совести.

Раймонд Уолчемпс улыбнулся подошедшему.

Лили не могла дождаться конца этого ужасного дня. Едва первые гости стали покидать зал, она поспешила попрощаться. Саймон просил ее остаться, но напрасно. Остановившись на верхней ступени лестницы, Лили решила бросить своему юному кавалеру прощальный взгляд. Но того, что она увидела, было достаточно, чтобы обратить ее в бегство. Внизу стоял Раймонд Уолчемпс. Стоял и смотрел на нее.

Закрывшись в спальне, Лили надела ночную рубашку и нырнула под одеяло. Она свернулась клубком, стараясь согреться, но озноб не проходил. Темнота в спальне пугала ее. Из мрака возникало смеющееся лицо Раймонда Уолчемпса, насмешливо-злая улыбка Корделии Хауэрд, в ушах звучал смех Валентина.

Проснулась Дульси и села на кровати.

— Он здесь, Лили! — всхлипывала малышка. — Колдун здесь! Он идет за нами! Я видела его! Он хочет нас убить!

— Пррраак! Пррраак! Колдун! Колдун! — вопил Циско.

— Тсс... Тсс... — повторяла Лили, качая сестренку на руках.

— Тсс! Тсс! Уже за полночь и темно как в аду! — выкрикнул Циско и захохотал.

Услышав шаги за дверью, Лили прижала Дульси крепче.

— Лили!

— Что, малышка?

— Обещай, что никогда, никогда не оставишь меня. Обещаешь?

— Конечно, обещаю. Я никогда не оставлю тебя, Дульси.

— Ты не позволишь Артемис забрать меня?

— Нет, не позволю.

— Мне нравится Артемис, Лили, но тебя я люблю больше. Я хочу обратно на остров. Я не люблю Англию, Лили.

Артемис Уайтлоу медленно отошла от дверей детской спальни.

— Ах! — Она испугалась человеческой тени. — Ах, это ты, — облегченно вздохнула молодая леди.

Валентин Уайтлоу взял сестру под локоть и повел в соседнюю с детской комнату.

— Ты слышал? — тихо спросила она.

— Да, — ответил он.

— Валентин, мне так стыдно, — заплакала Артемис. — Надо было послушать испуганного ребенка... Какая же я эгоистка.

— Не надо, Артемис. Ты слишком строга к себе. Я знаю, что ты хотела как лучше. Ты благородная и великодушная женщина.

Артемис вздохнула:

— Хотела бы я, чтобы они все жили у нас. Все трое.

— И я тоже. Но у нас нет законного права на Лили и Тристрама. На Дульси есть, но тогда пришлось бы отнимать ее у брата и сестры. А судя по тому, что мы только что с тобой услышали, мы причинили бы им много горя. И еще, Артемис, как дети будут жить в Равиндзаре, если мы возьмем над ними опекунство? Дом в ужасном состоянии. Я вам с Квинтой позволяю жить там. Пока. А потом вам придется переехать. И куда вы денете детей? Да и меня не бывает дома по многу месяцев. Я не смогу помочь с детьми. Есть еще одно... Меня беспокоит...

— Что?

— Опекуном детей станет Хартвел Барклай. Как единственный родственник, он имеет на это полное право. А пока Лили Кристиан не достигнет совершеннолетия или не выйдет замуж, он будет управлять имением.

— Ты говорил мне, что Джеффри Кристиан не любил Барклая. Как тогда он мог допустить такое? Я уверена, что он указал другое лицо в качестве опекуна своей дочери на случай, если Магдалена умрет раньше, чем девочка сможет управлять Хайкрос сама!

— Ты правильно думаешь.

— И кого он назначил опекуном?

— Бэзила, — тихо сказал Валентин. — Джеффри не мог предвидеть такого. Не мог он знать, что все они погибнут.

— Значит, Барклай станет опекуном? Хорошо. А мы можем чем-нибудь помочь? Пригрозить, например, если он плохо будет обращаться с детьми. Дульси все-таки Уайтлоу. Мы не можем позволить этому человеку издеваться над сиротами.

Валентин улыбнулся. «Артемис, сестренка! Добрая ты душа!»

— Я дам понять Барклаю, что, если он хоть пальцем тронет детишек, ему придется худо.

— Вдруг он откажется взять Дульси?

— Дульси — дочь Магдалены. Она имеет право жить в Хайкрос. Кроме того, Лили, как законная наследница Хайкрос, имеет право позволить жить в ее владениях кому хочет. Поэтому Хартвел не сможет отослать Дульси прочь. Думаю, Барклаю придется несладко. Поверь мне. Я уже сталкивался с дьявольской изворотливостью этих детишек, особенно Лили Кристиан. Они просто чертенята. И если Барклай думает, что попечительство — выгодная сделка, он глубоко заблуждается. — Валентин не подозревал, как близок он был к истине.

ЧАСТЬ ТРЕТЬЯ

СОБИРАЕТСЯ БУРЯ

Глава 13

Пусть росток любви
В дыханье теплом лета расцветает
Цветком прекрасным в миг, когда мы снова
Увидимся.

*Уильям Шекспир**

Январь 1581 года, графство Кент
Деревня Ист-Хайфорд, в пяти милях к югу от
Хайкрос-Холла

Деревня Ист-Хайфорд вытянулась вдоль восточного берега речки Литл-Хайфорд, вилявшей по просторам Кента, перед тем как влиться в Эден. К западу простирался Уильд** с его густыми лесами, к востоку — холмистые долины Норт-Даунс. Далее на юг, ближе к морю, находились Ромни-Марш*** с их затерянными в болотах и топях

---

* Пер. Т. Щепкиной-Куперник.

** Уильд — район Англии, в который входят части графства Кент, Суссекс, Суррей, Гемпшир.

*** Ромни-Марш — местность, давшая название знаменитой породе овец.

деревнями, жители которых издавна занимались контрабандой и были известны своей замкнутостью.

У дверей лавки Бенджамина Стаблса зазвонил колокольчик. Пришли еще два покупателя. Ветер и дождь ворвались было в приоткрытую дверь, но путь непрошеным гостям был тут же отрезан. Чего только в лавке не было! И бобины с шерстью, и садовый инвентарь, и семена для посадки, бутылки уксуса, чернила и пергамент, буквари, пряности и соль, оловянная посуда, песок для чистки кастрюль, стекло, разнообразная мебель. Более того, ходили слухи, что владелец лавки даже ссужает деньгами.

— Приятно видеть у себя покупателей, — весело сказал хозяин. — Денек-то сегодня не сахар, верно?

Подслеповато щурясь, владелец разглядел одну покупательницу, когда та сняла капюшон.

— О, да это вы, госпожа! Долгий же вам пришлось проделать путь. Вы не слишком промокли?

На свою беду, лавочник, любезно обращаясь к девушке, совсем позабыл о тучной даме, которая терзала его уже чуть ли не час своими бесконечными придирками.

— Спасибо, господин Стаблс, — с улыбкой, способной растопить любой лед, ответила юная красавица. — Я пришла забрать заказ. Помните? В начале недели...

— Боже мой, госпожа! Как я мог забыть, ведь завтра — *тот день!*

— Так мой заказ не готов? — разочарованно протянула девушка.

— Что вы, госпожа! Готов! Все сделано просто прекрасно. Джейн постаралась на славу. Это ее лучшая работа, смею сказать.

В самом деле, вышивка, над которой накануне вечером трудилась внучка лавочника, была выше всяких похвал.

— Я очень рада. Так не будете ли вы...

— Смею напомнить вам, мистер Стаблс, что я пришла сюда раньше, — напомнила тучная дама, смерив лавочника ледяным взглядом. Его собеседница заслужила еще более суровый взгляд, ибо сын склочницы не спускал с девицы глаз.

«Воистину, великий грех быть такой красивой, как Лили Кристиан, — думала госпожа Фортхэм. — И рыжая. Фи! И все-таки красавица». Взглянув на собственную дочь, Элен Фортхэм едва зубами не заскрежетала. Ну почему кожа ее милой доченьки не такая же гладкая? Почему Господь наделил Мэри-Энн таким отменным аппетитом и почему свидетельства чревоугодия так явно выпирают в тех местах, где округлость совершенно не нужна?

— Добрый день, госпожа Фортхэм, — поздоровалась с дамой Лили Кристиан.

— Здравствуйте, госпожа Кристиан, — неохотно ответила та и посмотрела в другую сторону.

Ни для кого в деревне не было секретом, что возвращение Лили — законной наследницы Хайкрос-Холла — положило конец планам леди Фортхэм выдать единственную дочь замуж за Хартвела Барклая.

— Я хочу забрать свой заказ немедленно. Как я вам уже сказала, к нам на обед сегодня придет приходский священник, — громогласно сообщила дама, как будто всем было интересно, кто к ней придет.

— Большая честь, — пробормотал Бенджамин.

— Не такая уж большая, господин Стаблс. Я ведь вдова бывшего священника, смею напомнить, и имею право первой принимать у себя в доме преподобного отца. Говорят, он дальний родственник герцога Хардингтона. Неплохие родственные связи, не правда ли? Еще говорят, будто преподобный Баксби произвел большое впечатление на местные власти в Хардингтонском суде над ведьмами. Он оказался весьма искусным в сборе доказательств. Говорят, именно благодаря ему были разоблачены ведьмы, виновные в смерти жены герцога. Как я поняла, преподобный Баксби — безжалостный борец со всякого рода колдовством и колдунами. Он очень заинтересовался, когда я рассказала ему о внезапной смерти овцы на ферме Карсона. И еще. Святой отец сказал, что здесь нечисто. У Мэри Ланглей родился мертвый ребенок, — поведала леди Фортхэм с многозначительным видом.

— Ничего в этом нет удивительного, — хмуро откликнулся Стабс. — Я думаю, вы сказали преподобному отцу, что за все те годы, что Мэри и Дэвис женаты, у них детей не было. Вот если бы Мэри родила здорового младенца, это было бы действительно чудо. Уж слишком она худа. В следующий раз вы скажете, что в том, что пиво в трактире разбавлено, тоже виновата нечистая сила. — И Бенджамин подмигнул Лили.

Мэри-Энн фыркнула.

— Лучше бы вам попридержать язык, господин Стабс, пока вы сами не попали под подозрение. — Старая сплетница больно дернула дочь за косу. Та ойкнула.

В это время в лавку вошел еще один посетитель и остановился у двери.

— Воры, цыгане, шлюхи, пропойцы, всех их заберет сатана, мистер Стабс, — проговорила леди Фортхэм, причисляя вошедшего к этой малопочтенной компании. — Да, всем им гореть в адском пламени. Помяните мое слово! В самом деле, было бы хорошо, если бы на левой щеке каждого еретика выжгли крест. Тогда бы уж никто не грешил, — не унималась она и смотрела на Лили Кристиан так, будто бы нежную щечку девушки уже украшало клеймо.

— В следующий раз, когда я буду пить пиво в «Дубах», я обдумаю ваши слова, госпожа Фортхэм. Полагаю, мы все станем лучше, если будем следовать вашему чудесному примеру. Итак, желаете еще что-нибудь?

Элен Фортхэм, очевидно, растратив запас красноречия, показала на шелковые ленты.

— Нам надо красную... О нет, поярче. Да, и еще желтую. Да, одну. Может, еще бледно-голубую? Впрочем, не надо, вот эту мне, посочнее. Она придаст глазам Мэри-Энн больше синевы. Мы хотим, чтобы она сегодня выглядела красавицей. — Элен Фортхэм ущипнула дочь за щечку.

— Ах да, сегодня же у девушек особенный вечерок. Вы, верно, сперва вытащите булавки, а потом прочтете «Отче наш», госпожа Мэри-Энн? Не забудьте потом приколоть булавки к рукаву и, когда ляжете спать, непременно думайте о том парне, за которого хотите выйти замуж, — напомнил Бенджамин покрасневшей девушке. Та украдкой взглянула на молодого человека, который подошел к прилавку. — Как кстати вы пригласили преподобного Баксби! В канун святой Агнесы! Полагаю, не будет большой беды, если, ложась спать, молодая госпожа Мэри-Энн вдруг подумает о преподобном. Он, кажется, не женат? — болтал Бенджамин, упаковывая заказ.

— Конечно! С чего бы, вы думали, я стала давать ему реко...

Леди Фортхэм замолкла на полуслове, поняв, что сболтнула лишнее.

— Да, по-моему, он не женат, — с достоинством закончила она.

— А ты, Ром? Ты еще не выбрал девушку себе в жены? — спросил Бенджамин у смуглого красавца. — Стыдно, парень. Смотри, три самых первых девушки в деревне, да нет, во всем Кенте, стоят с тобой рядом, только руку протяни. Был бы я помоложе... — добавил лавочник, подмигнув той, что вошла вместе с Лили Кристиан.

— Я еще хочу погулять на воле, — ответил Ром, не отводя нежного взгляда от Лили.

— Ба! Вот так самонадеянность! Скажи лучше, никто за тебя не хочет, вот так будет вернее!

Слова принадлежали внучке хозяина. Она спускалась по узкой лесенке в лавку.

— Вот, госпожа Лили. — Джейн развернула перед заказчицей бархатный плащ. — Он получился даже лучше, чем я думала. Вам нравится?

— Мама! Как красиво! — выдохнула Мэри-Энн. — Такой наряд и принцессе не стыдно надеть. Хотела бы я, чтобы он был мой. У меня никогда таких красивых вещей не было.

— Очень красиво, — согласилась Лили. Плащ был сшит из малинового бархата и подбит соболем. Цветным шелком и золотом по вороту и подолу бархат был расшит цветами и мифическими животными. — Дульси понравится.

— Она такая милая и хорошенькая! Молчунья, но, кажется, очень умненькая. А этот малиновый цвет очень подойдет к ее темным волосам и глазам.

Элен Фортхэм чихнула.

— Кое у кого стыда нет. Никакие безделушки не скрасят того, что порядочные люди не могут не видеть. Лучше уж держаться в сторонке и одеваться поскромнее и ложных надежд не питать. Уверяю вас, в деревне не забыли, при каких обстоятельствах кое-кто появился на свет.

Щеки у Лили вспыхнули. Унижать сестру она никому не могла позволить.

Старуха, встретив взгляд девушки, невольно попятилась.

— Вот ваши ленты, госпожа Фортхэм! — Бенджамин бросил их на прилавок и предоставил покупательнице самой производить вычисления. С тех пор как они с преподобным Фортхэмом прибыли сюда, эта дама ни разу не заплатила, предварительно не просчитав все сама. —

А сейчас, госпожа Лили, посмотрите, что мне удалось сделать с этим. — Бенджамин протянул Лили небольшой кожаный мешочек. — А я пока обговорю с госпожой Фортхэм плату за ее покупку.

Лили развязала веревочку, и на ладонь ее выкатился перстенек. В золотой богатой оправе сиял аметист. Это кольцо принадлежало матери Лили и передавалось из поколения в поколение.

Лили смотрела на кольцо, которое Бенджамин приладил так, чтобы оно не соскользнуло с тоненького пальчика Дульси. Лили могла позволить себе немногое. Несмотря на то что в письме, оставленном нотариусу, Магдалена завещала своей единственной дочери все имеющиеся у нее драгоценности, Хартвел Барклай как опекун не позволял ей касаться большей части из этих вещей. Однако кольцо было в числе тех немногих ценностей, что достались Магдалене от ее испанских предков, и, быть может, по этой причине дядя над ним не так дрожал. Что же касается плаща, то, к счастью, он, как и другие вещи матери, пылился в сундуке, забытом жадным родственником. Иначе, как подозревала Лили, ей мало что могло достаться.

— Какая хорошая работа, — прошептал Ромни едва ли не на ухо Лили. — И это тоже для темноволосой малышки?

— Да, для моей сестры, — ответила Лили. — А почему вас это интересует?

— Я часто видел ее с вами, — только и ответил Ром, поедая глазами девушку.

— Отто! Пошли! — прикрикнула на сына мамаша Фортхэм. Ее отпрыск продолжал пялиться на Лили Кристиан.

— Давай, Отто, поторапливайся. Будь пай-мальчиком, — поддразнил его Ром.

— Ах... г-госпожа Л-Лили... Я...

— Отто! Иди сюда немедленно!

Лили стало жалко паренька, и она ему улыбнулась. Отто попятился, сминая в руках шляпу. Вначале он споткнулся о мешок с фасолью, затем ударился о бочку с мукой, потом, уже в дверях, наступил всей лапой матери на ногу.

— Вы слишком добры, Лили Франциска Кристиан, — заметил Ромни Ли, досадуя на то, что драгоценная улыбка досталась не ему, а этому увальню.

Заметив удивление в глазах девушки — откуда он ее знает? — молодой человек объяснил:

— Вы, наверное, не помните, но это я продал большого белого жеребца вашему отцу. Я был тогда очень молод, не уверен в себе и не умел торговаться. Но ваш отец и не думал меня надувать. Он заплатил мне за этого коня хорошую цену. Это была моя первая сделка. Вы тогда выбежали из дома, увидели вашего отца верхом на белом и потребовали, чтобы он вас тоже посадил на коня. Вы были тогда очень настойчивы. Я помню, как вы топали ножкой. Ваш отец засмеялся, сказал, что своей Лили Франциске ни в чем отказать не может, и попросил меня поднять вас. — Он говорил так, словно сообщал какую-то важную тайну. — Потом вы протянули ко мне руки и улыбнулись. Вы всегда были очаровательны, Лили Франциска.

Девушка отвела взгляд. Что нужно этому незнакомцу? Цыгана Ромни Ли она видела лишь издали. Слуги в Хайкрос рассказывали о нем много плохого. Вдруг этот парень решил ее обокрасть?

— Я очень огорчился, узнав, что ваш отец погиб. Он был прекрасным человеком. Я помню вашу мать. Она самая красивая женщина на свете. Я также помню ту маленькую девочку, что позволяла мне держать себя на руках, улыбалась мне, будто не видела, что я не такой, как все. Я был очень, очень несчастен, когда узнал, что она больше не вернется домой.

Зачем он ей это говорит? Мало ли что было тогда? Сейчас все по-другому.

— Почему я считала вас не таким, как все?

— Даже сейчас вы не знаете или не хотите знать причины. — Ром покачал головой.

— Через пару месяцев ты двинешься в путь, так, Ром? — спросил Бенджамин, заворачивая плащ. — Были какие-нибудь неприятности на Фрайдсвайдской ярмарке в прошлом году? Ты ведь был там, верно, Ром?

— Ты же знаешь, Бен, где ярмарка, там что-то случается. Иначе зачем туда ездить? Некоторые умудряются в этой мутной водице поймать неплохую рыбку, — ухмыльнулся цыган, и по этой его улыбочке нетрудно было догадаться, что рыбку в мутной воде ловит не кто иной, как он.

— Может, на этот раз ты задержишься в Ист-Хайфорде, а, Ром? — Джейн, хитро прищурившись, переводила взгляд с Лили на Ромни и обратно. На этот раз девушка попала в точку, потому что молодой человек опустил глаза. — А вы, госпожа Лили, — продолжала Джейн, — вы будете сегодня гадать, как все девушки? Должно быть, наберется с дюжину джентльменов, которые мечтают вам сегодня присниться.

— Может, в сердце Лили Франциски Кристиан уже поселился тот единственный, на кого она станет гадать? — Ромни думал, что девушка смутится. Тогда сразу станет понятно, о чем она думает.

Любопытство Ромни так и не было удовлетворено. Ничто не выдало сердечной тайны Лили Франциски.

— Конечно же, ни для кого не секрет, о ком мечтает Тилли. — Джейн взглянула на молоденькую горничную, пришедшую вместе с Лили. — Кажется, я видела, как в «Дубы» зашел Фарли Одел. Минут десять назад.

При упоминании одного из слуг Хайкрос-Холла Тилли зарделась.

— Ну что же, госпожа Лили, довольны вы кольцом? — спросил Бенджамин.

— Да, вы очень хорошо все сделали. Мама была бы рада, увидев это кольцо на пальце у Дульси. Сколько я вам должна, господин Стабс?

— О, здесь больше, чем достаточно. Благодарю вас. — Бен быстро пересчитал монеты. Протягивая пакет Тилли, он заметил: — Мне кажется, я видел молодого господина Тристрама. Он пробегал мимо несколько минут назад. Надеюсь, он не свернет себе шею на наших ухабах. Парнишка, насколько мне известно, большой сластена. Пусть полакомится имбирными пряниками.

— Я испекла их сегодня с утра специально для вас. Знала, что вы захватите с собой мальчика. Такой хорошенький мальчик! — сказала Джейн.

— Фарли и Тристрам остались в конюшне. Брат должен был присмотреть за экипажем. Он, наверное, уже устал нас ждать, особенно если Фарли ушел в «Дубы».

— Не беда. Хуже будет, когда Тристрам вырастет и разлюбит пряники. Вот тогда и ему тоже понравится сидеть в «Дубах», — вздохнул Бенджамин.

— Надеюсь, это наступит не скоро, господин Стабс. Я возьму парочку ваших пряников. Уверена, что Тристрам станет жаловаться на голод по дороге домой. — Лили выложила на прилавок несколько мелких монет. Девушка заметила, как облизнулась Тилли.

— Не надо, госпожа Лили. — Бен отодвинул монеты. — Эти пряники Джейн пекла специально для мальчика. Это подарок.

— Тогда возьмите за остальные. — Лили придвинула к Бену деньги.

— Вот какая упрямая, — заметил Ромни Ли. — Не смею надеяться, что сердце у вас такое большое, госпожа

Лили, что вы можете поделиться чем-то сладким и с бедным цыганским пареньком.

— Осторожнее, госпожа Лили. Этот Ромни — хитрец. Любит, чтобы девушки его жалели. Прикинется ягненочком, а потом обернется волком. Сорвет первый поцелуй, а там и пойдет... С ним надо смотреть в оба, — предупредила Джейн.

Взяв пакет пряников, Лили подтолкнула хихикающую Тилли к двери. Они поблагодарили хозяина лавки, пожелали ему всего доброго.

— Так что ты хочешь купить, Ром? — спросил Бен Стабс. Но Ромни уже шел к двери и только кинул старику через плечо:

— Ничего. Я просто прятался от дождя, Бен.

Дождь перестал, но ветер усилился. Девушки по скользким камням мостовой спешили к конюшням, где остался экипаж.

— Надеюсь, Фарли вернулся. Мне бы не хотелось задерживаться в деревне. Пока дождя нет, надо ехать.

— Мне сходить в «Дубы» за Фарли, госпожа Лили? — Тилли ковыляла рядом с хозяйкой, нагруженная покупками. Мыслями девушка уже давно была с Оделом. Вдруг горничная поскользнулась. Она упала бы, если бы чья-то рука не поддержала ее.

Покупкам, однако, повезло меньше. Все они оказались на грязной мостовой.

— Ты не ушиблась, Тилли? — спросила Лили.

С Тилли вечно что-нибудь приключалось. Или она падала, или наступала на какую-нибудь гадость. Лили поспешно собирала пакеты, пока они не промокли, Ромни Ли был тут как тут. Минута — и все свертки оказались в руках парня.

— Спасибо, госпожа, со мной все в порядке.

— Пойди скажи Фарли, что госпожа желает ехать немедленно. — Ромни улыбнулся девушке. — А я пока провожу твою госпожу до конюшен.

— Спасибо, в этом нет необходимости... — начала Лили, но Тилли уже шла к «Дубам». — Прошу вас, я могу сама понести.

Ромни лишь улыбнулся в ответ и, поддерживая ее под локоть, повел по улице. Однако, заметив любопытные взгляды прохожих, выпустил ее руку и сказал:

— Я, пожалуй, пойду.

Лили удивленно посмотрела на попутчика: странный он какой-то. Сначала провожает, потом бросает на полпути. Увидев вопрос в ее глазах, Ромни усмехнулся:

— Я бы шел с вами вечно, госпожа Лили, но, увы, мое общество принесет вам неприятности. Я неподходящий попутчик для такой девушки, как вы. На нас с вами уже косятся.

Лили рассмеялась:

— Заботами госпожи Фортхэм мою репутацию едва ли можно назвать хорошей! Так что и беспокоиться не о чем. Все, что можно, эта дама уже испортила. Не понимаю только, за что она нас так ненавидит. Мы никому не сделали ничего плохого, и тем не менее многие относятся к нам с предубеждением.

— Это оттого, что вы не такая, как они, Лили Кристиан. Они боятся вещей, которых не понимают. Нас, цыган, в чем только не обвиняют: и в голоде, и в засухе, и в наводнении. Кто бы что у кого ни украл, тоже все приписывают нам. — Ромни насмешливо снял шляпу перед идущей мимо женщиной.

— Почему вы позволяете им так к вам относиться? Вы ведь цыган только наполовину. Вы прекрасно говорите по-английски и не выглядите как... — начала Лили и запнулась. — Простите, мне не следовало этого говорить.

— Я не очень похож на цыгана, и поэтому я могу притвориться джентльменом. Вы это хотели сказать? Вы меня нисколько не обидели. Как поживает тот белый конь? — изменил тему разговора Ромни. — Я слышал, что он несколько раз скидывал Хартвела Барклая. Хозяин Хайкрос теперь ездит на волах, верно?

Лили улыбнулась.

— Я всегда считал, что белый хоть и умница, но парень с характером, — хохотнул Ром. — А как его назвал ваш отец?

— Весельчак Эндрю, — сказала Лили и засмеялась, видя недоуменный взгляд Ромни. — Мама рассказывала, будто отцу всегда казалось, что конь над ним смеется. Эндрю и папу не один раз сбрасывал.

— Удивлен, почему ваш отец не задал мне жару после того, как я продал ему такого коня.

— Я думаю, папа скорее отблагодарил бы вас. Ему нравилась эта игра. Всякий раз, выезжая на Весельчаке, он чувствовал себя так, будто ему предстоит приключение.

— Неудивительно, что у Хартвела ничего не получилось. Почему он не прикончил лошадь? Не думаю, что он держит Весельчака из милосердия. На Хартвела не похоже.

— Мой отец был человеком очень необычным. Он оставил распоряжение относительно Весельчака в своем завещании. Весельчак должен жить в Хайкрос до самой смерти. Затем его должны похоронить достойно под старым дубом на западной лужайке. Нотариус, по-моему, решил, что отец спятил.

Ромни захохотал так, что несколько прохожих оглянулись.

— Много бы я дал, чтобы посмотреть на физиономию Хартвела, когда он слушал завещание! Я видел, что вы катались на белом. Почему он вас не сбрасывает?

Лили пожала плечами:

— Мне тоже ничего не удалось с ним сделать. Просто Весельчак постарел и растолстел и относится ко мне снисходительно. А вот Колпачка и Циско Эндрю любит.

— Ах, так вы об обезьяне и попугае? — догадался Ромни.

Они уже почти подошли к конюшням, когда услышали доносящийся оттуда шум. Тристрам что-то кричал. Лили бросилась к двери и замерла на пороге.

Ее брата окружили сразу несколько мальчишек. Хулиганы пихали его по очереди и тут же отскакивали на безопасное расстояние. Тристрам не выдержал и замахал кулаками. Тогда мальчишки всем скопом навалились на него. Против стольких нападающих паренек оказался бессилен. И его повалили наземь. Он вцепился в того, кто был покрупнее и постарше остальных. Мальчишки покатились по полу. Не повезло еще одному. Щенок вцепился в его штанину и угрожающе рычал.

Тристрам пихнул своего врага в живот коленом. Тот завыл от боли.

Лили закричала и кинулась к мальчишкам. Она заметила еще одну драку. В дальнем углу конюшни дрались двое мужчин. Одним из них был Фэрфакс. Странно, почему он здесь? Он должен сейчас быть в Хайкрос.

Но Лили не успела ничего сделать. Ромни Ли схватил ведро воды и вылил на дерущихся. Мальчик, которого трепал щенок, вырвал наконец свою штанину и исчез с поля битвы. Щенок с отчаянным лаем выбежал за ним. Другие двое пустились наутек через заднюю дверь. В этот момент Тристрам заехал большому мальчишке в челюсть так, что тот упал.

Поняв, что битва проиграна, задира быстро вскочил на ноги. Ромни дал ему пинок, и тот кубарем полетел к двери.

— Подожди, грязный цыган, я расскажу отцу, как ты меня стукнул. Он с тебя шкуру сдерет! — выкрикнул мальчишка.

— Думаю, пока мне нечего бояться, — сказал Ромни, глядя, как Фэрфакс угощает тумаками кузнеца.

Последний удар мог и медведя укокошить. Кузнец без чувств повалился на пол.

— Я прав, — заметил Ромни, глядя на бесчувственное тело у своих ног, — твоему папаше сейчас не до меня.

Лили опустилась на колени перед Тристрамом. Лицо мальчика было все в синяках.

— Парень не слишком пострадал, правда ведь, госпожа Лили? — спросил Фэрфакс и нахмурился, когда увидел запекшуюся на губах Тристрама кровь. — Я зашел и увидел, что они все накинулись на молодого господина. А он, — Фэрфакс указал на кузнеца, — смотрел и ухмылялся. Когда я попробовал их разнять, он подкрался ко мне сзади и дал по спине этой кочергой. Тут я разозлился. Надо было закрутить железяку на шее этого проходимца. Ну я и решил, что пора бы нам рассчитаться. У него был старый должок. Еще с той поры, как мы оба были мальчишками, — сказал Фэрфакс. Видно, жалел, что так долго пришлось ждать расплаты.

— Тристрам, как ты себя чувствуешь?

Как бы ни было ему больно, мальчик высвободился из объятий сестры.

— Они назвали меня ублюдком! Сыном шлюхи! Наша мама не была шлюхой, Лили, не была! — кричал Тристрам, и слезы текли по его лицу. — Я любил маму, Лили! Я хотел их всех убить за то, что они говорили о ней такое! Мама была настоящей леди! А Бэзил был хорошим человеком! Бэзил спас нам жизнь! Он любил нас и маму! Почему они говорили такие ужасные вещи?! Почему, Лили? Я ненавижу это место! Я ненавижу Англию! Я хочу домой, на остров! Ну почему я должен доказывать, что я сын Джеффри Кристиана? — уже тише спросил он. — Почему? Ведь я его сын, правда, Лили? Ведь это так?!

Лили притянула к себе брата.

— Конечно, Тристрам. Ты сын Джеффри Кристиана. Мама говорила тебе правду. Она никогда не стала бы лгать тебе. Бэзил любил тебя, как если бы ты был его собственным сыном, но ты не его ребенок. У нас с тобой, Тристрам, один и тот же отец, и не сомневайся в этом. Никогда!

Лили было жалко братишку. Сколько еще оскорблений он услышит в своей жизни!

— Будь они прокляты, — прошептала девушка.

Послышались шаги. Лили оглянулась и увидела Фарли.

— Боже мой! Что тут произошло? — спросил парень. Все молчали. Вдруг брови Фарли поползли вверх.

— А ты что здесь делаешь, Фэрфакс? Ну, конечно! Я должен был догадаться, что ты тут замешан. Где ты, там и заваруха.

— Я тут ни при чем, Фарли. Честное слово, — проговорил младший брат. — Но ты же знаешь, что он напрашивался на выволочку уже много лет. — Богатырь кивнул в сторону кузнеца.

Лили пристально смотрела на Фарли. Тот опустил голову. Он чувствовал себя виноватым.

— Госпожа Лили, мне искренне жаль, что так получилось... — начал было Фарли, но запнулся, когда увидел лицо Тристрама.

— Что этот уб...

— Нет, Тристрама не кузнец поколотил, — успокоил брата Фэрфакс. — Это его сын со своими приятелями. Они навалились на мальчика. Я кинулся разнимать драчунов, а этот, — Фэрфакс указал на кузнеца и густо покраснел, — ударил меня. Сзади. Представляешь, какой подлец, а?

— И этот тоже? — Фарли уже готов был броситься на Ромни Ли.

— Нет, его здесь не было. Он пришел с госпожой Лили, — ответил Фэрфакс.

— В самом деле?

Тон Фарли не предвещал ничего доброго. Если этот цыганский ублюдок вздумает тронуть хозяйку, ему придется туго.

— А где был ты? — пошла в наступление Лили. — Почему ты оставил Тристрама?

— Ну, я...

— Я нашла его в «Дубах», — затараторила подошедшая Тилли. — Как вы мне велели. Пил и байки травил, будто у него в запасе весь день. Трактир дрожал от хохота. Такой рассказик был... Вот уж действительно животик надорвешь.

Тилли взглянула на Фарли и поняла, что милый дружок воспринимает ее слова как предательство. Улыбка ее тут же поблекла, а на ресницах заблестели слезы.

— О, Фарли, я не хотела тебя подводить. Я просто хотела помочь...

— Брось хныкать, Тилли. — Фарли взял подружку за руку. — Если бы я мог предположить, что случится, никогда не оставил бы мальчика одного, госпожа Лили. Поверьте мне. Я не оставлял его здесь. Он пошел со мной!

— Ты взял Тристрама в «Дубы»?

— Нет, госпожа Лили. Конечно, нет. Тристрам собирался пойти по одному делу. Секретному.

— Он не виноват, честное слово, Лили. — Тристрам с трудом шевелил распухшими губами. — Я хотел забрать мой подарок для Дульси.

— Но кольцо и плащ от нас обоих, Тристрам. Мы же договорились.

— Я хотел подарить ей что-то совершенно особенное, Лили. Что-то от меня лично. То, что я мог бы купить на свои деньги.

Тристрам обвел взглядом конюшню и горько вздохнул.

— А теперь у меня нет подарка, — добавил он обреченно.

— Что ты купил для Дульси? Мы сейчас пойдем и купим точно такую же вещь.

— Не получится. Это будет уже не то. — Тристрам со злостью поддал ногой солому.

— Чем ты расплатился за подарок? — вдруг спросила Лили. Девушка знала, что у Тристрама не было своих денег. Даже ей самой пришлось копить около года, собирая те жалкие крохи, что выдавал ей Барклай.

Тристрам молчал.

— Так где ты взял деньги, Тристрам? — продолжала допытываться Лили.

Братишка глубоко вздохнул. Наконец он решился:

— Я вытащил их из шкатулки в спальне у Хартвела Барклая.

— Тристрам! — воскликнула Лили.

— Я взял мое по праву, Лили. Я взял один из золотых дублонов с острова. Он не имел права забирать у нас эти деньги. В любом случае я взял лишь столько, чтобы хватило заплатить за подарок. Я даже сдачу принес обратно. Мне надоело, что мы должны у него все выпрашивать. Я убить его готов, когда слышу, как ты его просишь. Мне не нравится, как он на тебя смотрит, Лили. Мы не должны ничего у него просить. Все это наше, Лили! Все в Хайкрос принадлежит нам, а не ему. Хайкрос принадлежал отцу. Теперь он наш. Прости, Лили.

Она вздохнула. Брат был прав. Но ему не следовало красть деньги. Сейчас ее заботило другое: что сделает Хартвел, если обнаружит пропажу?

— Ты не злишься на меня, Лили? — Тристрам заглянул сестре в глаза.

— Нет. Ведь ты хотел сделать приятное Дульси.

— Что вы купили малышке, господин Тристрам? Быть может, если мы хорошенько поищем, то найдем ваш подарок? Может, его и не украли? — спросил Фарли. — Пошли, Тилли, поможешь мне.

— Конечно, господин Тристрам, сейчас найдем.

Слезы умиления выступили у Тилли на глазах. Она думала, что другого такого славного мальчика не сыщешь во всем свете. Опустившись на колени, девушка стала перебирать солому на полу в поисках маленького букетика, перевязанного ленточкой, крошечной куклы или чего-нибудь в этом роде. Внезапно Тилли испустила истошный вопль, вскочила и, резко обернувшись, упала, сбитая с ног чем-то тяжелым, шлепнувшимся прямо на нее.

Собачья мордочка ткнулась ей в лицо и лизнула в нос. «Что здесь делает эта псина?» — мелькнуло в голове у служанки.

— Он вернулся! Он вернулся! — Тристрам подбежал к собаке, с восторженным усердием лизавшей лицо Тилли.

Пес взвизгнул и с лаем начал прыгать на него.

— Осторожнее, Тристрам, эта собака напала на одного из ребят! — предупредила Лили.

— Это моя собака, Лили! Как ты не понимаешь, я купил ее для Дульси. — Тристрам с гордостью воззрился на свой подарок. — Она всегда хотела щенка, Лили.

— Щенка? — Лили оглядывала мастифа совершенно недружественным взглядом.

Щенок подкатился к ней и преданно заглянул в глаза.

— Я знал, что он тебя полюбит, Лили, — заявил Тристрам. — Как ты думаешь, он Дульси понравится?

— Конечно. Но ведь она мечтала о пони, — протянула Лили. М-да, как воспримет Хартвел Барклай это добавление к своим питомцам?

— Мы ведь можем его взять, правда, Лили? Это же мой подарок Дульси, — умолял мальчик, глядя на щенка с палево-коричневой лоснящейся шерстью и темными ушами. — Он ведь красавец, правда, Лили? А каким станет, когда вырастет!

— Где же ты его держал все это время? — поинтересовалась сестра.

— Похож на одного из щенков суки Джо Рилли. Собака у него и впрямь чудная. Не знал, что он оставил щенка.

— Я попросил подержать пса у себя до дня рождения Дульси, — объяснил Тристрам, гладя собаку. — Пришлось заплатить за всю еду, что он съел за эти месяцы.

— Да, Джо Рилли провернул хорошее дельце, — согласился Фарли.

— Так я могу подарить его Дульси, Лили?

Она не посмела отказать братишке.

— Раз уж ты за него заплатил... — начала Лили. Но Тристрам, не дав закончить, обнял ее.

Дверь конюшни заскрипела.

— Вам еще домой в эту мерзкую погоду ехать, госпожа Кристиан, — произнес Ромни. — С мальчишкой, думаю, ничего не случится. У меня есть мазь и примочки. Для ссадин, если будут сильно болеть.

— Спасибо, я... — начала было Лили, но Фэрфакс перебил хозяйку:

— Мы с Фарли частенько дрались и знаем, как помочь молодому хозяину.

Фэрфакс с воинственным видом выступил вперед.

— Мы с Фарли никак в толк не возьмем, что ты тут делаешь с госпожой Лили?

Ромни Ли улыбался. Улыбочка его не предвещала ничего хорошего.

— Эй, Фэрфакс, седлай Весельчака. Пора нам ехать в Хайкрос. Ты же не хочешь, чтобы Хартвел Барклай отправился за нами сам?

Угроза появления Барклая усугублялась угрозой дождя, и вскоре Тристрам со щенком на коленях и Тилли сидели в экипаже рядом с Фарли.

Фэрфакс неодобрительно смотрел, как Ромни помогает Лили сесть на коня. «Что себе возомнил этот цыган? — думал младший Одел. — Пялится на госпожу, будто так и надо».

Фэрфакс совсем забыл о вредной привычке Весельчака, и тот, не упустив случая, укусил его за плечо. Фэрфакс выругался.

Фарли взглянул на брата, вспомнив наконец, что его вообще не должно было быть в деревне.

— Кстати, какого дьявола ты тут делаешь? — спросил он.

Старший Одел почесал затылок. Затем хлопнул себя по лбу:

— Совсем позабыл! Меня ж Барклай к вам и послал! Я должен был сказать вам, госпожа Лили, что в Хайкрос приехали Уайтлоу. Две госпожи и джентльмен.

Только Ромни заметил, как странно изменилось лицо Лили Кристиан. Стоя у дверей конюшни, он смотрел вслед процессии, медленно двигавшейся в сторону моста: экипаж, запряженный пегой лошадью, и рядом с ним Лили Кристиан верхом на белом коне. Неужели он не ошибся и то чувство, что увидел он в глазах девушки, — любовь к приехавшему джентльмену?

Глава 14

В решеньях я неколебим, подобно
Звезде Полярной...

Уильям Шекспир*

Никогда еще расстояние между Ист-Хайфордом и Хай-крос-Холлом не казалось Лили таким огромным. Не один раз бросала она нетерпеливые взгляды на экипаж. Как хотелось ей пришпорить Весельчака! Девушке казалось, что они вообще никогда не приедут домой.

Лили надеялась, что Валентин Уайтлоу приедет на день рождения Дульси.

Квинта Уайтлоу и Артемис наведывались в Хайкрос довольно часто, но Валентина Лили в последний раз видела два года назад. Однако долгая разлука не могла заставить ее забыть о нем. За три года, что жила она в Хайкрос-Холле, чувство ее к этому человеку нисколько не остыло. Но любовь ее была безответной. Пускай. Никто не узнает о ее тайне. Даже сам Валентин Уайтлоу.

Ромни Ли был прав. Лили Кристиан любила. И любовью ее был Валентин Уайтлоу.

_____

* Пер. М. Зенкевича.

— Как провести его в дом, чтобы Дульси не заметила, а, Лили? — спросил Тристрам, отворачиваясь от мокрого шершавого языка. — Я не хочу оставлять его в конюшне. Холлингс мне не нравится. Не думаю, что щенок его полюбит. — Он потрепал собаку по голове.

— Секрета все равно не получится. Он, наверное, всю ночь будет скулить. А то еще лаять начнет, — сказал Фарли.

— Готов поспорить, что леди вас не узнают, Тристрам. Вы стали совсем на себя не похожи. Все лицо опухло, синяки почернели. Да и выросли вы на пару дюймов, — произнес Фэрфакс. В душе он надеялся, что леди Уайтлоу не упадут в обморок, когда увидят, что стало с мальчиком.

— В самом деле? — спросил Тристрам.

Мальчик не жалел, что подрался. Он чувствовал себя героем. Это была первая в его жизни драка, и он вышел из нее почти победителем.

— Да уж, недели две это все будет держаться. Ничего, до свадьбы заживет. — Фэрфакс подмигнул парнишке. — Вы дрались как герой. Ваш отец, капитан Джеффри, мог бы вами гордиться. Бьюсь об заклад, что кое-кто из забияк долго будет потирать ушибы. Ни один из них не посмеет больше сказать ничего дурного о юном джентльмене. — И он дружески хлопнул Тристрама по спине своей огромной ручищей. У мальчишки искры из глаз посыпались. В этот миг Тристрам напрочь позабыл о звоне в голове, о заплывшем глазе и распухших губах.

Лили не слишком радовали свидетельства храбрости брата. Что скажет Барклай, когда увидит Тристрама? Что подумают Уайтлоу? Ох, зачем они вообще приплыли в эту Англию?

Поеживаясь от холода, Лили смотрела вперед. Из-за деревьев показались кирпичные трубы Хайкрос.

Хайкрос. Жизнь в этом доме никак нельзя было назвать приятной. Сносной, и то едва ли. Лили до сих пор помнит,

как вошли они в этот большой нетопленый дом, бывший
когда-то ее родным домом. Теперь он казался ей чужим.

То же и с дядей Барклаем. Первое впечатление от этого
человека вскоре забылось. Получив известие от Валентина,
Хартвел не мешкая отправился в Лондон. В Тэмсис-хаус он
прибыл в сопровождении по меньшей мере полдюжины адвока-
тов, готовых доказать кому угодно, что их клиент — самый
лучший опекун, а уж женщина, которую он разыскал и представил как няню для младших, Мэри Лестер, могла убедить
любого, что лучше дома, чем Хайкрос-Холл, для детей не найдешь. Эта добрая женщина, бывшая няня Лили Кристиан,
смотрела бы за детьми так, словно они были ее собственными.

Однако Хартвел волновался напрасно. Его право стать
опекуном и временно распоряжаться имуществом детей никто не мог оспорить. К несчастью, он оставался единственным родственником детей, поскольку отец Магдалены умер
много лет назад. Барклай в те дни источал улыбки направо
и налево — самый добросердечный дядюшка в мире. Именно такое впечатление он произвел на окружающих.

О Дульси с Барклаем долго спорили. Но в конце концов
дядя согласился, чтобы девочка жила в Хайкрос. Долго Лили
благодарила дядюшку: такой добрый, понимающий, не стал
разлучать их с сестренкой. Как она заблуждалась! Вскоре
Хартвел стал самим собой — злым и угрюмым. А когда
Лили нашла пачку писем и счетов и поняла, что Валентин
щедро оплачивает содержание своей племянницы, правда стала
ей окончательно ясна.

Наверное, в тех обстоятельствах, в которых оказались
дети, естественно было бы ожидать долгой тяжбы по поводу
наследства. Вероятно, другой на месте Барклая старался бы
отсудить себе хоть что-нибудь и не стал бы сразу соглашаться с утратой усадьбы, которую уже считал своей. Или,
что еще страшнее, задумался бы над возможностью завла-

деть всем, в случае если дети не доживут до того возраста, когда можно вступить во владение наследством. Такие случаи бывали. И в Хайкрос такой план легко можно осуществить. Если все очень тщательно подготовить...

«Три года», — вздохнула Лили, кутаясь в плащ. Бедная малышка Дульси. Ей все время не хватало тепла. Она едва не умерла в канун Рождества. Кашляла страшно, задыхалась — еле выходили. Лили до сих пор не могла понять, как случилось, что окно в комнате сестренки оказалось открыто. Да и почему Дульси разрешили гулять в такой холодный день? Дядя Барклай оправдывался: мол, ему и в голову не пришло, что глупая девчонка воспримет его предложение поиграть в прятки с Тристрамом во дворе всерьез. И долго ругался на детей из-за того, что те ушли в деревню.

Если бы только Мэри по-прежнему жила в Хайкрос! Она ни за что не позволила бы такому случиться. Однако с прошлого лета в усадьбе произошло множество перемен. Тогда Тристрам свалился с крыши и едва не сломал себе шею. Дядюшка обвинил во всем Мэри Лестер: зачем она рассказала детям, как лазал по крышам сумасброд Джеффри? Но Лили помнила, что все было совсем наоборот. Историю эту поведал ребенку сам Хартвел и подтолкнул мальчика на безрассудный поступок. Барклай должен был знать, что Тристрам всеми способами постарается доказать, что он настоящий сын своего отца.

Как бы то ни было, Хартвел отказался от услуг няни и рассчитал Мэри. Тогда же Барклай решил, что Дульси уже достаточно взрослая, чтобы спать в своей комнате, а не делить постель с сестрой. Наступило время и Тристрама отдать в приличное учебное заведение, где бы его могли научить дисциплине, объявил дядька. Так что няне ничего больше не оставалось, как собрать вещи и уехать к сестре, живущей где-то в центральных графствах.

***

Лили боялась, но не могла никому рассказать о своих страхах. Надо было чем-то их объяснить. Но чем? Хартвел Барклай их не мучил, не бил. Многие в деревне считали его самоотверженным человеком, добровольно взвалившим на себя такую обузу. Не всякий возьмется растить троих детей своего умершего и далеко не любимого кузена. Кроме того, дядя был их законным опекуном, и избавиться от его попечительства все равно не удалось бы. Так что толку говорить о нем плохо — только осложнять свое и без того незавидное положение. Лили и сама не была уверена, что он действительно хотел причинить им вред. Ей просто так казалось. Поэтому ничего не оставалось делать — только получше приглядывать за младшими.

С Весельчака ей помог спрыгнуть Фэрфакс: Холлингс как всегда не торопился выполнять свою работу, так что к тому времени, как он вышел из конюшен, Лили уже направилась к дому.

— Лили, — торопливо заговорил Тристрам, увидев, что конюх идет к ним. — Если я возьму щенка в дом, Дульси увидит его. Может быть, она уже сейчас на нас смотрит из окна. Но я не хочу оставлять собаку Холлингсу.

— Ну-ка подержи его. — Лили вытащила из кармана голубую ленту. Брат поднял собаку, и сестра завязала бант у щенка на шее. — Если Дульси его увидит, подаришь его прямо сейчас.

Лили улыбнулась. Тристрам тоже хотел улыбнуться, но тут же поморщился от боли. Сейчас, когда все его синяки опухли, лицо его стало выглядеть еще хуже, чем сразу после драки.

— Ну-ну, что это у вас? — К детям подошел Холлингс. — Похоже, из него выйдет неплохой крысолов, если, конечно, он не залезет в гнездо и крысы не съедят его первым. — Конюх хрипло расхохотался, довольный своей шуткой. — Пока он, конечно, маловат, но скоро мы сможем полу-

чить за него приличную сумму на медвежьей травле. Когда
этот пес подрастет, он сможет здорово потрепать одного из
этих зверюг.

— Оставь его в покое! — крикнул Тристрам, прижимая пса к груди. — Не будет он ни крысоловом, ни борцом.
Это подарок Дульси!

— Эй, что это с вами, господин Тристрам? — с кривой
усмешкой полюбопытствовал Холлингс. — Никак убегали
от этой беззубой карги — жены кузнеца? Залезли в ее сад
за цветочками для молодой госпожи?

— Бьюсь об заклад, что твой старый дружок с кузницы
получил ничуть не меньше своего сыночка. Вот им было что
собирать на соломе — собственные зубы! И все благодаря
господину Тристраму и Фэрфаксу.

Холлингс побледнел от злости, но когда рядом громила
Одел, не стоит связываться с его братцем.

— Эй, Тилли, знаю, ты придешь ко мне сегодня ночью.
Вижу, что тебе нужен мужчина, чтобы согрел тебя. Такого,
как я, тебе все равно не найти, ты же знаешь. — И конюх
быстро пошел к повозке.

— Ты и в самом деле знаешь, какой он в постели,
Тилли? — подозрительно спросил Фарли, передавая ей свертки.

— Фарли, я никогда не была с ним! — воскликнула
Тилли со слезами на глазах вслед уходящему другу. Увести
в конюшню Весельчака Фарли предоставил Фэрфаксу.

— Не печалься, Тилли. Уверен, Фарли знает, что у
тебя хватит ума не связываться с Холлингсом. — Фэрфакс
подмигнул служанке.

Тилли прислушалась. Не дай Бог начнется драка. Но, к
счастью, со стороны конюшни никаких подозрительных звуков не доносилось. Однако радость оказалась преждевре-
менной. Из конюшни вышел Фэрфакс — но лишь для того,
чтобы поплотнее закрыть дверь. Затем послышался шум,
словно от падающего тела, и Тилли поняла, что лучше бы ей
поспешить за хозяйкой в дом.

Глава 15

Тогда узнаешь боль незримых ран
От острых стрел любви.

Уильям Шекспир*

Впервые за три года в большой зал было приятно войти. В канделябрах у стен горели свечи, огонь пылал в большом камине, и запах вкусной еды наполнял комнату.

— Я подумал было, что мы ошиблись домом, — прошептал Тристрам.

Даже на Рождество Хартвел экономил на дровах и камин в зале не зажигали.

— Хотел бы я, чтобы всегда так было. — Мальчик шмыгнул носом. В животе у него заурчало.

— Так было, когда мы жили здесь с мамой и папой. Когда ты станешь здесь хозяином, Тристрам, мы сможем топить камин даже летом, если захочешь. — Лили хотела приободрить брата, но вышло наоборот.

— Я никогда не стану хозяином Хайкрос, Лили. Никто не верит, что я сын Джеффри Кристиана.

— Ну что же, тогда я передам тебе Хайкрос. Он по праву твой, Тристрам. Как единственный сын нашего отца,

* Пер. Т. Щепкиной-Куперник.

ты должен унаследовать Хайкрос. Таково было бы желание папы.

Тристрам недоверчиво посмотрел на сестру:

— Ты в самом деле это сделаешь, Лили? Но даже если я стану хозяином Хайкрос, деревенские все равно не захотят со мной общаться. Они по-прежнему будут считать меня бастардом.

— Не смей больше так говорить! Это неправда! — рассердилась Лили. — Какое нам дело до того, что они думают? Меня они не считают незаконнорожденной, и что, от этого ко мне относятся лучше?

Большой зал был пуст. Вероятно, гости собрались в комнате наверху.

— Спасибо Уайтлоу, — скептически заметила Лили. — Мы хоть согреемся. Должно быть, когда они приехали сюда, в доме было холоднее, чем на улице. Вот Хартвелу и пришлось развести здесь огонь, а гостей пока провести наверх. Там теплее.

— Удивляюсь, как это здесь нет дыма. Камин не зажигали с прошлой зимы. Я думал, что дымоход забит птичьими гнездами. Представляю, как злился дядя Хартвел, когда понял, что ему придется разжечь камин, да еще и самый большой, — усмехнулся Тристрам.

— Мы, пожалуй, успеем отвести щенка в твою комнату. И нас не увидят, — шепнула Лили.

Ей тоже хотелось пройти к себе и переодеться, чтобы предстать перед гостями, а в особенности перед Валентином, в лучшем виде.

— Пойдем. — Она взяла брата за руку. — Попробуем проскользнуть незамеченными.

Лили со свертками в руках и Тристрам со щенком уже подошли к лестнице, когда из-за ширмы, загораживающей вход в кухню и на половину слуг, вышла худая женщина со злым лицом.

— Вы вернулись... Я поняла, когда увидела эту бездельни-
цу Тилли. Только и думает о том, как бы поообжиматься с
Фарли. Надеюсь, вы не испачкали пол? У хозяина гости, и я...

Повариха вдруг заметила щенка и, напрочь забыв о при-
липшем к рукам тесте, зажала рукой рот. Потом смачно
сплюнула и начала кричать:

— Что делает здесь эта дрянь?! Хозяин знает?! С тех
пор как вы, трое недоносков, здесь появились, от вас ничего
нет, кроме неприятностей! Раньше мне только и приходилось делать, что готовить для хозяина! А теперь после вас
всех и крошки нам не остается. Бьюсь об заклад, что это ты
все устроила! — Старая карга воззрилась на Лили. Но девушка и не думала смущаться.

— Я принес щенка. Это мой подарок Дульси. — Тристрам загородил собой сестру.

— Да? — протянула кухарка, взглянула на мальчика и
покачала головой. — Ну что же, я всегда говорила, что
хозяину от вас одна беда. Что будет, когда эти Уайтлоу тебя
увидят? Что они подумают? Вряд ли они решат, что ты
споткнулся. Бедному хозяину придется объясняться, особенно если вас заметит та высокая леди. Вечно она допыты-
вается, как хозяин с вами обращается. Здоровы ли вы,
счастливы, нуждаетесь ли в чем. Чуть было дом не перевернула вверх дном, когда ты с крыши грохнулся, а уж по
поводу вашей младшей... Подумаешь, разболелась. Если уж
вы ей так нужны, пусть бы забирала вас к себе. Хозяин
только «спасибо» бы сказал.

— Замолчи, — тихо произнесла Лили. — Ты забыла,
что я здесь хозяйка, а Хартвел Барклай — всего лишь мой
опекун. Очень скоро я избавлю его от такой обузы, и тогда,
не сомневайся, я подыщу себе новую кухарку.

— Ну-ну. Какие мы смелые, когда рядом эти Уайтлоу.
Поживем — увидим. Посмотрим, госпожа, посмотрим...

Лили видела, что за внешней бравадой скрывается страх. Кухарке будет о чем подумать на досуге.

— Я скажу королеве, что Хартвел Барклай натравил на меня этих мальчишек в деревне. — Тристрам опустил щенка на пол и замахнулся на сварливую служанку. Пес залаял. — Мы были в Лондоне и при дворе. Я встречался с королевой. Я могу сказать капитану, что меня побил сам Барклай, потому что хочет прогнать меня, а когда Лили отдаст мне Хайкрос, я вас отправлю к дьяволу!

Откуда-то сверху раздался крик. Гости и Хартвел Барклай с лестницы наблюдали за стычкой между мальчиком и кухаркой.

Лили и Тристрам с ужасом подняли головы. Дядя побагровел. Квинта и Артемис казались необычно бледными. Сердце Лили забилось сильнее, когда она увидела за ними силуэт высокого мужчины, но... Это был не Валентин. Вместе с Уайтлоу приехал сэр Роджер Пенморли. Удивительно, что он не привез с собой Гонорию. Присутствие сэра Пенморли в обществе Квинты и Артемис показалось девушке странным.

Тристрам, оглядев взрослых, опустил голову.

Щенок с веселым лаем носился по залу вокруг детей.

Потом, привлеченный вкусным запахом, четвероногий подарок шмыгнул за ширму. Уже через мгновение он прибежал обратно с жареной бараньей ногой в зубах.

— Вор! Держите вора! Это завтрак хозяина! — заорала кухарка и пустилась в погоню за псом. Тесто летело во все стороны с ее растопыренных рук.

Но щенок считал происходящее игрой и продолжал носиться по залу. Он останавливался только затем, чтобы, на мгновение выпустив ножку, радостно полаять, призывая кухарку побегать за ним еще.

— Господи, — пробормотала Квинта.

— Щенок, щенок! Это твой, Тристрам? — Дульси бежала вниз по лестнице. На лице ее был написан восторг.

Впервые после болезни она казалась по-настоящему радостной. Девчушка очень похудела, сделалась до того воздушной и хрупкой, что больше напоминала эльфа, чем человека. Впрочем, очень красивого эльфа в бледно-желтом летящем платьице и с желтой лентой в черных волосах.

— Дульси, осторожно! — крикнула ей вслед Артемис.

Но Дульси уже благополучно сбежала по ступенькам и, хлопая в ладоши, смотрела на щенка.

— Как его зовут, Тристрам? — спросила она.

— Не знаю. Я не думал над этим. Он твой, Дульси.

— Мой?

— Я хотел подарить тебе его завтра на день рождения, — объяснил парнишка. — Но лучше сделаю это сейчас.

Тристрам был доволен, что о подарке знают гости. Теперь дяде Хартвелу придется разрешить взять щенка.

— Правда, это мне? — Задыхаясь от счастья, Дульси протянула к собаке руки. Щенок, радостно прыгнув на девочку, сбил ее с ног и принялся облизывать ее.

— Мастифф! — выдохнул Хартвел Барклай. — Мастифф здесь, в Хайкрос? Об этом не может быть и речи! Как мы его прокормим?

Квинта взглянула на пухлые, затянутые в шелк ляжки Хартвела и, хитро улыбнувшись, произнесла:

— Какое мудрое решение, господин Барклай, завести собаку. Представьте, какая прекрасная компания будет у Дульси, особенно сейчас, когда девочка вынуждена спать одна в темной спальне. Как вы бываете временами умны и проницательны!

С этими словами Квинта направилась вниз.

— Он чудо! Моя собственная собака! Спасибо, Тристрам, спасибо! — говорила Дульси, обнимая пса за толстую шею. Вскочив на ноги, она кинулась целовать брата.

И только сейчас, чмокнув Тристрама в щеку, Дульси впервые заметила синяки. Она тут же разрыдалась. И все сразу обратили внимание на мальчика.

— Господи! — сказала Квинта. В суматохе она уже успела позабыть о том первом впечатлении, которое произвел на нее Тристрам.

— Это не я, — начала оправдываться кухарка. — Он сюда уже пришел таким, честное слово.

— Ужасная женщина, — сказала Квинта. — Вы непременно должны ее уволить, Хартвел.

— Тристрам, что у тебя с лицом? — Артемис хотела погладить мальчика по голове. Но Тристрам терпеть не мог, чтобы его жалели. Он отступил.

— Очевидно, парнишка участвовал в битве чести. К сожалению, такие вещи неизбежны, — проговорил сэр Роджер.

— Да сэр, вы правы, но не просите меня рассказывать об этом. Что сделано, то сделано, — хрипло произнес Тристрам.

К счастью, нашелся хоть один человек, который его понял. Однако мальчик боялся, что если он не уйдет немедленно, то может заплакать прямо здесь, перед всеми.

— Мы понимаем, ты вел себя как настоящий мужчина, и довольно об этом, — поспешил согласиться сэр Роджер, заметив подозрительный блеск в детских глазах.

— Разве все так уж понятно? — удивилась Квинта. Сэр Роджер в последнее время стал слишком понятливым.

— Я должна знать, что произошло, Роджер, — сказала Артемис. — Я подам в суд! Кто посмел поднять на Тристрама руку?! Он...

— Он бастард! — выпалил Тристрам, и слезы брызнули у него из глаз. — Из-за этого и вышла драка! — крикнул он и бросился мимо гостей вверх по лестнице, в свою спальню.

— Боже мой! — покачала головой Квинта.

— Стыдитесь, Барклай, — нахмурилась Артемис. — Как вы допустили такое?!

— Но... Я даже не знаю, что произошло! Я не понимаю, почему я должен отвечать за хулиганство мальчишки. Большего наглеца я еще в жизни не встречал. Если бы вы знали, сколько мне приходится из-за него терпеть... — начал было Хартвел, преисполненный решимости доказать свою невиновность. Откровенно говоря, дядя считал, что мальчишка получил по заслугам.

— Что произошло, Лили? — спросила Квинта. Визгливый голос Хартвела начинал действовать ей на нервы.

— Несколько деревенских мальчишек окружили Тристрама в конюшне и избили его. Они обзывали его и оскорбляли нашу мать. Он только защищался. Я не знаю, что могло бы произойти, не приди мы вовремя на помощь.

В этот момент дверь отворилась и в зал вошел высокий человек, закутанный в плащ.

Лили узнала этот шаг, и щеки ее залились краской.

— Слава Богу, что вы благополучно добрались. Я так волновался. Похоже, собирается снежная буря.

— Саймон?

Саймон Уайтлоу подошел к Лили. В глазах его читалось восхищение.

— Здравствуй, Лили. Ты еще больше похорошела.

Он взял ее холодную руку в свою и поклонился.

— Но где... — Лили посмотрела на дверь: не появится ли еще один человек?

— Где я был? Нам сказали, что вы с Тристрамом отправились в деревню. Но прошло уже несколько часов с тех пор, как мистер Барклай послал за вами этого большого парня. Вас все не было, и я начал волноваться. Дороги — сам черт ногу сломит. Надо что-то делать с этим господином Барклаем, — пробормотал Саймон. По тону молодого человека чувствовалось, что он относится к опекуну Лили без всякого почтения.

Квинта бросила на племянника неодобрительный взгляд. Может, Барклай и впрямь был напыщенным дураком, только не Саймону Уайтлоу об этом говорить.

— Смотри, Саймон! Смотри, что Тристрам подарил мне на день рождения! — Дульси тащила щенка. — Сидеть! — приказала она собаке. Щенок послушно сел, и девушка рассмеялась.

— Что же это за чудо! — Саймон присел рядом с сестрой на корточки. — Как его зовут?

— Я не знаю.

— У него должно быть имя, Дульси. Я еще не встречал ни одного порядочного пса, у которого не было бы имени.

Девочка нахмурилась:

— Рафаил. Вот как его зовут. Рафаил. Он смотрит на меня, словно архангел, его тезка. — Дульси удовлетворенно вздохнула. Она, очевидно, была довольна выбором. По всей видимости, и Рафаил тоже остался доволен, потому что он сладко зевнул и потянулся, после чего мирно улегся, положив голову на лапы.

— Раф для краткости, да, Дульси? — улыбнулся Саймон.

— Глупый ты, Саймон, — заявила Дульси, глядя на своего питомца с серьезной задумчивостью. — Как ты думаешь, он может все время ходить с этой голубой ленточкой? Ему так идет.

Саймон покачал головой:

— К тому времени как Раф вырастет, мы едва ли сможем подыскать ленту подходящей длины. Этот пес будет здоровым, как бык.

— Я пойду к Тристраму. — Лили стала подниматься по лестнице. На полпути она остановилась. — А где Валентин?

— «Мадригал» ушел в плавание сразу после Рождества. Сейчас, наверное, они где-то у берегов Африки. Если, конечно, верить тому, что дядя сообщил о своем маршруте. — Саймон заговорщически подмигнул. — Я хотел пойти с ним в море, но мама даже слышать ничего не хотела. А сэр Уильям поддержал ее. Мама почему-то забывает, что я взрослый человек и могу сам за себя решать. Знаете, когда дядя приезжает навестить нас, она всегда нервничает. Такое впечатление, что она подозревает его в намерении выкрасть меня и силой утащить к себе на корабль. — Юноша улыбался, но в голосе его слышалась горечь.

— Твоя мать уже потеряла одного очень близкого и любимого человека, — напомнила ему Квинта. — Ты — это все, что осталось у нее от Бэзила. И она куда больше беспокоится о безопасности Валентина, чем стыдится того, что он стал флибустьером. Валентин всегда ей нравился. Если бы ты спросил моего мнения, я бы сказала тебе, что целиком с ней согласна. И нечего так на меня смотреть, Саймон. Хватит с нас того, что мы потеряли Бэзила и все время тревожимся из-за Валентина.

Саймон вздохнул. Что толку пытаться их разубедить?

— Я знаю, тетя Квинта. Я уважаю ваши чувства и мамины тоже. Но мне уже восемнадцать. Я мужчина, — добавил он чуть тише. — Вы должны это понять.

— И когда он вернется? — спросила Лили, стараясь не показывать своего разочарования.

— Через несколько месяцев. Последний раз он пробыл в море почти год.

— Я не видела его больше двух лет. — Лили опустила голову. Рука ее, лежащая на перилах лестницы, чуть дрожала.

— В последний раз, когда Валентин приезжал в Хайкрос, ты была больна. По-моему, так, Лили? — произнесла Артемис. — Брат очень расстроился из-за того, что не мог с тобой попрощаться. Ты ему очень нравишься, Лили. Он всегда рассказывает о тебе так, будто ты его младшая сестренка.

Артемис говорила от чистого сердца, не подозревая, как больно ранили девушку ее слова.

— Тебе, наверное, интересно будет узнать, Лили. Валентин попортил немало крови испанцам за эти три года. Он плавал в Новый Свет, затем в Испанию, и там, проплывая вдоль испанских берегов, знаешь, какое послание он велел передать? — рассказывал Саймон. — Он велел сообщить дону Педро Энрико де Вилласандро, что Валентин Уайтлоу ждет его. Трусливый дон Педро — твой родственник по матери и тот самый человек, из-за которого у нас все несчастья. Однажды, Лили, дядя Валентин отправит этого испанского ублюдка ко дну, — продолжал юноша. — И в этот день я уж точно буду на борту «Мадригала»!

— Саймон, какой же ты все-таки, — покачала головой Квинта.

— Мы с тобой заодно, Саймон. — Лили протянула ему руку.

Молодой человек с радостью схватил ее.

— Обещай мне, Саймон, что ты дашь мне знать, если услышишь что-нибудь о доне Педро, — потребовала Лили.

— Обещаю, — с готовностью согласился он, не задумываясь над тем, как он сможет выполнить свое обещание.

Квинта поежилась, словно на нее пахнуло холодом из склепа. Если бы только в ее силах было убедить молодых людей в бессмысленности мести! Бэзила этим назад не вернешь, так же как не вернуть мать и отца Лили.

— Почему бы нам не пойти к Тристраму вместе? — предложила Квинта Лили. — Мэри Лестер больше здесь нет. Лечить Тристрама придется тебе, а я могу помочь.

— Лили!

— Что, Саймон?

Юный Уайтлоу улыбнулся, и ей показалось, что он чувствует себя отчего-то неуютно.

— Приятно было видеть тебя, — застенчиво сказал Саймон.

— И мне приятно снова тебя увидеть. — Лили кивнула.

— Я с нетерпением жду ужина, когда мы сможем поговорить. — Сердце его билось так громко, что он боялся, что все вокруг слышат это.

— Ты можешь считать себя польщенным, дорогой, — тихо сказала Квинта.

Не одна она заметила этот обмен нежными взглядами между двумя молодыми людьми. Хартвел наблюдал за ними с неудовольствием. Он почувствовал, что Саймон влюблен в Лили.

Ну нет, он не допустит, чтобы Саймон Уайтлоу женился на Лили Кристиан. Если это произойдет, Уайтлоу приберут к рукам Хайкрос. Они все время этого добивались. Он не допустит подобного. Хайкрос будет его, и Лили будет его тоже.

— Мне пойти с вами? Я тоже могу помочь, — сказала Артемис.

— Где Раф? — раздался звонкий голос Дульси. — Раф! Иди сюда!

Хартвел с ужасом смотрел, как пес бежит в угол зала.

— Нет, Раф, не делай этого! — крикнула Дульси, но было уже поздно. Угол оказался помеченным.

— Помощь? О какой помощи вы говорите? Что-то случилось? — спросил Саймон, до этого момента с нескрываемым злорадством наблюдавший за Хартвелом Барклаем, который гнался за псом по залу. — Лили, ты не больна?

— Нет. Это Тристрам. Он подрался, — объяснила та. — Его побили.

— Я тоже пойду с вами, — заявил юноша, но, встретив недоумевающий взгляд тети, тут же добавил: — Может быть, Тристраму нужна мужская поддержка.

— В моем сундуке есть мазь и лекарственные травы. Я велю кухарке сварить ему поссет*, — предложила Артемис. — Бедный мальчик, верно, продрог до костей. А поссет способен творить чудеса. Ты должна дать этой кухарке свой рецепт, Артемис. Тот, что мы пили здесь в последний раз, мне совсем не понравился. Слишком жидкий и безвкусный. Не надо тебе подниматься, Артемис. Не думаю, что Роджеру понравится, если ты будешь бегать взад-вперед по лестнице.

Артемис и Роджер стояли очень близко друг к другу. Сэр Роджер что-то шептал своей спутнице на ухо. Лили удивленно посмотрела на Квинту, и та поняла немой вопрос девушки.

— О, моя дорогая! Ты же ничего не знаешь! Конечно, ты обескуражена. Скандальное поведение, не так ли? — засмеялась тетя. — Тебя ведь не было, когда мы приехали. Артемис и сэр Роджер поженились. Теперь она леди Пенморли. Разве это не чудо? Должна сказать, и для меня этот союз стал сюрпризом. Я уж почти поверила, что сэр Роджер женится на Корделии Хауэрд, но ему, похоже, не удалось уговорить ту даму. Сейчас, однако, я начинаю верить в то, что Корделия отдаст свое сердце Валентину. В прошлом году она приехала в Равиндзару весной, и, клянусь, эту парочку невозможно было оторвать друг от друга. Ты помнишь Тома Сэндрика? Ну так вот, он женился на сестре Раймонда Уолчемпса той же весной. Вполне хорошая пара, — болтала Квинта. Лили попыталась улыбнуться, но улыбка у нее получилась натянутой. — Мы непременно пригласим тебя на свадьбу Валентина. Думаю, когда он вернется из плавания, то будет просить руки Корделии. — Квинта, похоже, была в восторге от всех этих событий.

Итак, Валентин и Корделия поженятся сразу, как Уайтлоу вернется из плавания. Лили прикусила губу. Не было

---

* Поссет — горячий напиток из молока, сахара, пряностей, иногда яиц, створоженный вином.

щита, который смог бы защитить ее сердце от жестоких ударов.

— С тобой все в порядке, Лили? — тревожно спросил Саймон.

— Милая, ты вся дрожишь. Иди к себе и переоденься, а мы с Саймоном займемся Тристрамом, — приказала Квинта. — Тебе надо отдохнуть после этой поездки.

Тронув ладонью лоб Лили, Квинта нахмурилась:

— У тебя легкий жар. Я непременно поговорю с твоим опекуном. Как это можно было отпускать тебя в деревню верхом в такую погоду! А теперь беги. Я прослежу, чтобы в твоей спальне зажгли камин. Пошли, Саймон, — позвала она юношу, который не мог отвести от Лили глаз. — Клянусь, временами этот дом напоминает мне могилу — такой же холодный, — пробормотала леди, провожая взглядом Лили.

Глава 16

Да, частенько мне приходилось слышать, как бьет полночь.

*Уильям Шекспир**

Весна входила в свои права. Апрельские деньки становились теплее и длиннее. Накануне Пасхи неожиданно потеплело, и Лили впервые за несколько месяцев отворила окно в своей спальне. Тилли наполнила водой большую деревянную лохань. Осторожно Лили капнула в воду розовое масло. Комната наполнилась ароматом.

Мешочки с сушеной лавандой и розовыми лепестками она разложила на постели, подвесила под пологом, переложила ими вещи в большом сундуке. Сандаловое дерево, гвоздика, майоран и мята в причудливых композициях стояли в кувшинах на каминной полке. В изящной шкатулке из слоновой кости на маленьком столике хранились духи из Аравии — жасминовые, апельсиновые, гиацинтовые, фиалковые и сильные, с резким запахом духи из пачули. Все они были подарены Лили Валентином Уайтлоу. Прошло уже два с половиной года, но духи не утратили своего аромата.

---

* Пер. Е. Бируковой.

— Пракк! Мой зад наполовину отмерз! Пошевеливайся, голубка! — декламировал Циско, вышагивая взад-вперед по своей жердочке. — Я сейчас зажарю эту птицу на вертеле, если она не заткнется! Пракк! — Последнее замечание, судя по интонации, принадлежало кухарке.

Лили, нахмурившись, посмотрела на попугая. То, что он повторял все услышанное, было иногда неплохо. Надо приглядывать за кухаркой, чтобы Циско и впрямь не лишился своего чудного ярко-зеленого оперения.

— Вы уверены, госпожа, что купаться не вредно? — сказала Тилли, входя в комнату. — Я слышала такие истории, аж кровь в жилах стынет. Не стоит делать этого слишком часто. Я-то мылась всего два раза, и оба раза чуть не померла от холода. Думала, что зубы у меня вылетят, так они стучали. А потом неделю чесалась и кожа горела огнем. Я думала, что помру. — Тилли передернула плечами. — По мне, плеснул холодной водой в лицо — и хватит.

Но Лили видела, что служанка смотрит на лохань почти с завистью.

— Если ты добавишь в воду каплю масла, твоя кожа не будет такой сухой. Почему бы тебе не понежиться в воде после меня? Она так хорошо пахнет, жалко было бы ее выливать. У тебя, должно быть, все тело ноет, Тилли. Целый день ты скребла и чистила. Обещаю, с тобой ничего не случится. Да и Фарли, верно, будет доволен.

— Ой, госпожа, о чем вы говорите? — вспыхнула Тилли и отвернулась. — Слишком уж вы переживаете из-за меня.

— Есть отчего переживать. Сначала ты вымыла кухню, а после еще и холл вымыла. — Лили сняла нижнюю юбку. — На сегодня ты уже сделала всю работу. Не так ли?

— Я перемыла тарелки на кухне и вычистила горшки, но хозяин все равно найдет мне какое-нибудь дело. Ах, как хорошо пахнет, — вздохнула Тилли. — Будто розовый сад.

Глубоко, хозяйка. Утонуть можно. Правда-правда. Старуха
Хабс поскользнулась как-то в луже на Хай-стрит и непременно потонула бы, если бы та телега не переехала ее раньше. Честное слово, госпожа Лили. Еще до того, как вы
приехали в Хайкрос, молодой Дон Бауэр потонул в миске в
«Дубах». Хотя Фарли всегда говорил, что этот Дики Сойер
подает уж больно жидкую похлебку. Была бы похлебка по-
гуще, тогда и Дон Бауэр был бы жив.

— Не думаю, что стоит волноваться из-за мытья. —
Лили сняла чулки и рубашку и залезла в воду.

— Вы умеете плавать, хозяйка, так ведь? Это удивительно. Не много народу может похвастаться этим. — Тилли подняла ведра. — Мне всегда было интересно, как же
люди пробуют плавать в первый раз и не тонут. Они же не
знают, как это делается, так? Почему же они сразу не идут
ко дну? Не думаю, что это очень-то приятно. — И служанка направилась к двери. — Пойду принесу дров.

— Для камина?! — удивленно воскликнула Лили.

Уже год прошел, как здесь не топили. В последний раз
в ее спальне разожгли камин осенью, когда у Лили была
лихорадка. В тот день Уайтлоу приехали к Дульси. Квинта
потребовала от дяди Барклая, чтобы тот распорядился про-
топить в ее комнате. Суровая женщина предупредила: если с
Лили что-то случится, Барклаю придется сполна ответить за
свою жадность.

— О да, госпожа. Хозяин видел, что я несу вам ведра
с водой. Он сказал, что в комнате слишком прохладно для
купания. Сказал, что он не хочет, чтобы вы мерзли. Знаете,
говоря это, он так улыбался...

Лили пожала плечами.

— Может, он головой стукнулся? — спросила Тилли.
До сих пор Хартвела Барклая мало беспокоило здоровье его
подопечных.

— Может быть, — произнесла Лили.

— Он уже на ногах еле держался. Весь день кружки из рук не выпускал. Начал с рома, продолжил красным вином за ужином, а потом осушил целый рог горячего вина. Сейчас, должно быть, уже пьян как свинья. Точь-в-точь как старина Гарри*, сидит, важничает. — Тилли направилась к выходу. Она не успела выйти, как в дверях показалось личико сестренки Лили. — О, госпожа Дульси! Нельзя вам устраивать сквозняк! Хотите уморить сестрицу?

— Заходи, Дульси, — позвала девочку Лили.

Следом за ней вбежал Раф. Пес вырос на добрый фут в холке и вдвое прибавил в весе. Выглядел он, как маленький пони. Сходство с лошадкой усиливал наездник, сидящий на спине у собаки. То был Колпачок в камзольчике и в шапочке с бубенчиками.

— Ну разве они не пара? — улыбнулась Тилли.

Дульси, мурлыкая какую-то песенку, подошла к лохани. Колпачок соскочил со спины пса, уселся на бортик ванны. Обезьянка что-то возмущенно забормотала, когда Дульси плеснула на нее водой.

— Что это ты делаешь? — со смехом спросила Лили, брызгая в девочку.

— Ничего, — засмеялась сестренка. — Я просто радуюсь, что стало теплее. Хотела бы я, чтобы озеро не замерзало зимой. Наш залив на острове никогда не замерзал. Мы могли плавать весь год. А сейчас я могу плавать, только когда моюсь, а это совсем не так приятно. — Дульси опять плеснула на Колпачка. Ругаясь на чем свет стоит, тот забрался на кровать, стащил с головы шапку и принялся ей объяснять что-то.

---

* Речь идет о короле Англии Генрихе VIII.

— Ты оставила вышивку в зале, — сказала Лили сестре. — Я заметила, что ты почти закончила работу. У тебя отлично получилось, Дульси.

— Я старалась работать помедленнее, но не могла удержаться — так хотелось поскорее посмотреть на то, что получится. Но я старалась шить аккуратно, как мне Джейн показывала, — ответила Дульси, польщенная похвалой сестры.

— Работа твоя такая необычная! Цветы напоминают мне те, что были на острове.

— Я пыталась сделать их похожими на настоящие, Лили, но в точности вспомнить не могла.

— Мне кажется, от этого они еще красивее — словно цветы из сказки. Надо нам сходить в деревню и купить еще ниток. Теперь, когда потеплело, дорога будет лучше.

— Правда? Лили, а на этот раз мы сможем купить шелка поярче? Мне очень нравится красный цвет. Я не люблю бледные цвета. Мои цветы и бабочки должны быть яркими, как солнце! Я хотела бы, — добавила девочка, опустив глаза, — подарить вышитую ленту королеве на следующий Новый год, если нас пригласят. Как ты думаешь, она будет довольна?

— Я уверена, что ей понравится, — ответила Лили. — Если у Джейн не найдется нужных ниток, я скажу ей, чтобы она специально для тебя привезла их из Лондона.

— Спасибо, Лили! — Дульси запрыгала. — Это моя любимая комната в Хайкрос. Тут все напоминает мне наш остров. — Она вытащила из вазочки розу. — Даже зимой, когда свежих цветов нет, здесь пахнет весной. И полог кровати пахнет розами, — сказала Дульси и упала на кровать.

Колпачок быстро забрался под покрывало. Дульси перевернулась на живот и засунула руку под подушку. Через мгновение показалась мордочка обезьянки. Колпачок вылез из-под покрывала и сел рядом.

— Я рада, что пришла весна, — сказала Дульси. — Зимой так мрачно, а я не люблю, когда мало солнца.

Тилли принесла несколько поленьев. Вскоре в камине заплясало пламя. Солнце село, и теперь единственным источником света в комнате был живой веселый огонь.

— Ты что, заболела, Лили? — спросила Дульси. — Почему огонь разожгли?

— Нет, — со смехом ответила сестра. — Знаешь, я помою голову, раз уж в комнате тепло.

Такую возможность грех было не использовать. Лили расплела косы, опустила волосы в мыльную воду.

— О, госпожа, вы испытываете судьбу, — вздохнула Тилли. Уж она-то знала, что бывает, когда намочишь голову. И мигрень, и даже что похуже, а уж если вода в уши попадет, и говорить нечего. Шепча про себя молитвы, чтобы Бог помог им обеим, Тилли помогла прополоскать хозяйке волосы чистой водой из кувшина. Затем подала ей одеяло — чтобы госпожа не замерзла, когда выйдет из ванны.

— Лили, — позвала Дульси.

— Что?

— Можно я расчешу тебе волосы?

— Конечно, Дульси.

— Лили!

— Да?

— Можно я посплю у тебя сегодня?

Дульси, кажется, все никак не могла согреться. Было бы несправедливо спать в тепле, в то время как сестра дрожит от холода и страха в темной спальне.

— Конечно, малышка.

— Я пойду надену ночную рубашку.

Становилось темно, и скоро для того, чтобы переодеться, пришлось бы зажечь свечу.

— Иди, — сказала Лили. — А где Тристрам?

Дульси обернулась:

— После ужина Тристрам ушел с Фарли и Фэрфаксом.

Лили нахмурилась. Где появлялись Фэрфакс и Фарли, там начинались неприятности.

— Ты знаешь, куда они пошли, Тилли?

Служанка отвела глаза.

— Я? Госпожа Лили, да мне о таких делах не докладывают, — пробормотала служанка, глядя в пол. — Надо бы вылить воду из лохани.

— Это можно сделать и утром, — сказала Лили. Она начинала беспокоиться всерьез. Нужно разговорить Тилли. Она-то знает, что задумали эти сорванцы.

— Хорошо, завтра так завтра. Пойду помогу госпоже Дульси одеться.

— Тилли!

— Да, госпожа.

— Почему бы нам немного не поболтать, пока я буду сушить волосы?

— Хорошо, госпожа.

— Так куда же ушли братья Одел с Тристрамом?

Тилли затеребила фартук.

— А они ушли?

— Куда? — повторила вопрос Лили.

— Мне кажется, они уже вернулись. Сбегать вниз, посмотреть? — с готовностью предложила Тилли. — Мне кажется, они у конюшни.

— Я ничего не слышала. Так откуда они должны были вернуться, Тилли? — допытывалась хозяйка.

— Мне кажется, они в деревню ходили, — призналась наконец служанка.

— В Хайфорд? Зачем? Кроме «Дубов», там все сейчас закрыто.

— Наверное, не за покупками они туда ходили, госпожа.

— А для чего?

Тилли кусала губы и молчала.

Лили вздохнула. Слишком хорошо она знала Фарли и Фэрфакса, чтобы ждать от них чего-нибудь хорошего.

— Что придумали братья Одел на этот раз?

Тилли тяжко вздохнула и наконец решилась поднять на хозяйку глаза.

— Ладно. Фарли говорил, что нет на земле человека, которому не в чем было бы каяться. Если на деле не согрешит, так уж в мыслях точно. И еще он говорил, что настала пора напомнить преподобному, что он тоже человек. Фарли надоело, что всякий раз во время проповеди преподобный Баксби тычет в него своим длинным пальцем. Будто Фарли один проводит время в «Дубах». И еще Фарли не нравится, что говорит святой отец о вас, госпожа Лили, — неохотно добавила Тилли.

— И ты знаешь, каким образом они решили ему напомнить про то, что он грешен, как и все мы? — спросила Лили.

У Тилли дрогнули губы, и Лили могла бы поклясться, что дело было не в страхе.

— Кажется, они решили устроить так, чтобы преподобный увидел призрак святого Георгия. Привидение должно стонать замогильным голосом и звать пастора по имени. Сегодня как раз полнолуние. Фарли говорит, что на кладбище возле церкви и впрямь водятся призраки.

У Лили сердце сжалось.

— И Тристрам пошел с ними, — обреченно прошептала она.

— Да, госпожа. Молодой хозяин услышал их разговор и напросился с ними. Сказал, что у него есть полное право быть там тоже. Кроме того, Фарли согласился, что втроем им будет лучше. Двое будут изображать призрака, а один — дракона. Знаете, господин Тристрам в последнее время так расстраивался из-за того, что преподобный говорил, будто... ну... вы знаете, что он несет насчет...

— Да, о том, что дети греха гораздо легче попадают в лапы дьявола, чем те, у которых родители — богобоязненные прихожане, — сказала Лили, и ей вдруг захотелось, чтобы Фарли и Фэрфакс взяли и ее тоже. — Говоришь, Тристрам должен был изображать призрака?

— Да, госпожа. Понимаете ли, Фэрфакс нашел старую кабанью голову. Они раскрасили ее так, чтобы ее можно было принять за голову дракона. Фэрфакс собирался размахивать перед собой факелом, будто у дракона из пасти идет огонь, а Фарли должен был спрятаться под одеяло за спиной Фэрфакса и держать господина Тристрама на плечах. Они взяли кирасу и шлем с этого рыцаря в холле и все это должны были надеть на Тристрама. Они даже взяли с собой щит и меч. Он должен был быть точь-в-точь святой Георгий, дерущийся с драконом, — рассказывала Тилли.

— Остается надеяться, что Тристрам не снесет Фэрфаксу голову, — заметила Лили.

Если что-то не получится (а в том, что так и будет, сомневаться не приходилось), всем троим придется худо.

Вдруг Тилли вскрикнула и подбежала к окну.

— Что случилось?

— Разве вы не слышали? О нет! — зарыдала она и схватилась за голову.

Лили прислушалась. Все спокойно.

— Чего ты испугалась? Это всего лишь птица.

— Просто птица? Это же кукушка! — в отчаянии воскликнула Тилли. — И она прокуковала шесть раз! Боже, что мне делать? Я теперь никогда не выйду замуж! Шесть лет мне одной куковать. А потом будет уже поздно!

— Тише, Тилли, успокойся, — сказала Лили, но служанка продолжала плакать, и рыдания ее с каждой секундой

становились громче. — Тилли, прошу тебя, перестань! Ты
что, хочешь весь дом поднять на ноги? Не было никакой
кукушки. Тебе показалось. Ну все, утри слезы, — уговаривала она служанку. — На, возьми мой платок.

— Вы уверены, что мне показалось? — всхлипнула Тилли.

— Конечно, — заверила ее Лили. — Я ведь ничего не
слышала. Но почему ты так встревожилась? Что с того, что
ты не выйдешь замуж? Да и потом, ты ведь такая молодая.
Ты еще найдешь себе жениха.

— Есть поверье. Мэри Лестер рассказывала мне. Она
услышала в полнолуние перед Пасхой кукушку и так никогда замуж и не вышла. И я тоже слышала. Шесть раз!
Значит, мне ждать по меньшей мере шесть лет. Так оно и
будет, — снова зарыдала Тилли, — я теперь точно знаю!

— Да выйдешь ты замуж! Я думаю, что вы с Фарли
непременно поженитесь уже в этом году. — Лили хотела
приободрить служанку, но, увидев, как у той вытянулось
лицо, поняла, что сказала что-то не то.

— Теперь, когда я услышала кукушку, он на мне не женится. Может, он меня больше не любит, теперь, когда у нас...
Ой, я несчастная! — Тилли опять залилась слезами. — Может, сегодня с ним что-то случится. Может, он с моста упадет.
Или еще что-нибудь! И теперь никто, никто на мне не женится! Никто, раз у меня в животе ребенок Фарли! Хозяин выгонит меня из дому. Уж он-то скоро обо всем узнает. Его кухарка
только и делает, что сует нос во все дыры. Спрашивает меня,
почему это меня тошнит по утрам. Сказала ей, что это оттого,
что приходится смотреть на ее безобразную рожу с утра пораньше! Мне придется бежать из деревни, как только они об
этом узнают. Может, даже привяжут меня к позорному столбу
и забросают тухлыми яйцами и гнилой капустой. Ой, что же
мне делать, госпожа Лили? Мне и идти-то некуда. Что мне
делать, госпожа Лили?

— Что случилось с Тилли? Я ее плач из своей комнаты услышала. — В комнату вошла Дульси. Раф, конечно, бежал за ней. — Хочешь тартинку, Тилли? — Она протянула служанке кусочек пирожного.

— Пракк! Плуты и мошенники! Хо! Душегубы! Двиньте-ка! Пошлем их всех к дьяволу на дно! Пракк!

Тилли в недоумении взглянула на девочку, потом на попугая и снова принялась плакать.

— Я что-то сделала плохо, Лили? — спросила Дульси, глядя на пирожное. — Я пошла на кухню и нашла в буфете чуть-чуть печенья. Я знала, что они не могли все кончиться, как говорила кухарка.

Сестренка подошла к камину. Раф — за ней.

— Ты расскажешь мне сказку, Лили? — Дульси откусила пирожное и отломила кусочек для Рафа. — Про белых коней и про то, как они расправились с колдуном, когда попали в Англию. Королеве тоже понравится эта сказка, правда, Лили? Так как же она начиналась? «На острове среди сосен и пальм, где волны плещут о берег...»

Огонь в камине почти догорел. Остались лишь маленькие красные угольки, когда снаружи послышались шаги. Зевая, Лили потянулась.

Все, кроме нее, спали. На кровати сопели Дульси и Тилли.

Свернувшись клубочком в кресле, Лили думала о Тилли. Надо будет поговорить с Фарли. Она заставит его жениться на бедной девушке.

Лили зажгла свечку и вышла из комнаты. Пришел брат или нет? Она не стала стучать и открыла дверь в его комнату. Тристрам сидел на кровати, опустив голову. Услышав скрип, он вскочил.

— Я очень рада, что ты цел. Что с Фарли и Фэрфаксом?

— Ты знаешь? — спросил Тристрам. — Уже проще. Не надо ничего объяснять и оправдываться.

— Что произошло в деревне?

— Ох, Лили, — с воодушевлением начал Тристрам, — хотел бы я, чтобы ты все это видела! Фарли сделал из одеяла настоящего зеленого дракона и накинул его на Фэрфакса, а сам спрятался за ним под тем же одеялом. На голову ему надели кабанью голову, только ты бы ни за что не подумала, что это кабан, — самая настоящая драконья голова. Я в полном вооружении сидел на плечах у Фарли. Мы пробежали по кладбищу, затем ворвались на церковный двор. Фэрфакс держал перед мордой дракона факел, только его руки не было видно под одеялом, я резал воздух саблей, а Фарли стонал и рычал на все лады. Ты бы видела, как эти деревенские бросились с церковного двора! Преподобный Баксби споткнулся о ту злюку, госпожу Фортхэм. Она, наверное, решила, что дракон ее утащит. Завизжала как ненормальная и схватила лопату. Ну там, возле ограды. Она как размахнется да как даст преподобному прямо по заду!

Лили старалась сохранить серьезный вид, но не выдержала и рассмеялась.

— Вот с этого момента все и пошло наперекосяк. Фэрфакс споткнулся, одеяло зацепилось за ветку и сползло, — признался Тристрам, виновато глядя на Лили.

— Значит, вас узнали?

— Боюсь, что да, Лили. Я слышал, как кто-то крикнул имя Фарли, а Фэрфакса и так все знают — он самый здоровый парень в округе. Его трудно с кем-то спутать.

— На тебе был шлем, так что тебя трудно было узнать, Тристрам.

— Я уронил щит, а на нем был наш герб, — угрюмо сообщил проказник. — Боюсь, меня ждут крупные неприятности. Теперь дядя отправит меня в школу.

Лили обняла брата.

— Ты понимаешь, что вы не должны были этого делать? — спросила она. — Бэзил бы не одобрил вашего поступка. Да и папа тоже. И мама.

— Они заслужили это, Лили! — ответил Тристрам. — Ради того, чтобы посмотреть, как эти глупые прихожане кинулись врассыпную, я готов вытерпеть все что угодно — даже школу. Я думаю, отец бы сегодня посмеялся, Лили. Он никогда не позволил бы им говорить о тебе и Дульси то, что они говорят. И он бы защитил нашу честь, как и я. Может быть, только по-другому.

Лили вздохнула. Ну что на это сказать?

Вдруг отчаянный вопль прорезал тишину. Затем раздался испуганный визг, за ним — дикий лай, а потом крики: «Насилуют! Убивают!» и «Лили, помоги!»

Лили чуть не уронила подсвечник. Тристрам уже со всех ног несся по коридору в комнату сестры. Она побежала за ним. В дверях оба застыли, не веря собственным глазам.

Тилли стояла на кровати, прижимая к груди ночную рубашку, которую дала ей Лили и которая теперь была разодрана надвое от ворота до подола. Попугай, испуганно крича, метался по комнате. Колпачок взобрался на столб, поддерживающий полог кровати. Дульси сидела на подушках и удивленно смотрела на голые ноги Хартвела Барклая, торчащие из лохани. Раф трепал тапку, упавшую с ноги врага.

— Он напал на меня! — кричала Тилли, показывая пальцем на Хартвела. — Выскочил из темноты как демон! Прыгнул на кровать и навалился на меня. Он пытался... Он всю меня обслюнявил! Я сначала подумала, что это Раф. Но собаки-то не разговаривают. Ох, госпожа Лили, он говорил ужасные вещи! И он думал, что я — это вы! Он был пьян, хозяйка. Говорил, что эти Уайтлоу не наложат свои грязные лапы на его деньги. Сказал, что не допустит, чтобы Саймон на вас женился. Сказал, что после этой ночи вы выйдете за него, если не хотите быть опозоренной! Сказал, что он скорее умрет, чем даст вам выйти за кого-то, кроме него самого.

— Лили! — Тристрам тронул сестру за руку. — Как ты думаешь, он мертв?

— Я его не убивала! Я не убийца! Это пес! Он прыгнул на кровать, когда госпожа Дульси закричала. Я думала, он разорвет хозяина на куски, честное слово. Хозяин заорал и выпрыгнул из постели. Затем раздался плеск, потом булканье, и все.

Медленно Лили подошла к лохани.

— Госпожа! — закричала Тилли. — Помните, что я говорила про вдову Хабс и Дона Бауэра? Вы не думаете, что хозяин утонул?

Лили смотрела на бледную физиономию Хартвела.

— Он мертв, Лили, — сказал Тристрам. — Завтра утром сюда придет констебль, а может, и сегодня — из-за того, что случилось в церкви. Нас заберут, а эти деревенские непременно потребуют, чтобы нас судили.

— Но он напал на Тилли. Она просто защищалась. — Лили словно оправдывалась перед властями. — Он напился до одури. Он мог бы убить Тилли, или меня, или Дульси.

— Ты думаешь, они нам поверят? — спросил мальчик. — После сегодняшнего происшествия они не станут тянуть с отправкой Фарли и Фэрфакса, и меня с ними заодно, в Ньюгейтскую тюрьму. Лили, прошу тебя, послушай! Они подумают, что ты убила Хартвела. Они подумают, что ты его убила за то, что он был твой опекун. Они повесят тебя, Лили. И они заберут меня и братьев Одел. Что нам делать, Лили?

— Мы расскажем правду. У нас есть друзья, и они нам помогут.

— Никто нам не поможет. Валентин в море. Артемис вышла замуж, к тому же она в Корнуолле. У нее будет ребенок. Не поедет она нас выручать. Помнишь, мы на той неделе получили письмо от Квинты? Она в Шотландии. Она даже не узнает о том, что нас собираются повесить, пока дело не будет сделано. Слышишь, Лили?!

— Они не должны повесить Лили, не должны! — закричала Дульси и вцепилась в сестру.

— Кто нам поверит, Лили? Кто нам поможет? Никто. Никто, Лили.

Глава 17

Есть холм в лесу: там дикий тмин растет,
Фиалка рядом с буквицей цветет,
И жимолость свой полог ароматный
Сплела с душистой розою мускатной;
Там, утомясь веселою игрой,
Царица любит отдыхать порой;
Из сброшенной змеей блестящей кожи —
Для феи покрывало там на ложе.

Уильям Шекспир*

В день святого Варфоломея в Лондоне открылась яр-марка, которая так и называлась — Варфоломеевская яр-марка. Акробаты, жонглеры, музыканты, циркачи и просто мошенники и нищие, одетые в отрепья, наводнили площадь. Певцы и музыканты старались поднять покупателям настроение. Предлагалось на продажу все — от театральных костюмов и лошадей до скобяных товаров и драгоценностей. Тут же, как полагается, были и астрологи, и хироманты, и травники, и чародеи. А также воры и карманники.

На свободном пятачке на натянутом канате балансировал канатоходец. Толпа зевак здесь собиралась немалая.

---

* Пер. Т. Щепкиной-Куперник.

Привлекала внимание и девушка с попугаем на плече, сидящая на белом коне. Серебряные колокольчики, вплетенные в гриву лошади, мелодично позванивали. Позади девушки восседала мартышка в колпачке с бубенчиками и в зеленом камзоле. Девочка, темноволосая и тоненькая, танцевала перед конем, аккомпанируя себе на бубне. Ее легкие ножки едва касались земли, когда она кружилась в танце вокруг большой собаки с огромным нелепым бантом на шее. Паренек, идущий следом, не переставая жонглировать, собирал монетки, которые летели к ним из толпы.

Красивый молодой человек в зеленой куртке и в белоснежной льняной рубахе стоял перед палаткой, украшенной цветами.

— Всего через четверть часа, — кричал он, — не опоздайте! Не пропустите! Занимайте места поближе! Совсем скоро начнется очередное представление «Белых коней»! Подходите пораньше, не то мест может не хватить! Самое лучшее представление на ярмарке! Всего через четверть часа! Не забудьте!

Кивнув тем, кто уже успел занять места, он отошел от палатки.

— Ром! Ром! Подожди! — окликнула его молодая женщина.

Тот бросил взгляд через плечо, но шага не замедлил.

— Ром!

Досадливо вздохнув, Ромни остановился. Дорогу ему преградили ребятишки.

— Ты что, не слышал? — спросила женщина, задыхаясь от бега, и взяла его под руку.

Он улыбнулся:

— Да разве здесь услышишь что-нибудь, в таком шуме? Разве я из тех, кто будет отворачиваться от красивой женщины? А ты редко когда бываешь так хороша, как сегодня.

Черноглазая цыганка была одной из самых красивых женщин, которых он знал.

— Давно я не слышала от тебя ничего подобного, — прошептала Навара.

— Я повторяю лишь то, что говорят все, — насмешливо ответил Ромни.

— Но только твой голос я хочу слышать, Ром. — Навара пыталась удержать его, но тщетно. Ромни отвернулся. Он искал кого-то в толпе.

Навара скривила губы.

— Ты ведь ее ищешь, Ром? Послушай лучше меня, Ром. Забудь о ней. Она не для тебя. Я прочитала это по ее руке. Едва она появилась у нас, над нами нависла угроза несчастья. Говорю тебе, нам надо от нее избавиться, Ром. Пока не поздно.

Он засмеялся и вырвал руку.

— Ты думаешь, что я стану слушать всю эту ерунду? Не смеши меня! Дури головы толстосумам, а меня понапрасну не дергай. Ты просто завидуешь, Навара. Когда Лили Франциска едет на коне, все смотрят на нее. Поэтому и монет она собирает больше. Ты да и другие должны быть благодарны ей за то, что она привлекает публику к нашим шатрам. Но ты не должна быть такой жадной, любовь моя, потому что своими танцами ты уже заработала куда больше, чем за предыдущие несколько лет. Увы, времена меняются. Скоро малышка с бубном станет получать больше, чем ты, — ядовито усмехнулся Ромни. — Дульси тебя переплюнет. Я заметил, что ты в последнее время больше ходишь, чем танцуешь. Может, ты стала уставать, а, Навара? Надо бы нам сменить тебя на кого-то посмелее. Слышал, что Вебс ищет девушку, чтобы разносила пиво в его палатке.

— Свинья! — Навара хотела хлестнуть Ромни по щеке, но тот успел перехватить ее руку.

— Не смей поднимать на меня руку, Навара. Ни на меня, ни на тех, кто со мной.

Девушка плюнула ему под ноги.

— Ты решил, что эта Лили Франциска будет твоей? Смотри, я смеюсь тебе в лицо, Ром! Я буду смеяться и тогда, когда она разобьет твое сердце. А в том, что она это сделает, я не сомневаюсь. Ты думаешь, что ты пара такой, как она? Ха, ты просто замечтался, парень! Подожди, Ром. Ты для нее ничто. Попробуй возьми ее... Если только тебе удастся миновать этих ее сторожевых псов, что держат всех на расстоянии. Я не знаю, кто из них хуже: тот, что на четырех ногах, или двое двуногих, — сказала Навара. — Но если тебе даже удастся завладеть ею, Ром, и ты узнаешь ее так, как знаешь меня, тогда мы посмеемся оба, Ром. Только веселого в том будет мало для тебя, парень. — Она прищурилась. В глазах ее была ненависть. — Ты не веришь мне, да, Ром? Ты думаешь, она улыбается только для тебя? Да она так же точно улыбается и последнему нищему!

— Замолчи, Навара.

— Это больно, Ром? Больно сознавать, что она относится к тебе не лучше, чем к тем полудуркам, что сторожат ее? О да, она тебя любит! Но только как друга! Вернее, как слугу или как одного из ее животных. Не как любовника! И никогда не полюбит, Ром! Лили Франциска! Какое красивое имя! Словно она не женщина, а цветок. Но цветы быстро вянут, Ром! Вспомни об этом, когда надумаешь лезть к ней в постель. Она все еще невинная, Ром. Женщина в ней еще не проснулась, да и никогда не станет она той женщиной, которая могла бы удовлетворить такого грубияна и повесу, как ты. Честная девушка останется девушкой, пока не встретит своего мужчину. Но ты не ее герой, Ром. Я замечала, как она смотрит, когда думает, что никто не видит ее. Она мечтает о поцелуях и объятиях. Но не о тебе, Ром. Не твое лицо представляет она. Она не создана для нашей грубой жизни. Что можешь ты предложить ей? Ты не в силах обещать ей даже верности! Тебе слишком нравятся женщины. Ты даже мне не мог хранить верность, так ведь, Ром? Хотя я тебе нравилась больше других. И ты веришь, что можешь быть верным ей? Нет, Ром. Если бы был жив ее отец, как ты думаешь, позволил бы он тебе подойти к его дочери? Он ведь был джентльменом, не так ли? Да и мать тоже была леди. Я же вижу, с какой осанкой ездит она на этом своем белом коне. Такая холодная. Такая недосягаемая. Такая недоступная для тебя. Ты дурак, Ром! Разве ты не видишь, что она околдовала тебя? Ты мечтаешь о том, чему никогда не суждено сбыться!

Ромни оттолкнул от себя Навару.

— Ну что же, ступай к ней! Но ты еще приползешь ко мне, Ром. И я буду ждать тебя, как всегда. Я люблю тебя и всегда буду любить. Ты думаешь, что я все это говорю лишь из ревности? Да она просто не сможет удержать тебя. Я не боюсь этой гаджо* с бледной кожей. Не я одна считаю, что она и те, что с ней, принесут несчастье. В таборе много говорят об этом, и найдутся те, кто...

Ромни схватил ее за плечо:

— Что за сплетни ты распускаешь, Навара? Если я узнаю, что ты задумала дурное для Лили Франциски, я...

— Что, что ты можешь со мной сделать, Ром? Я не сказала ничего нового, ничего, что бы уже не говорили другие. Ты слеп, Ром. Ты не видишь, что они отбивают наш хлеб. Может, потому, что ты берешь себе половину их заработка? Конечно, ты чувствуешь себя прекрасно. Но есть и такие, кто не один год путешествует с нашим табором и кто сейчас бедствует из-за них. Она не принадлежит нашему

---

* Пренебрежительное название женщины-нецыганки у цыган.

роду, и она никогда не станет одной из нас. Она отнимает хлеб у тех из нас, кто по-другому не может заработать себе на пропитание. Ты считаешь, это справедливо, Ром? Мне некуда больше идти. Но она... Она другое дело. Неужели ты думаешь, что она станет голодать? Что она позволит терпеть лишения своей черноглазой сестренке? Что она спокойно отнесется к тому, что ее брат станет воровать? Нет, она побежит обратно — к своей семье. Она наследница состояния. Очень скоро ей надоест, и тогда она уедет отсюда. Уйдет, чтобы угодить прямо в объятия какого-нибудь богатого джентльмена, который оденет ее в шелка и обрюхатит. Если ты думаешь, что будет по-другому, ты и вправду ослеп, Ром. Пойди спроси у кого-нибудь помудрее, у старой Марии, например. Что она скажет тебе о твоем прекрасном цветке? Тебе придется ей поверить, Ром. Мы с тобой оба знаем, что Мария видит будущее. Старая никого не дурачит. Спроси ее, Ром, если у тебя достанет храбрости.

Сказав это, Навара пошла прочь.

Ром тут же забыл о ней. Он шел к артистам, сидящим в тени около шатра.

Они обедали черствым черным хлебом, сыром и фруктами. Огрызки яблок валялись возле растянувшегося на траве здоровенного парня. Детина мелодично храпел под звуки рожка, на котором пытался играть мальчик.

— Он съел мой реквизит, Ром, — с широкой улыбкой пожаловался Тристрам, кивая на огрызки у ног Фэрфакса.

— Ты отлично работал сегодня, — похвалил цыган мальчишку. — Скоро начнем тренироваться с огнем.

— Правда, Ром? — воскликнул Тристрам.

— Правда, если будешь хорошо себя вести, — ответил Ром.

— Ромни, нет, это очень опасно, — встрепенулась Лили.

— Лили! Как еще я смогу стать настоящим жонглером, если не буду упражняться с горящими факелами? Потом я хочу научиться ходить по канату. Может быть, я даже смогу жонглировать на канате! Представляешь, как будет здорово! И толпа будет обязательно, Лили! Эй, Фэрфакс, послушай. — Тристрам толкнул светловолосого гиганта в бок. — Фэрфакс, ты не спишь, а, Фэрфакс?

— Он гораздо храбрее меня. — Ромни сел рядом с Лили. Сорвав цветок, он вдохнул его аромат. Лаская взглядом нежные щеки девушки, ее губы, такие мягкие и розовые, молодой человек думал, что она похожа на только что проснувшегося ребенка. Цыган вспомнил слова Навары и нахмурился.

— Что-то не так? — Лили дотронулась до него.

Ромни посмотрел на ее тонкую кисть, затем бережно взял ее руку и поднес к губам.

— Нет, все хорошо, Лили Франциска. Больше того, сегодня наш лучший день. Никогда не видел, чтобы возле нашего шатра собиралось столько народу. Представление скоро начинается.

— Какие сборы? — по-деловому спросил Тристрам, и Ромни улыбнулся — смышленый растет паренек, все схватывает на лету.

— Сейчас уже и стоять негде перед шатром. Осталось минут десять, не больше, — предупредил он, неохотно вставая. Если бы только можно было сидеть рядом с этой девушкой вечно, вот так, перед шатром, на зеленой травке в тени деревьев. «И катись к чертям весь остальной мир», — подумал Ромни, глядя на красавицу.

— Ты будешь смотреть представление? — спросила Лили.

— Я еще ни одного не пропустил, — ответил Ром. Он укололся шипом дикой розочки и поморщился. Машинально цыган сжал цветок в ладони. Капелька крови показалась из ранки. Со странным выражением смотрел он на лицо Лили, так похожее цветом на только что смятый цветок.

— Тебе больно? Дай посмотрю. — Лили протянула руку.

— Ничего, — пробормотал Ромни и разжал ладонь. Безжизненный цветок упал на землю. — Пора, Лили. Мне не хочется потерять зрителей.

— Я не опоздаю, Ром. Ты такой хороший друг! Не знаю, что было бы со всеми нами, если бы не ты...

— Ты никогда не забудешь о том, чем мне обязана, да, Лили? — пробормотал парень.

— Никогда, — заверила его Лили, озадаченная странным тоном друга. Что с ним сегодня случилось?

Ромни поднялся и, улыбаясь чему-то, пошел к шатру.

— Лили, когда мы поедем к королеве? — спросила Дульси, протирая глаза. Она задремала, устроившись возле своего любимца Рафа.

— Не скоро, Дульси.

— Почему? Она нас больше не любит? Я почти закончила для нее подарок.

— В это время года ее нет в Лондоне, — попробовала отговориться старшая сестра. Не объяснять же девочке, что королева не принимает у себя преступников. Их, наверное, уже ищут. Если они попытаются встретиться с королевой, чтобы объяснить ей, что произошло той ночью, их могут схватить прямо на месте и упрятать в Тауэр еще до того, как они успеют рот раскрыть.

— Где она?

— Не знаю точно. Может быть, в Гринвиче, а может, в Ричмонде или Виндзоре. У нее много дворцов, Дульси. А может быть, она сейчас путешествует по своему королевству. Летом ее величество не любит оставаться в Лондоне.

— Она однажды была в Хайкрос, да?

— Да, но это было давно, — ответила Лили.

— Мы еще будем здесь, когда она вернется в Лондон?

— Сомневаюсь, Дульси.

— Куда мы поедем?

— На север.

— Туда, где живет Мэри Лестер?

— Да.

— Мы снова будем с ней?

— Надеюсь. Для этого мы и присоединились к табору, Дульси. Мы едем к няне. Мэри подскажет нам, как быть. Она нам поможет.

— Мне так нравятся ярмарки, Лили. Я люблю танцевать. Я не хочу возвращаться в Хайкрос.

Лили вспомнила ту ночь, когда они сбежали из дома, — ночь, когда погиб Хартвел Барклай.

Все было как в кошмаре. И сейчас еще в ушах у нее стояли вопли Тилли. Голые пятки Хартвела торчали из воды. Циско сидел на краю ванны и выкрикивал ругательства вперемежку с жутким хохотом. Дульси смотрела на него огромными глазами. Тристрам говорил, что их повесят. Колпачок соскочил с полога, подбежал к ванне и принялась изучать палец на ноге у Хартвела. И в этот момент раздался душераздирающий вопль.

В дверях стояла кухарка.

— Вы убили его! Хозяин умер! Ты ведьма! Всегда знала, что ты принесешь в дом несчастье! — орала она, указывая пальцем на Лили.

— Но я... — Лили шагнула к кухарке.

— Не подходи ко мне, убийца! Тебя за это повесят! Не подходи ко мне! Убийство! Убийство! — Она побежала по коридору.

— Убийство! Убийство! Ведьма! Праккк! — вопил попугай.

— Черт побери, что здесь происходит? — На пороге возник Фарли. Он ошалело глядел на развернувшуюся перед ним картину. — Эта дура едва не сбила меня с ног.

— О, Фарли! Он пытался меня изнасиловать! Только хотел он не меня, а госпожу Лили. О, Фарли, у меня будет ребенок! — запричитала Тилли, бросаясь к жениху на шею.

Парень впервые в жизни растерялся.

— Эй, Тилли, малышка, успокойся, — наконец произнес он. — Так рано это не может быть известно.

— Не-е-е-ет! — рыдала Тилли. — Это не от него, это твой ребенок! Твой, Фарли!

— Мой? — тупо переспросил Фарли.

— У меня будет ребенок от тебя, но они подумают, что от него и что я его убила, а не госпожа! Они нас обеих повесят!

— Убила? Так он мертв?

— Господи Боже, Фарли! Какого черта тут делается? — Фэрфакс заглянул в комнату. — Я думал, ты просто заскочил сюда сказать Тилли, что мы сматываемся.

— Что? Вы сматываетесь? Вы убегаете без меня? О, Фарли, как ты мог поступить так со мной?! Ты же сказал, что любишь меня? Как ты можешь бросить меня?! Ведь я беременна от тебя!

— Смотри, что ты натворил, Фэрфакс, — пробормотал Фарли.

— Это не я заварил кашу. — Громила подошел к лохани. — Господи! Господин Барклай! Что это он тут делает в ночной сорочке? — спросил Фэрфакс, надеясь, что брат все ему объяснит. Но Фарли был занят другим — пытался урезонить Тилли.

— Ты хочешь сказать, что пришел сюда за мной? Чтобы забрать меня с собой и Фэрфаксом? — Тилли вытерла слезы.

— А как же! За кого ты меня принимаешь, Тилли? Как не стыдно так плохо обо мне думать. — Он укоризненно глядел на подругу.

— Так, значит, я теперь буду Тилли Одел? Да, Фарли? — спросила Тилли.

— Так-то лучше будет, — ответил за брата Фэрфакс. — Не хочется, чтобы мой племянник рос, как уб... — начал он, но густо покраснел, вспомнив про Тристрама, которого тоже никто не считал законным сыном капитана Кристиана.

— Так что мы будем делать, Лили? — Тристрам смотрел на дядю Барклая. — Кухарка считает, что ты его убила. Я говорил, что никто тебе не поверит. И констебль тоже. Нас и так все здесь ненавидят. Они повесят тебя, Лили, а после сегодняшнего, после того, что натворили мы, они, наверное, и нас повесят тоже.

— Они не могут повесить Лили! — закричала Дульси, а Раф залаял.

— Но меня непременно должны выслушать. — Лили смотрела на Фарли и Фэрфакса. Однако выражение их лиц убедило ее в обратном. — Я расскажу им правду. Они должны поверить мне, — тихо повторила Лили, хотя прекрасно понимала, что никто ей не поверит.

Только сейчас ей по-настоящему стало страшно. Кто ей поверит? Тристрам прав — никто.

— Госпожа Лили, — прервал ее размышления Фарли, — мы с Фэрфаксом это... ну... уходим из Хайкроса. Теперь нам больше ничего не остается. И вам стоит пойти с нами. Эти деревенские скорее сровняют дом с землей, чем дадут вам возможность объяснить все.

— Госпожа Лили, послушайте его. Фарли говорит правду, и я за вас боюсь тоже, — поддержал Фэрфакс брата.

И девушка решила последовать их совету.

Быть может, если им удастся убежать из этого гнилого места, где все настроены против них, они смогут найти способ объяснить все властям и будут услышаны.

Пока Фарли и Фэрфакс уносили в конюшню сундук с вещами Лили, та помогла брату и сестре собрать все необходимое на ближайшие несколько недель. Мысль отправиться к Мэри Лестер пришла ей в голову в тот момент, когда она лихорадочно искала красную тапочку Дульси. Только няня могла помочь им и подсказать, что делать дальше.

Фарли и Фэрфакс запрягли в тележку волов и покатили к воротам. Тристрам, Дульси и Тилли забрались на сундуки и узлы. Туда же прыгнули Колпачок и Раф. Циско продолжал хохотать как безумный.

Фарли и Фэрфакс не сообщили хозяйке, отчего так гладко прошло все в конюшне. Им повезло — конюха там не оказалось. Должно быть, кухарка отправила его в деревню известить о происшедшем. Кухарка заперлась в своей комнате и орала как ненормальная: «Убийцы! Убийцы!» На случай, если она вдруг расхрабрится и надумает выбраться из своей комнаты, братья Одел закрыли входную дверь на засов.

Свидетельницей их бегства из Хайкрос была лишь бледная луна.

Счастливо избежав неприятностей в деревне, они двинулись на север. Беглецы ехали наобум — лишь бы подальше от Хайкрос. Луна поднялась совсем высоко, когда они достигли мельницы. Внезапно путь им преградил человек. Волы остановились. Все настороженно вглядывались в незнакомца.

Им оказался Ромни Ли. Он возвращался из «Дубов» к сестре на мельницу, но, услышав скрип колес, решил посмотреть, кто это ночью уезжает из Ист-Хайтворда. Цыган даже не удивился, увидев старых знакомых. Ром знал, что произошло на церковном дворе. Однако когда парень увидел Лили, то удивленно присвистнул.

Надеясь хоть кого-нибудь убедить в своей невиновности, девушка рассказала молодому человеку о том, что произошло в Хайкрос. Цыган только головой качал, слушая ее историю. Убедив беглецов, что до рассвета, когда деревенские кинутся их искать, все равно далеко не уехать, Ромни настоял на том, чтобы спрятать телегу на мельнице до следующей ночи. И только тогда отправляться в путь.

Тот день показался Лили нескончаемо долгим. Они все прятались за мельницей, вздрагивая от каждого шороха. Ромни оставил их, а сам ушел в деревню — посмотреть, что там происходит. Он не поленился дойти и до Хайкрос, а когда вернулся, Лили по выражению его лица поняла, что оправдались ее худшие опасения.

Но Ромни Ли не бросил их. Более того, он предложил им помощь: пригласил присоединиться к цыганскому табору, с которым путешествовал сам. Фарли и Фэрфакс сначала не соглашались. Они не доверяли Ромни, но тот умел убеждать. В конце концов братья сказали «да».

Где найти лучшее место, чтобы спрятаться? Кто станет искать их у цыган? К тому же ехать безопаснее с табором, чем маленькой группой. Куда они направляются? На север? Долгий путь, точно. Деньги у них есть? Нет? Где же они думают останавливаться по ночам? Где будут скрываться? Фарли и Фэрфакс переглянулись. Ромни Ли действительно предлагал лучшее решение.

Узнав о толпе рассвирепевших деревенских, прибывших в Хайкрос, и об их кровожадных призывах спалить ведьму на костре, не дожидаясь суда, Лили согласилась с планом Ромни.

Она до сих пор удивлялась, как смогла решиться на этот шаг. Даже сейчас палатки и шатры вокруг казались призраками из другого мира. Невероятным было и то, как легко они привыкли к кочевой жизни. Приняли их недружелюбно. Было много подозрительных взглядов и перешептываний, но, когда они стали платить за себя и привлекать публику, с их пребыванием в таборе примирились. Но Лили знала: скоро здесь их станут ненавидеть.

Друзья ни у кого ничего не просили. У них была собственная повозка, где они хранили пожитки и где она, Дульси и Тилли спали по ночам. Пока было тепло, Тристрам, Фарли и Фэрфакс ночевали снаружи. Лили старалась не думать, что будет, когда наступят холода или когда Тилли родит. Но пока волы были крепкими и упитанными. Еще ни разу из-за них не пришлось задерживаться.

До недавнего времени их основным занятием было привлечение покупателей к лоткам и палаткам других цыган, но по совету Ромни, услышавшего раз сказку, рассказанную Лили младшей сестре, они соорудили небольшую ширму, сделали кукол. Получилось нечто вроде кукольного театра. Теперь они давали представления. С каждым разом народу собиралось все больше — их сказка пользовалась успехом у публики.

— Ах, вы тут, госпожа Лили. А я везде вас ищу.

Тилли шла медленно, задыхаясь и переваливаясь, как утка. Лили смотрела на служанку с тревогой и жалостью. Она никогда не видела такой большой живот. Бедная Тилли! Казалось невероятным, как тоненькие ножки могут удерживать в равновесии такое большое тело.

— Фарли говорит, что пора начинать, госпожа. Ох, такая толпа собралась! Я никогда не видела столько народу. Откуда они все приходят? Фэрфакс, ну и намнут же тебе бока. У тебя через час еще один бой. Будем надеяться, что на этот раз ты выиграешь. Приз-то порядочный.

Фэрфакс зевнул и приоткрыл один глаз.

— Я и проиграл всего-то один бой, Тилли. И то только потому, что крикливая торговка сидром стукнула меня сза-

ди, когда я почти заставил его землю есть. — Громила
поднялся. — Пошли, провожу тебя до помоста, — предложил он и, не в силах отвести взгляда от огромного живота
Тилли, покачал головой, удивляясь своему лихому братцу.

— Ох, как спина болит! Никогда так не болела, даже
когда приходилось весь день скрести пол в Хайкрос. —
Тилли в который раз спрашивала себя, зачем она только
искала радостей в объятиях Фарли Одела.

— Я дам тебе табуретку, чтобы ты посидела за сценой,
Тилли, — предложил Тристрам, передавая поводья Весельчака Лили.

— Сдается мне, скоро тебе придется искать скамейку,
если зад у нее станет еще шире, — пошутил Фэрфакс, за
что получил от Тилли пинок. Потеряв равновесие, она упала
бы, не поддержи ее братец Одел.

— Не знаю, Фэрфакс, как это твою башку снегом не
засыпает, так далеко она уходит в небо, — сказала Тилли.

Лили улыбнулась. Глядя на зрителей у помоста, девушка не могла не согласиться с Ромни: толпа была гро-
мадная. Жаль, что Лили не увидела того, кто был к ней
куда ближе, чем все эти люди. Заслоненный от девушки
плечистой фигурой Фэрфакса, за ней неотступно следовал высокий джентльмен.

Глава 18

Так вещи, однородные в основе,
Свершаться могут разными путями:
Как стрелы с разных точек в цель летят,
Как ряд путей ведет в единый город,
Как много рек в одно впадает море...
Так тысячи предпринятых шагов
Приводят к одному с успехом полным.

Уильям Шекспир*

Сэр Раймонд Уолчемпс последние несколько лет мог считаться человеком преуспевающим. Будучи посвященным в рыцари благодарной королевой, которой он спас жизнь, он пользовался ее благосклонностью.

Кроме того, самая красивая женщина Англии, Корделия Хауэрд, вскоре должна была обвенчаться с ним. Ему удалось отбить ее у Валентина. Пока храбрый капитан бороздил моря в поисках испанского золота, красавица приняла предложение сэра Раймонда.

— Тебе не слишком жарко, дорогая? — спросил сэр Раймонд спутницу.

---

* Пер. Е. Бируковой.

— Вовсе нет, дорогой, — ответила Корделия, переступая через коровью лепешку. — О, Раймонд! Неужели ты не можешь смотреть, куда идешь? Туфли твои теперь безнадежно испорчены!

Сэр Раймонд посмотрел на свою обувь. Она была вся в вонючем месиве. Он скривился и пробормотал:

— Черт, я так и думал. Что-то в этом роде всегда случается в подобных местах. Не знаю, Корделия, зачем ты меня сюда притащила. К вечеру здесь будет как в хлеву.

— Не беспокойся. Мы скоро уйдем с ярмарки. Нас пригласили на ужин сэр Уильям и леди Элспет Дэвис. Ты не забыл? Мне надо время, чтобы привести себя в порядок. Полагаю, это будет чудесный прием. Говорят, сэр Уильям отделал дом на редкость богато.

— Трудно забыть об этом визите, дорогая. Ты не устаешь напоминать о нем каждый день с тех пор, как получила приглашение.

— Знаешь, на ярмарке можно по дешевке купить самые изумительные вещи. В прошлом месяце на Варфоломеевской ярмарке я купила отрез очаровательной золотой парчи. А посмотри на этот шелк. Разве он не восхитителен?! Пойдем скорее, вон там тоже продают ткань, — сказала Корделия, прижимая к носу надушенный платок. — И не забывай, ты сам решил меня сопровождать.

— Если мне удастся выбраться отсюда, пока никто не стащил мой кошелек и не перерезал горло, я буду считать себя счастливчиком, — пробормотал сэр Раймонд. Однако вид у этого господина был такой грозный, что окружающие сторонились и давали ему проход. — И, смею напомнить, это я купил тебе шелковый отрез. Удивительно, как это у меня еще остались монеты.

— Мне бы хотелось, чтобы ты что-то сделал со своей обувью, — поспешила напомнить Корделия. — Пахнет ужасно.

— Как только я найду скамейку, прикажу Прескоту почистить мне обувь, — заявил Раймонд, к явному неудовольствию слуги.

— Надо же, Джордж Хагрэйвс! — воскликнула Корделия, заметив коротышку, продирающегося сквозь толпу. — Опять со своими шуточками. Он меня раздражает, честное слово. А кто это с ним?

Сэр Раймонд проследил за взглядом спутницы:

— Который из них? Один похож на сэра Чарльза Деннинга.

— Ну этого я сразу узнала! Кто тот, другой?

— Томас Сэндрик?

— Нет, не он. Странно. Элиза ничего не говорила о том, что собирается сегодня пойти на ярмарку. А ведь я с ней разговаривала утром.

— Может быть, она и не пошла. У нее и так достаточно дел. Не забывай, что у них маленький сын.

— Глянь-ка! Я так и думала! Это он! — Корделия узнала Валентина Уайтлоу.

— Он? Я удивлен, дорогая, что ты снисходишь до того, чтобы смотреть на него таким восторженным взглядом, — едко заметил сэр Раймонд.

— А, нет, это не Уайтлоу. Это Вальтер Ралли. Так его, кажется, зовут? — Корделия была разочарована. — А как он похож на Валентина! Такой же красавчик.

— Уверен, он мечтает зваться сэром Вальтером Ралли, — пробормотал Раймонд, — да только мечты его так и останутся мечтами, если я не приду на помощь.

— Я слышала, что он душка. — Корделия разглядывала молодого джентльмена.

Сэр Раймонд фыркнул:

— Его и понять-то трудно. Вечно мямлит, будто у него во рту каша. Шотландца и то понять легче, чем этого — с запада.

— Валентина я всегда понимала прекрасно, хоть он тоже с запада, — заметила красавица. — Знаешь, мне кажется, все эти мужчины из Девоншира и Корнуолла такие необычно высокие и темные. Смотри, какое у этого Ралли лицо — как у Валентина. Это просто чудесно.

— Насколько я знаю, ни Валентин, ни Ралли не славятся своим остроумием. Впрочем, ты знакома с Уайтлоу гораздо ближе, чем я. Не так ли, дорогая? Честно говоря, я всегда считал, что этого твоего бесстрашного капитана можно слушать только вполуха. Да он вообще говорит мало, так ведь, милая? Смею предположить, что, когда вы бывали вместе, вы не много времени тратили на бесполезные беседы, верно? Но он слишком подолгу отлучался, чтобы ты могла испытать его не только как любовника, но и как собеседника. Жаль, но ничего не поделаешь. Твоих чар не хватило, чтобы удержать его подле себя надолго. Впрочем, — продолжал он, — не сочти за нескромность сказать, что ты сделала правильный выбор. Через месяц тебе стало бы с ним смертельно скучно. Ты бы измучилась, дорогая, постоянно слушать восхваление твоей красоты.

Впервые в жизни Корделия покраснела. Валентин Уайтлоу не просил ее руки. Не просил с тех пор, как однажды она ему отказала. А было это больше трех лет назад. В преданности Валентина она не сомневалась ни на минуту. По крайней мере до той поры, пока не приняла его приглашение посетить дом в Корнуолле. После этого визита, который никак нельзя было назвать удачным, в их отношениях произошла перемена. Корделия, не стесняясь, высказала все, что думает о Равиндзаре.

Только здесь, в Равиндзаре, он понял: какой бы ни была Корделия Хауэрд красавицей, она не та, с кем бы он хотел прожить жизнь. Их отношения стали более холодными.

Для Корделии настали трудные времена. Привыкшая к сонму поклонников, она внезапно обнаружила, что остался всего один соискатель ее руки и сердца — Раймонд Уолчемпс.

— Пойдем догоним их. — Корделия ускорила шаг.

— Будь я трижды неладен, Корделия, если подойду к ним вот с этим. — Раймонд кивнул на носок туфли. — Я буду здесь, возле этого помоста. — И он нырнул в толпу.

Не хватало только дать повод этому Хагрэйвсу высмеять его завтра на приеме. Зная Джорджа, нетрудно было предположить, что навоз на обуви послужит для него достаточным поводом, чтобы сочинить какую-нибудь историйку.

«Будь проклята эта толчея», — думал Раймонд, высматривая нужного ему человека. Слуга Уолчемпса решил, что хозяин очень щедрый человек, когда тот отослал его прочь, заплатив за работу хорошие деньги. Сэр Раймонд улыбался, несмотря на то что со всех сторон несло потом. Душу ему грел пакет, спрятанный в рукаве. Не позднее чем через полчаса он должен был передать его курьеру, который отправит послание Марии Стюарт.

Сэр Раймонд вздохнул и огляделся. Кто на этот раз будет посыльным? Наверное, письмо заберет какой-нибудь незнакомец. Раймонду сообщили лишь, что он должен отдать послание человеку в синем бархатном берете с красным пером. Он скажет пароль, после чего заберет письмо и исчезнет. Посланник не появлялся, и Раймонд, чтобы скоротать время, стал смотреть представление.

Он не поверил глазам.

На маленькой сцене разворачивалось кукольное представление — сказка. Четверка белых лошадей, запряженных в колесницу из коралла, появилась над ширмой. Деревянные ноги лошадок, приводимые в движение кукловодом, дергавшим за нити, двигались в ритм. Кукла, наряженная по-королевски и представленная как принц Бэзил, правила лошадьми. Рядом с ним была кукла поменьше — Сладкая Розочка.

Во время очень важного путешествия они узнали о кознях джинна, замышлявшего убить королеву Елизавету — правительницу Туманного острова. Они спешили в Англию, но злой колдун из Северной страны, притворившийся другом, предал принца и принцессу. Он поднял бурю и выбросил их на далекий Западный остров.

Однако Лилия, королева Индийских островов, сделала подарок потерпевшим крушение принцу и маленькой принцессе: подарила им четверку лошадей и колесницу из яркоалого коралла. Королева сдержала слово, и быстрые кони понесли их по небу к Туманному острову.

Затем на заднике сцены, изображающей остров с несколькими пальмами, появился священник в темном. В тот же момент навстречу колеснице выскочило существо в странном головном уборе из перьев и в золоченой маске. Началась битва, и принца Бэзила со Сладкой Розочкой взяли в плен.

Тут появилась кукла с развевающимися рыжими волосами верхом на морском коньке. Лилия, королева Индийских островов, вступила в бой с похожим на птицу существом, захватившим принца и принцессу. Джинн не испугался и бросил королеву на риф. Бородатая кукла в короне и со шпагой появилась из моря и спасла несчастную королеву. Но морской царь и королева Индийских островов исчезли, как только появились испанские солдаты, марширующие под барабанную дробь.

Занавес закрылся.

Следующее действие происходило уже при других декорациях. На заднике было изображено сказочное подводное царство с причудливыми башнями и странными деревьями. Русалка и Нептун плыли в пещеру, где был спрятан сундук с сокровищами. Усевшись на золоченый трон, повелитель вызвал свое подводное войско. На его зов приплыли дельфины, черепахи, морские звезды и другие обитатели моря. Вел их юный Тристрам. Беспокоясь за своих друзей, принца Бэзила и Сладкую Розочку, русалка отправилась за помощью.

Сэр Раймонд с нетерпением ждал развязки.

Начался третий акт. На этот раз задник превратился в океан с маленьким, теряющимся в тумане островком. По морю плыл корабль с золотыми парусами и красно-белым флагом на мачте. Английский корабль вступил в бой с испанским и потопил его под одобрительный рев толпы.

В следующем акте опять возникли пальмы и остров. Трусливый священник прятался за деревом, но черный ягуар заметил врага и, схватив его, утащил в лес. Джинн напал на принца и принцессу. Но принц, освободившись от веревок, выхватил шпагу и вступил с джинном в бой.

Раймонд Уолчемпс застыл, когда золотая маска и головной убор из перьев упали с куклы. По толпе зрителей прокатился ропот: джинн оказался вовсе не сказочным существом из Нового Света, а злым колдуном из Северной страны. Глаза у него были разные — голубой и карий. Не мигая смотрел Раймонд, как принц Бэзил сносит кукле голову.

Финальная сцена происходила при дворе. Елизавета — красивая кукла в ярко-рыжем парике и бархатном платье — посвящала в рыцари капитана и благословляла его на брак с королевой Индийских островов. Принц Бэзил, Сладкая Розочка и Тристрам стояли подле нее. А голова куклы с разными глазами торчала на шесте у импровизированных ворот Лондонского моста.

— Они спасли королеву! Да благословит их Бог!

— Справились с разноглазым колдуном, — сказал кто-то совсем рядом с Уолчемпсом.

— Посадили урода на кол! Пусть вороны склюют его башку!

— Как ты думаешь, а такое и впрямь было?

Пять фигур в черных плащах и масках кланялись зрителям.

Раймонд, расталкивая народ локтями, пошел прочь, даже не заметив, как женщина, случайно встретившись с ним взглядом, вскрикнула. Не заметил Раймонд и того, что прошел мимо человека в синем бархатном берете с красным пером, который последние десять минут тщетно пытался протиснуться к нему.

Однако Уолчемпс не ушел далеко. Делая вид, что интересуется изделиями из меди, выставленными в ларьке неподалеку, он смотрел, как высокий молодой человек в зеленой куртке переносит маленькую, закутанную в черное фигурку через заборчик у помоста. Оказалось, маска была на девочке лет семи. Мальчик лет десяти перебрался через деревянное заграждение без посторонней помощи. Дети смеялись над шуткой своего взрослого друга. Парень в куртке подал руку последнему артисту в плаще. Тот легко перелез через заборчик.

У Раймонда перехватило дыхание. Он узнал Лили Кристиан.

— Поздравляю, последнее представление на сегодня закончилось, Лили Франциска, — произнес Ромни. — Я думаю, тебе надо еще попрактиковаться с лошадьми, Одел. Ты чуть проволоки не оторвал, — сказал он Фарли.

— Хотел бы я посмотреть, как бы ты с этим справился, — хмыкнул Фарли, накидывая Тилли на плечи свой плащ. — Ни разу не слышал, чтобы ты жаловался по поводу денег, которые получаешь за нашу работу.

— Так ты и впрямь думаешь, что народ повалил бы любоваться на твое милое личико, если бы я не заговаривал им зубы? — усмехнулся цыган. — Мне надо бы брать себе побольше. Проклятая щедрость, ничего не могу с собой поделать.

Я уже начинаю подумывать, не пустить ли тебя на кулачный бой с этим буйволом — твоим братцем. В перерыве между серьезными поединками, разумеется. Тогда мы, может быть, смогли бы купить тебе медвежонка, чтобы ты водил его.

— Эй, ты...

— Фарли, прошу тебя, не надо. — Лили встала между задирами.

Братья Одел и Ромни Ли никак не могли поладить друг с другом. И чем дальше, тем хуже...

— Ромни, не смей! — воскликнула Лили, заметив, что тот хочет вытащить нож.

— Только ради тебя, — пробормотал цыган и посмотрел на Лили таким взглядом, который встревожил Фарли сильнее, чем угроза получить ножом в живот.

— Раф, лежать! — заорал Тристрам, спасая реквизит от любопытного пса, норовившего засунуть нос в коробку, куда Тилли аккуратно сложила кукол, плащи и прочие принадлежности кукольного театра.

— Не кричи на него, он и так тебя поймет. — Дульси погладила свою большую собаку.

— Интересно, как там Фэрфакс? Пойду посмотрю, — пробурчал Фарли.

— Сначала будку запри, — напомнил ему Ромни.

— Я сама запру, иди, — сказала Лили, заметив, что Фарли надувает грудь, как боевой петушок.

— Спасибо, госпожа Лили, — быстро ответил Одел. Широкая улыбка расцвела на его лице, когда цыган открыл рот, чтобы возразить.

— Можно мне с тобой, Фарли? — спросил Тристрам.

— Я-то не против. Как, госпожа Лили?..

— Хорошо, — кивнула девушка. — Но только не задерживайтесь, а то пропустите ужин. И я не хочу, чтобы вы смотрели на травлю быков: потом Тристрам заснуть не может.

— Опять мясной пирог? — скривил губы Тристрам.

— У меня нет ни времени, ни денег приготовить что-то другое, Тристрам.

— Он холодный, — протянул мальчик, — а значит, невкусный.

— Я сегодня кое-что заработала, так что можно купить булочки, — предложила Тилли.

— Ах ты моя булочка! — воскликнул Фарли. — Тогда мы точно не опоздаем.

В самом деле, рисковать не стоило, потому что Тилли сейчас ела за целую роту солдат.

— Присматривай за ним, ладно, Фарли? — попросила Лили, мало надеясь на то, что Одел ее послушает.

— Хорошо, госпожа. Пошли, Тристрам.

— Я уже говорил тебе, Лили Франциска, ты слишком добрая. — Ромни пристально смотрел на нее. — Ты очень похудела. Я видел, как ты отдавала свою долю той женщине. Ты должна была позволить мне разобраться с Оделами. Они пользуются твоей добротой. Все пользуются, и я в том числе, — добавил он едва слышно.

— Ты? Ты для нас сделал очень много. Я у тебя в неоплатном долгу, Ромни. Если бы ты не помог нам убежать из Хайкрос тогда... я даже думать боюсь, что могло бы случиться. Но за Оделов я отвечаю. Фарли и Фэрфакс работали в Хайкрос с самого детства. Разве ты забыл, что у Тилли будет ребенок? Это ее первенец. Она боится. К тому же Барклай никогда не кормил ее досыта, и она истощена. Кроме меня и Фарли с Фэрфаксом, у нее никого нет. — И Лили повернулась.

— Ты куда?

— Я хочу забрать из будки куклу-колдуна. Ей достается больше, чем другим. Неудивительно — сколько раз на день мы рубим ему голову!

— Почему колдун, а не ведьма? В сказках чаще встречаются злые колдуньи.

— Не знаю, — ответила Лили, разглядывая деревянную голову с разными глазами. — Наверное, потому, что Бэзил нам рассказывал о колдуне, а не о колдунье. И еще потому, что этот колдун напоминает мне одного человека, — добавила Лили, отвернувшись от куклы, чьи неживые глаза смотрели прямо на нее.

Она оступилась.

— Осторожнее. — Ром поддержал ее. — Не хочу, чтобы что-нибудь случилось с моим лучшим артистом.

— Что со мной может случиться, если ты всегда рядом? Ромни рассмеялся, запирая двери будки.

— Я просто берегу свою собственность. За тобой нужен глаз да глаз. Слишком много бездельников шляется вокруг. Отвернешься — а тебя уже кто-нибудь утащил.

Лили рассмеялась.

Что было дальше, Раймонд не знал, ибо людей, за которыми он наблюдал, скрыла толпа.

Валентин стоял на палубе «Мадригала» и смотрел на город. Впервые за долгие месяцы вместо мачт он видел уходящие в небо шпили церквей. Вместо грохота пушек слух его ласкал колокольный звон. Над городом стлался дымок, но то был мирный дым из каминных труб, а не пороховой дым битвы. «Как хорошо дома», — думал капитан. Корабль возвращался после очередного плавания.

Валентин взглянул на спущенные паруса. Вот такими они будут, когда он сойдет на берег. Такими останутся еще долго. Капитан решил не покидать Англию, пока Артемис не родит. Он обещал ей, что будет около нее. Как странно: у него родится племянник или племянница — Пенморли. Валентин тряхнул головой. Ничего против сэра Роджера он не имел, и если Артемис с ним счастлива, что же — и он может чувствовать себя счастливым.

— Шутка? — спросил Мустафа, словно прочел мысли хозяина.

— Нет, просто каприз судьбы, — усмехнулся капитан.

— Не думать всякое плохое. Не думать вперед, капитан. Никто не знать. Случаться. А почему — не знать, — сказал турок. — Мустафа не думать — и все хорошо.

— Да, Мустафа, ты прямо настоящим философом стал, — прищурился Валентин.

— Много ошибок, капитан. Много плохо. Мустафа давно маленький. И много думать. Мустафа вырасти. И не думать. И хорошо.

Уайтлоу улыбался.

— Ну что же, я благодарен судьбе за то, что свела нас тогда на александрийском базаре.

Турок поклонился. Ему легче было объясняться жестами, чем словами.

— Вот это и впрямь можно назвать подарком судьбы, — пробормотал Валентин, глядя на берег. — Ты видишь ее, Мустафа, или это мираж? Может, наваждение или Нереида, что обольщает моряков и уводит за собой в пучину?

Мустафа посмотрел туда, куда показывал капитан.

По берегу на белоснежном коне скакала самая красивая женщина на свете. В зеленом платье, ярком, как трава, растущая на берегу реки, с волосами, похожими на пламя, она скакала, свободная и прекрасная.

— Хотел бы я знать, кто она такая, — пробормотал Валентин. — Надо будет найти ее. Она скачет к ярмарке. Странно, что я не заметил ее там днем. Завтра после встречи с королевой я вернусь и попробую ее отыскать.

Шелковые портьеры колыхались от легкого ветерка. Они закрывали широкие окна с цветными витражами. На стенах огромного зала висели гобелены. Потолок украшала богатая лепнина. На длинном столе стояли серебряные блюда со всевозможными лакомствами. Шесть музыкантов играли чудесную музыку.

— Работа по разбивке сада еще не совсем завершена — мы решили вначале отделать дом, — но к следующей весне, думаю, закончим. Парк должен получиться чудесный, — говорила одному из гостей леди Элспет. — Уже посадили деревья. Да, конечно, оранжерея тоже будет. В самом деле? Право, хороший совет.

Ужин закончился. Стол был накрыт для десерта.

— Надеюсь, всем здесь нравится? — спросил сэр Уильям. Элстет кивнула. Хозяева заняли места во главе стола.

— Всем, всем, — ответил сэр Чарльз с набитым ртом. — Вы должны дать нам рецепт этого пирожного, леди Элспет.

— Непременно, сэр Чарльз. Я прослежу за тем, чтобы леди Деннинг получила его перед отъездом.

— Пока все идет хорошо, — шепнул сэр Уильям и незаметно пожал жене руку.

— Да. О, спасибо, я рада, что вам у нас нравится, — с улыбкой ответила леди Элспет на очередной комплимент.

— Жаль, что Саймона нет.

— Мне тоже. Я надеялась, что он приедет, но теперь у него появилось множество обязанностей как у хозяина Уайтсвуда. Боюсь, он взваливает на себя слишком много дел.

— Он ведь еще мальчик, Элспет.

— Мальчик, который очень скоро станет мужчиной, Уильям.

— Что ты имеешь в виду?

Элспет Дэвис улыбнулась:

— Только то, что недолго ему еще жить в Уайтсвуде одному. Ты помнишь, зимой он навещал Хайкрос?

— Да, ничего странного в этом не было, — ответил сэр Уильям. — Дульси — его сестра.

Сэр Уильям пожалел о своих словах: тень пробежала по лицу леди Элспет.

— Он обожает Дульси, но, как я подозреваю, еще больше — Лили Кристиан. После этого визита он изменился — сначала из него слова было не вытянуть, а когда он вернулся из своих заоблачных мечтаний, то только и говорил о том, какая красавица Лили.

Сэр Уильям задумался.

— Ну что же, — сказал он. — Если парень ее любит, так тому и быть. Лили Кристиан была бы нам прекрасной невесткой. У меня нет никаких возражений. А ты как на это смотришь?

— Как бы я на это ни смотрела, моего сына едва ли заинтересует мое мнение, если он влюблен по-настоящему. Нам надо пригласить сюда Лили Кристиан и ее брата и сестру.

— Корделия выглядит сегодня прелестно, — бросил Дэвис.

— Да, как всегда. Я не думала, что она примет приглашение. Она едва не опоздала на ужин, — произнесла Элспет.

— А эти? Тоже припозднились? Я не заметил, когда они появились. — Ее супруг кивнул в сторону Джорджа Хагрэйвса под руку с очень высокой молодой женщиной. Бедный Джордж был вынужден почти бежать, чтобы поспевать за широким шагом своей дамы.

— Клянусь, он это нарочно устроил, — пробормотал Уильям, заметив, что многие из гостей смеются, глядя на ужимки коротышки.

— Тебе не стоит переживать из-за того, что Минерва якобы страдает от насмешек. У нее совершенно особенное чувство юмора. А ее рост распугивает большинство молодых людей. Я, однако, уверена, что ей все это очень нравится. Скажу больше, она одна из очень немногих женщин, с которыми любят общаться.

— Валентин когда возвращается?

— На днях. Почему ты спрашиваешь?

— Мне любопытно, знает ли он о помолвке Корделии с Раймондом. Я всегда думал, что они с Валентином поже... тся. Она в прошлом году ездила в его дом в Корнуолле.

— Артемис говорила, что этот визит не оправдал надежд ни той, ни другой стороны, — заметила леди Элспет.

— Кстати, о сестре Валентина. Мне странно видеть здесь сэра Роджера. Никак не думал, что он уедет из Корнуолла, когда Артемис в положении.

— Я встретила его в городе и убедила сопровождать нас в Риверхаст. Я уговорила Роджера дождаться у нас возвращения Квинты из Шотландии. Она, кстати, очень беспокоится за Артемис и решила вернуться в Равиндзару пораньше. Я думаю, сэр Роджер здесь потому, что ему нужно отвезти ее в Корнуолл. Ну и... найти хорошего доктора для Артемис. Они могли бы приехать в Корнуолл все вместе.

— Что-то случилось?

— Нет, все пока идет хорошо. Но этот ребенок будет у Роджера первым, и он беспокоится. Гонория, сестра Роджера, осталась с Артемис. Ты уже забыл, как волновался, когда я собиралась родить тебе первенца?

— Вторых родов я боялся куда больше. Эй, Томас! Как дела? Элиза, вы как всегда прелестны. Могу я для вас что-нибудь сделать?

— Прекрасный банкет, сэр Уильям.

— Я покорена Риверхастом, леди Элспет, — застенчиво сказала Элиза.

— Спасибо. А как поживает юный Генри, Томас?

— Последнее время капризничает. Все время плачет. Мне кажется, это из-за сыпи. Не знаю, чем снять зуд.

— Слишком много ночей я провел без сна, чтобы достойно изображать гордого отца, — вздохнул сэр Томас.

— Я дам вам мазь. Она творит чудеса. Извините меня, я отлучусь за лекарством, пока не забыла.

— Спасибо, буду очень благодарна за любые советы.

Леди Элспет ушла.

— Мэри Уортингтон нас ищет, Томас. — Хагрэйвс спрятался за спину своей высокой подруги.

— Мне нечего бояться. Или ты забыл, что я женат? — напомнил Томас своему пугливому приятелю.

— Прежде ее это не слишком заботило. — Джордж украдкой взглянул на приближающуюся женщину. — Едва ли тебе повезло больше, чем мне, дружище.

— Она идет не к вам, а ко мне, — беспечно сказала Элиза. — Мы не закончили разговор, — добавила она и направилась к Мэри.

— Без обид, Томас, но с тех пор, как ты женился на Элизе, в ней все больше и больше проявляется общего с братом. Никогда не замечал раньше, что у нее острый язычок, — добродушно произнес Джордж, жалея в глубине души о том, что проглядел такую партию.

— Раймонд ставит себя выше всех и особенно выше сестры. Он всегда считал ее серой мышкой.

— А у мышки оказались зубки, да?

— В том, что касается меня или нашего сына, она — настоящая тигрица. Так что советую тебе быть осторожнее.

— Спасибо за предупреждение.

— Интересно, где Раймонд? — Томас смотрел на Корделию и Вальтера Ралли.

— Скорее всего сидит где-нибудь и дуется на свою невесту. Мне казалось, он и раньше не жаловал этого красавчика брюнета.

— Я начинаю беспокоиться за Ралли. — Джордж налил себе вина. — Конечно, скрестить шпагу с Уолчемпсом опасно, но еще опаснее флиртовать с этой волчицей. Может, предупредить его?

— Не стоит. Ралли сам о себе позаботится.

— Ну, скажешь тоже, — ухмыльнулся Джордж. — Скорее этот красавчик...

Вернувшись в зал минут через пятнадцать, леди Элспет не нашла ни мужа, ни Томаса с Джорджем.

— Похоже, нас бросили, Элиза, — сказала она. — Куда все исчезли?

— Действительно, странно...

— Может быть, Уильям повел джентльменов в галерею? Давайте выручать Минерву, ей, кажется, нелегко поддерживать беседу с леди Деннинг. Даже сэр Чарльз и тот исчез.

— Моя будущая невестка нисколько не скучает, — заметила Элиза. — Интересно, знает ли она, что говорят о Вальтере Ралли в обществе?

Леди Элспет быстро посмотрела на скромницу Элизу. Эта женщина оказалась совсем не тихоней-провинциалкой, какой представлялась вначале. Кто знает, чего еще можно ожидать от этой «темной лошадки»!

— Что же говорят? — со сдержанным интересом спросила хозяйка дома.

— Говорят, что он любит девок подоступнее.

Леди Элспет не знала, верить ли ушам. Но каким бы грубым ни было замечание, от правды не уйдешь. Хозяйка дома присмотрелась к парочке. Действительно, складывалось впечатление, что эти двое нашли друг друга. Оставалось лишь надеяться, что Раймонд Уолчемпс не наблюдает сию прелестную идиллию.

— Да уж, ты действительно не торопишься. Смотри, луна скоро взойдет. Неужели ты не мог подойти пораньше? — выговаривал Уолчемпс.

— Нет не мог, — ответил пришедший. Лицо его было в тени. — Зачем ты меня искал? Что случилось? Ты весь вечер был как на иголках.

— Ты еще спрашиваешь, что случилось? — взорвался Раймонд.

— Ты заболел?

— Мы попали в беду, мой друг.

— Какую беду?

— Я сегодня был на ярмарке.

— Ну и что?

— Мне поручили передать письмо от папы посланнику, который должен был доставить его Марии Стюарт.

— Я знаю. Тебя ведь не поймали, не так ли? — Собеседник Уолчемпса начал терять терпение.

— Беспокоишься обо мне или о своей собственной драгоценной шкуре? Если бы меня поймали, то я был бы сейчас не здесь, а совсем в другом месте. Но если ты все знаешь, тогда вот что: передай письмо сам. У меня есть дела поважнее. — Сэр Раймонд сунул бумагу в руки сообщника.

— Господи! Оно все еще у тебя! И ты принес его сюда, когда вокруг столько людей! Ты с ума сошел?!

— Ты считаешь меня сумасшедшим? Нет, мой друг, я в отчаянии. И сейчас ты поймешь почему.

— Ну?

— Сегодня я видел одно представление в кукольном театре на ярмарке.

Собеседник хмыкнул:

— Представление? Ты вызвал меня, чтобы рассказать о кукольном спектакле?

— Да, жаль, что тебя там не было. Увы, тебе уже не удастся увидеть этот восхитительный спектакль. Я сделаю все, чтобы это представление оказалось последним. Ты хотел бы послушать о белых конях и злом колдуне?

— Раймонд, я пойду.

— О, прошу тебя, потерпи мое общество еще немного. Я хочу рассказать тебе об одном злом колдуне с разными глазами, который хотел убить Елизавету, королеву Туманного острова. О том, как принц Бэзил, потерпевший кораблекрушение на Западном острове, должен был спасти королеву. О его помощниках — Лилии, Сладкой Розочке и Тристраме. Насколько я помню, «дульси» по-испански звучит как «сладкая», не так ли? Не кажутся ли тебе эти имена знакомыми? А должны бы. Все верно, так зовут тех самых детей, что сейчас путешествуют с цыганским табором и показывают это представление всему белому свету. Что с тобой? Ты больше не смеешься? О, не переживай, нас еще не ищут. Но это может произойти в любую минуту, мой многострадальный друг. Если кто-то увидит это представление и обо всем догадается, все наши планы рухнут.

— Наши?

— О, понимаю. Ты думаешь, что раз у меня лицо запоминающееся, а у тебя — нет, то ты в безопасности? Запомни, если меня арестуют за измену, то будут пытать. Когда я окажусь на дыбе, я назову твое имя. Если я должен буду умереть как предатель, то и тебя постигнет та же участь.

Собеседник Раймонда молчал.

— Ты говоришь, что сделаешь так, чтобы кукольного представления больше не было. Тогда что еще тебя беспокоит?

— С кукольным театром я разберусь. Но теперь я должен покончить с Лили Кристиан. Пока она жива, нам грозит опасность. Бэзил, кажется, предвидел свою смерть, не правда ли? Удивительно тонкий ход! Он не мог сказать королеве то, что знал, так вместо этого сочинил своим отпрыскам сказку о предательстве и возмездии. Как будет смешно, если кто-то еще поймет мораль сказки Бэзила Уайтлоу. Будь он проклят!

— Но почему сейчас? Что Лили Кристиан делает на ярмарке? Насколько я понимаю, она должна быть в Хайкрос. Почему она не там? Что нам делать?

— Я рад, что ты наконец понял всю серьезность нашего положения. Но ты по-прежнему хочешь остаться чистеньким. Что делать? Ты не понимаешь? Ты слишком добросердечен, мой друг. Я сам справлюсь. Почему Лили покинула Хайкрос — не наша забота. Довольно того, что она здесь, где я смогу до нее добраться. На этот раз я доведу дело до конца. Вскоре Лили Кристиан будет мертва. И никто ее не спасет.

Едва рассвело, Саймон Уайтлоу вскочил на коня. Так ему хотелось поскорее оказаться в Хайкрос.

Лили, Дульси и Тристрам, конечно же, удивятся его приезду. Он скажет им, что был поблизости и решил заехать. Как он мог проезжать мимо и не заскочить! Миля за милей он повторял имя Лили Кристиан и свое объяснение. Саймон Уайтлоу готовился произнести первое в своей жизни признание в любви.

Глава 19

Дело плохо;
Здесь что-то кроется.

Уильям Шекспир*

— Один пепел, — пробормотал Тристрам, ступая по черной от пожара земле. — Ничего нет. Как мы теперь будем жить, Лили? Чем зарабатывать? — Он смотрел на то, что осталось от их будки. Пожар уничтожил все. Обгорелые доски да кучи золы — вот все, что осталось от маленького кукольного театра.

— Все сгорело! Все наши куклы погибли, Лили, — плакала Дульси. С каким старанием и любовью вышивала малышка упряжь для коней, и сейчас все ее труды пошли прахом. — Бедный принц Бэзил! Я его так любила.

— Так что же нам делать, Лили?

— Не знаю, Тристрам.

Она отвернулась от брата. Вокруг стояли люди. Лили вскинула голову. Она устала от постоянной необходимости принимать решения. Сейчас, когда их кукольному театру пришел конец, как им зарабатывать на жизнь? Они, конеч-

---
* Пер. М. Лозинского.

но, могли собирать монеты, которые им бросали во время процессии на открытии ярмарки, но этих денег было бы недостаточно. То, что они заработают, пришлось бы делить со всем табором. В этом случае денег не хватило бы даже на еду. По неписаным законам табора местная знать забирала львиную долю себе. Благодаря кукольному театру впервые за несколько месяцев у Лили появилась возможность отложить небольшую сумму на дорогу к няне. А там девушка рассчитывала найти способ самой заработать на пропитание. Не будь они в таком отчаянном положении, не стала бы Лили искать приюта у Мэри Лестер. Ведь бедная женщина жила у своей овдовевшей сестры на содержании.

— Хотел бы я знать, как вообще начался этот пожар, — сказал Фарли, глядя на хмурые лица вокруг.

— Из-за вашей неосторожности, — произнес кто-то.

— Получили что заслужили.

— Так, может, кто-то помог вспыхнуть пожару? — набычился Фарли. — Сдается мне, здесь немало тех, кто нам завидует.

— Давно надо было вас спалить.

— Эй, кто это сказал?

— Я! Только не я жег вашу будку.

— Посмотрим, что ты запоешь, когда тобой займется Фэрфакс.

— Мой шатер слишком близко к вашему театру. Если бы я не боялся, что от случайной искры я могу погореть сам, давно бы вас поджег. Можете не сомневаться, я бы не стал отпираться.

— И я бы хотел спалить вас!

— Выходи, посмотрим, кто кого. Вы, трусы! — взревел Фэрфакс и шагнул навстречу враз притихшим цыганам. Смельчаков не было.

— Вы говорите, мы вас сожгли? — выкрикнул кто-то и тут же спрятался за спины остальных, подальше от кулаков Фэрфакса.

— Может, и говорим, а может, и нет, — сказал Фарли.

— Что толку винить друг друга? Это не поможет нам заработать, — произнес Ромни Ли. — Скорее всего на театрик попала искра от фейерверка. Такое и раньше случалось. Только и всего, что недели две не будет кукольного представления, пока мы не смастерим новых кукол.

— А что нам делать эти две недели? Голодать? — спросил Фарли, посчитав, что уж слишком все у Ромни гладко выходит. — Почему тогда искра выжгла только нашу будку, а чужие не тронула? Фейерверк был не так уж близко. Так что, вернее всего, кто-то из твоих собратьев-пройдох подкинул сюда горящую головешку.

— А может, кое-кому пора поворачивать оглобли от нашего табора!

— Да-да, пора им двигать отсюда.

— Забыли, что предсказывала старая Мария? — крикнула Навара. Прокатился гул, многие поддерживали ее.

— Верно, Мария предсказывала плохое.

— Да, Мария говорила, что случится беда, с самого начала, едва только Ромни привел их к нам.

— Мария предсказывает несчастья все три последних года, — огрызнулся Ромни. — Она делает это всякий раз, как другие ее предсказания не сбываются.

— Ты призываешь несчастье, Ром.

— Странно слышать твои насмешки, Ромни. Ведь в тебе течет цыганская кровь. Мать, верно, в могиле перевернулась, услышав твои слова.

— Это девчонка тебя дурачит, Ром, а не старая Мария. Спроси у старухи, что она видела, Ромни Ли, — не унималась Навара.

— Меня не интересует, что она там думает или видит. — У Рома был такой вид, что девушка невольно отступила. — Я говорю — они останутся с нами.

— А кто ты такой, чтобы решать за всех нас, Ром? — спросил дядя Навары. — Я, цыганский барон, и совет старейшин всегда принимали здесь решения. Мне кажется, Навара права. Ты околдован девчонкой. Ты думаешь, что с ней тебе будет лучше, чем с моей Наварой? Так ты дурак, парень! Она приносит несчастье.

— Ты говоришь, надо избавиться от них? Мы никогда не делали таких денег на процессии, пока не появилась Лили. Да и их кукольный театр, которым вы все здесь недовольны, собирает толпы людей на ярмарке, и в ваши будки заглядывает куда больше народу, чем раньше. И что же, из-за бормотания старой дуры и сплетен ревнивой бабы вы позволите денежкам проплыть мимо ваших карманов? Ты не можешь быть таким дураком, Джон. Ты сказал, что ты и совет решите все за всех нас, остальных? Тогда иди собирай совет. А когда головы у вас поостынут и вы сможете расслышать звон монет в ваших карманах, вот тогда повтори, что они должны уехать.

— Да он, пожалуй, прав, Джон.

— Она убежала из своего дома, потому что в ней признали ведьму! Она наложила на него заклятие! Не слушай его, дядя Джон! — Навара топнула ногой.

— Эй, да мы знаем, что Навара бесится из-за того, что Ром свил гнездышко под боком у другой, — подал голос кто-то из толпы.

— Довольно! — заорал Джон. — Ярмарка открывается через час. Нам надо подготовиться к процессии. Займитесь делом! Совет состоится сегодня вечером. У тебя будет возможность сказать свое слово, Ром. На совете мы решим, как быть с Лили Французской и остальными. И нечего на меня пялиться! — рявкнул он на племянницу.

— Прости, Ром. — Лили дотронулась до своего покровителя. — Мы должны уехать. Мы действительно чужие здесь. Теперь, когда у нас больше нет кукольного театра, мы не можем путешествовать с вами. Я продам одного вола и отдам тебе половину за причиненные неприятности, остальное нам надо приберечь для путешествия к Мэри Лестер. Когда мы приедем туда, я продам другого вола и отправлю тебе вторую часть. Ты столько для нас сделал, а мы принесли тебе одни несчастья. Старая Мария права: мы причиняем одни неприятности, и не только тебе. Стоит нам появиться, вернее, мне, и перестает везти даже самому удачливому.

— Не говори так, Лили Франциска. Я даже слышать не хочу о том, чтобы ты уехала с ярмарки. Здесь твое место. Ты ведь была здесь счастлива, правда?

— Да, но так дальше продолжаться не может. Мы целое лето играем в «попробуй поверить в...». Я устала притворяться, что все хорошо. Я не могу забыть, что мы оставили мертвого Хартвела Барклая в Хайкрос. Нас ищут, Ром. Быть может, настало время открыться и сказать правду.

— Нет!

— Ром, ты должен понять...

— Я понимаю, Лили Франциска. Я понимаю все куда лучше тебя. Этим деревенским ты все равно ничего не сможешь доказать. Они думают, что ты виновата в смерти Хартвела Барклая. Я знаю, я с ними говорил тогда в деревне. Ты не помнишь? Я пошел в Хайкрос. Я слышал, что говорила кухарка. Я разговаривал с конюхом. Они уже вынесли тебе приговор и видят тебя на виселице. Прошу тебя, послушай, Лили Франциска! Ты не должна возвращаться в Хайкрос!

— Я с ним согласен, — произнес Фарли. — Эта свора едва ли станет утруждать себя допросами. Даже ваши влиятельные родственники, госпожа Лили, не смогут вас спасти. Кроме того, вы не сможете дать знать о себе. Как говорит цыган, вас или повесят, или сожгут на костре еще до того, как они успеют что-то предпринять. Послушайте его, госпожа Лили.

Ромни Ли взглянул на Фарли с благодарностью:

— Он прав. Он же родился в Ист-Хайтворде и знает своих односельчан даже лучше, чем я, Лили Франциска. Что плохого в том, чтобы побродить по ярмаркам подольше? Хотя бы до зимы? Мы сможем вполне сносно прожить, пока не сделаем новых кукол. Фэрфакс будет бороться. Я стану ему помогать, — сказал Ромни.

— Я буду жонглировать, — сказал Тристрам.

— Я буду печь печенье с корицей, — предложила Тилли. — Боюсь только, мне не по силам их продавать. Нелегко с таким животом пробираться сквозь толпу.

— Мы с Рафом могли бы их продавать! — воскликнула Дульси. — И еще я могу танцевать.

— Да, — проговорил Ром, — это привлечет покупателей. Но мы еще должны показать товар лицом. Можно впрячь пса в маленькую тележку, полную печенья, а может, приторгуем цветами и лентами. Обезьяну и попугая тоже надо посадить в телегу. Они будут удерживать внимание покупателей и забавлять их. Но пока Дульси будет танцевать, надо, чтобы кто-то присматривал за тележкой. Ты согласна, Лили?

— А разве у меня есть выбор? — Она немного воспряла духом.

— Нет, я никогда не позволю тебе сделать иной выбор, — тихо сказал Ромни.

— А как насчет меня? — сердито поинтересовался Фарли.

— Ты мог бы ходить в толпе, завлекая народ в палатки. Я прослежу за тем, чтобы владельцы лотков и палаток отстегивали тебе деньги за старание. Ты мог бы рассказывать свои удивительные истории, оставляя конец на потом, до тех пор, пока не подведешь народ к ларьку.

Фарли усмехнулся:

— Вижу, я недооценивал тебя, цыган. Если бы я носил шляпу, то снял бы ее сейчас перед тобой.

— Что это? — Ромни указал на предмет в руках Лили.

— Это колдун, — сказала она.

В руках у нее была деревянная кукла с разными глазами. Эти глаза, нарисованные на безобразном лице, смотрели на нее не мигая.

— Странно. Из всех кукол уцелела та, которую я люблю меньше всего.

— Ну что же, по крайней мере одну не придется делать заново, — сказал Ромни. Он взглянул на то, что осталось от их маленького театра. Цыган прекрасно понимал, что такое не могла сделать случайная искра от праздничного фейерверка.

Саймон ехал по узкой дороге, ведущей в Хайкрос-Холл. Он улыбался, представляя, как войдет в зал.

У конюшни стояли несколько лошадей и телега, запряженная полудохлой клячей. Они не принадлежали хозяевам Хайкрос. Гадая, кто же мог приехать с визитом, Саймон спешился. Посетители прибыли не издалека, поскольку лошади не вспотели.

Он поднялся по ступеням и постучал.

— Да? — Дверь открыл привратник с лошадиной физиономией. Весь его вид говорил: он сомневается, что этот юноша в запыленных сапогах может иметь какие-то дела в Хайкрос.

— Я Саймон Уайтлоу.

Слуга продолжал смотреть на молодого человека, не предпринимая никаких действий.

— В самом деле?

— Да! Я приехал навестить свою сестру Дульси, а также Лили и Тристрама Кристиан. Пожалуйста, сообщите своему господину о моем приезде, — приказал Саймон слуге, уже больше не пытаясь вести себя в соответствии с этикетом. Он увидел, как перекосилось лицо слуги. — Ну? Чего ждешь?

Слуга впустил гостя в дом.

— Вы подождете здесь, сэр?

Саймон открыл рот, чтобы возразить, но слуга исчез. Юноша бросил шляпу на скамью, но сидеть, как пай-мальчик, и ждать он не собирался. Почему так тихо? Дом словно вымер. Не слышно было даже лая Рафаила.

Саймон подошел к лестнице. Он ожидал, что кто-нибудь из обитателей Хайкрос вот-вот появится наверху, но все было по-прежнему тихо. Вздохнув, он уселся на нижнюю ступеньку и вытянул ноги. Опять наверху послышались шаги. Саймон вскочил. Это была служанка.

— О, простите, сэр, — пробормотала она. — Вы меня напугали. Я не знала, что в холле кто-то есть.

— Кто вы? — спросил Саймон. — Что случилось с Тилли?

— О, сэр, Тилли ушла, месяца четыре назад, вместе с остальными.

— С кем остальными? Кто ушел?!

Служанка попятилась.

— Ну как же, с юной госпожой и остальными. С младшими. И с братьями Одел. Тилли, говорят, тоже ушла с ними. Все убежали. Меня не было, когда это случилось, но я слышала, что это было ужасно. Кухарка... У нее до сих пор бывают кошмары. Подождите, сэр! Наверх нельзя!

Саймон Уайтлоу взлетел по ступеням. Пробежал по коридору. Наконец он оказался перед гостиной, где принимал приезжих Хартвел Барклай.

Дверь в комнату была приоткрыта. Саймон не стал входить, а прислушался к разговору. И по мере того как он слушал, лицо его все больше вытягивалось.

— Я думаю, что обвинения должны быть выдвинуты против Лили Кристиан. В прошлом я имел дело с некоторыми процессами, касающимися колдовства. И сейчас вижу неопровержимые доказательства того, что девица находилась в сговоре с дьяволом. Несколько часов допроса — и она сознается во всем. Расскажет и о колдовстве, и о других своих кознях. Мне бы хотелось получить от вас поддержку в этом деле, господин Мартиндейл. Как констебль, вы, конечно же, будете вести расследование. Подумайте, ваше имя станет известно в стране. А вы, доктор Уолтон, должны произвести освидетельствование Лили Кристиан, предоставив заключение о том, что она действительно является ведьмой.

Саймон подошел поближе. Слуга был в комнате. Он стоял у дверей. Из-за его спины Саймон разглядел толстого напыщенного человека в одежде пастора. Этот неприятный субъект размахивал руками, обращаясь к двум дамам, сидящим перед ним. Двое джентльменов у окна кивали.

— Я могу свидетельствовать, что бред Лили Кристиан во время лихорадки, которой она болела в прошлом году, был весьма необычного свойства, — пообещал доктор.

— А я могу привести перечень странных событий, произошедших в Ист-Хайтворде с тех пор, как в Хайкрос приехала Лили Кристиан, — поддакнул констебль.

— О, преподобный Баксби, то, что она делала, — греховно, совершенно греховно, — запричитала рябоватая молодая особа, восхищенно глядя на пастора. — Я так боюсь того колдовства, о котором вы мне рассказывали. Я уверена, что именно она виновата в том, что я упала и сломала ногу, и этот случай с бедным Хартвелом...

— Успокойся, Мэри-Энн, а то ты опять свалишься в обморок. — Госпожа Фортхэм опасалась, что дочь вот-вот начнет икать.

— Вы правы, Мэри-Энн, я уверена, что она наложила на нашу деревню заклятие. Я представлю этому факту такие неопровержимые свидетельства, что колдунью сожгут на костре немедленно!

— Ох, — вздохнула девушка.

— Почему она вечно разговаривает со скотиной? Что это за конь, с которым она говорит, как с человеком, и на котором не может ездить никто, кроме нее? Что это за непонятные создания привезла она с собой из Нового Света? Да в тех землях дикари якшаются с дьяволом и всякими там своими идолами! Один бес знает, чему она там научилась, на этих своих островах! Кто расскажет, что там у них за чудовищные обряды? Они там даже людей едят!

— О-ох!

— Мэри, Мэри! Успокойся! — воскликнула госпожа Фортхэм.

— А как можно объяснить легкость, с которой им удалось бежать? — продолжал вопрошать преподобный Баксби. — Той самой проклятой ночью она вскочила своему колдовскому коню на спину и улетела в небо. Громы и молнии сопровождали ее в пути к тому месту, куда отнесло ее волшебство. Никого не смогли мы найти. Ни одного слова о них не услышали. Ни одной весточки ни от единого смертного! Словно растаяли в воздухе. Мы имеем свидетеля в этом самом доме, свидетеля ее дьявольской похоти. Чтобы сбить нас с пути истинного, послана она была в наши края силами ада! Разве не наша святость причина того, что Господь избавил наше святое место от порождения сатаны?

— Она и в воде не тонет! Потому что колдунья! Разве не пользуется она дарованными ей сатаной чарами для обольщения ближних? — неистовствовал преподобный. Затем, сложив на груди руки, он обратился к врачу: — Вы осматривали Лили Кристиан. Видели ли вы на ее теле отметку дьявола? Это было бы неоспоримым доказательством ее виновности.

— Ну, — задумчиво протянул врач, — я бы смог отыскать эту метку, если бы мне удалось осмотреть ее вновь.

— Да, доктор. Ведьмы достаточно хитры, чтобы прятать проклятые метки, оставленные дьяволом. Но Лили Кристиан не сможет упорствовать, если я применю верные методы убеждения. Немногие выдерживают, когда им сжимают голову кольцами или тычут иголками тело, кроме, конечно, тех случаев, когда дьявол прочно вселяется в грешниц и делает их нечувствительными к боли. Не сомневайтесь: не успею я начать, как она, ее брат и сестра будут гореть на костре!

— Как вы смеете! — Саймон Уайтлоу ворвался в комнату. Присутствующие остолбенели. У преподобного Баксби душа ушла в пятки. Он понимал, что на этот раз в своих увещеваниях зашел слишком далеко.

— Да, сэр. Вам за многое придется ответить. Я требую объяснений! — обратился Саймон к Барклаю.

Тот положил жирные ноги на низенькую скамеечку и молчал, исподлобья глядя на нахального мальчишку.

Тогда Саймон повернулся к святому отцу и двум джентльменам рядом с ним. Когда он заговорил, голос его звучал отдаленным эхом голоса отца. Так Бэзил Уайтлоу говорил, представляя дело тех, которым намеревался дать последний шанс снять с себя обвинения.

— До того как вы начнете эту свою охоту на ведьм, я бы хотел напомнить, с кем именно вам придется иметь дело. Невинное дитя, которое вы собираетесь спалить на костре, — моя сестра, дочь сэра Бэзила Уайтлоу, некогда первого советника Елизаветы Тюдор и близкого друга Уильяма Сесила, лорда

Берли. Мой отчим, сэр Уильям Дэвис, — высокочтимый придворный. Моя тетя, которая, так уж вышло, обожает Дульси, не кто иная, как леди Артемис Пенморли, жена одного из влиятельных господ в Англии. Мой дядя, Валентин Уайтлоу, — любимец королевы. Флибустьер, о чьих подвигах вы не могли не слышать, известен крутым нравом и привычкой не тянуть с расправой над врагами — своими личными и отечества, — сообщал Саймон, живописуя образ кровожадного пирата. — Ведьма, о которой вы говорите, была не раз принята самой Елизаветой. Вот-вот королева должна была сделать ее своей фрейлиной. Ее величество, вероятно, очень разгневается, узнав о таком нагромождении лжи и слухов, и заинтересуется источниками их распространения. И сэр Кристофер Хэттон, и Томас Сэндрик, тот, что был на борту корабля, доставившего детей с острова в Англию, который, кстати, души не чает в Лили. И другие кавалеры, среди которых Филипп Сидни. Кстати, его усадьба Пенхаст находится в вашем графстве... Все они встанут на защиту леди. Так что, прежде чем пуститься в погоню за этой вашей ведьмой, вспомните о влиятельных друзьях Лили Кристиан. И подумайте, кому вы бросаете вызов! — Саймон впервые в жизни произносил такую длинную речь. Молодой человек даже испугался, но страха его никто не заметил, настолько сильное впечатление произвела на присутствующих его речь.

Хартвел Барклай воздел к небу руки и голосом оскорбленной невинности пролепетал:

— Ну что вы. Вы нас не так поняли. Я как раз собирался объяснить святому отцу и констеблю, которые так рьяно встали на защиту моих интересов, что здесь не было попытки убийства. Кухарка, женщина впечатлительная, просто не разобралась в ситуации, когда, войдя в комнату Лили, увидела меня в лохани.

Саймон ничего не понимал: «О чем это он?» Хартвел продолжал:

— Да, конечно, вы спросите, что я делал в спальне юной девицы? Но... Это длинная история. — И он ухмыльнулся.

— У меня достаточно времени, господин Барклай, я готов вас выслушать.

У Хартвела уже было оправдание:

— Ну, девушке, видно, приснилось что-то страшное, я услышал крик и просто решил заглянуть, чтобы узнать, что случилось. Я, позволю напомнить вам, юноша, являюсь ее опекуном. В спальне же оказались почему-то Дульси и эта... эта собака. И служанка, хотя я до сих пор не могу понять, что она делала в постели Лили. — Барклай почесал подбородок. — Тут все и началось. Глупая девка решила, что я на нее покушаюсь. Господи, какого страху она на меня напустила, когда начала визжать! Словно банши*! Потом собака на меня набросилась. Надо бы ее пристрелить. Я отступал. А тут эта лохань. Я потерял сознание и сломал ногу. Я до сих пор не знаю, где была все это время Лили.

Когда я пришел в себя, здесь уже был констебль. Пришлось всех успокаивать и объяснять, что произошла ошибка. На следующий же день все бы выяснилось, но Лили, мое чудесное дитя, она решила, что я умер, и убежала из Хайкрос, прихватив с собой Оделов и эту полоумную Тилли. Если бы служанка не начала орать, ничего бы не случилось. Но эти добрые люди не вполне поверили моему рассказу. У них имелись некоторые подозрения относительно Лили. Эти господа подумали, что я только пытаюсь защитить своих подопечных, и поэтому настаивали на проведении расследования. Они искали детей везде, расспрашивали всех и каждого. Но никто не видел моих питомцев. Перед тем как

---

* Из ирландско-шотландского фольклора. Привидение-плакальщица, дух, вопли которого предвещают смерть.

вы вошли, я как раз собирался сказать, что о расследовании стоит забыть, — великодушно заключил Барклай. — Вы согласны со мной, преподобный Баксби? А вы, доктор Уолтон? Вы, констебль Мартиндейл?

— Конечно! Досадное недоразумение.

— Естественно! Ничего больше предпринимать не следует. Никаких обвинений. Лучше все забыть.

Преподобный Баксби молчал, но Саймон подозревал, что он сильно испугался.

— Бедная девочка. Такая трагическая случайность. Если бы только она пришла ко мне. Я была бы ей как мать, — вздохнула госпожа Фортхэм и промокнула глаза платком. — О, успокойся, Мэри-Энн, хватит хныкать!

— Но, мама, ты же сама говорила, что, если Лили убрать с дороги, я могу стать хозяйкой Хай...

— Замолчи! Что за чепуху ты несешь! — Госпожа Фортхэм подскочила к дочери и встряхнула ее. — Ты снова становишься капризной и несносной. Не знаю, что мне с тобой делать, наказание мое! Что ты, что твой брат! За какие грехи...

Саймон Уайтлоу смотрел на Барклая.

— Когда все это произошло?

— Ну, не так уж давно, — ответил Хартвел.

— Недавно, говорите? — переспросил юноша. — Полагаю, несколько месяцев — приличный срок отсутствия ваших подопечных. Я удивлен, господин Барклай, что вы до сих пор не уведомили мою семью о несчастье.

— Я был серьезно болен. Никак не мог отойти после того случая. Надеялся, что они вернутся со дня на день. Не хотел расстраивать вашу семью. Я боюсь даже думать о том, что могло произойти с детишками.

— Попросите-ка лучше святого отца помолиться за вас Господу. Если что-то случилось с моей сестрой, Тристра-

мом или Лили, клянусь, вы пожалеете, что не умерли в ту
ночь! — Саймон повернулся и вышел из комнаты. Никто не
попытался его остановить.

Он сбежал вниз. Скорее уехать из этого мерзкого места! Лошадь стояла там, где он оставил ее. Подошел конюх.

— Когда я вас увидел, то сразу понял, что вы здесь не
задержитесь. Поэтому не стал распрягать.

— Как вы предусмотрительны, — буркнул Саймон.

— Не знаю, предусмотрителен я или дело в чем-то другом, но я уж точно не дурак. Я мог бы кое-что рассказать
вам. Если вы побеспокоитесь о цене. Проходится заботиться о себе самому, раз хозяин такой скупой.

— Что же ты хочешь сказать?

— Вы, верно, понимаете, что я вижу всех, кто приезжает в Хайкрос. Так что знаю я немало и мог бы ответить на
некоторые вопросы, — сощурил глаза конюх. — Готов поспорить, что молодой джентльмен, такой, как вы, например,
получил бы сведения ему интересные, если бы захотел. Думаю, он был бы даже по-настоящему щедрым...

— Вас, кажется, Холлингс зовут?

— А вы сообразительны, господин. Сейчас я это ясно
вижу. Я всегда об этом догадывался, господин Уайтлоу.
Всегда выделял вас из остальных. Знал, что вы человек
умный. Не то что другие. — Слуга кивнул в сторону дома.

— Расскажите мне о той ночи, когда Хартвел Барклай
сломал ногу. — Саймон вынул из кармана небольшой кожаный мешочек и взвесил его на ладони.

Холлингс улыбнулся. Облизнув потрескавшиеся губы,
он произнес:

— Готов поспорить, что не были бы вы столь умным,
как я о вас думаю, если бы поверили сказке хозяина, будто
он явился в комнату симпатичной молоденькой Лили Кристиан из-за того, что той снились кошмары.

— Вы сомневаетесь в честности вашего хозяина?

Холлингс смотрел на Саймона так, будто перед ним был не человек, а какое-то странное существо.

— Вы точно англичанин? Никогда не слышал, чтобы кто-то так изъяснялся.

— Он врет?

— Врет? Конечно, врет! Хозяин мечтал залезть в постель барышне с того самого момента, как она оказалась в доме. Особенно в последнее время, когда она так похорошела. Видели бы вы, как он на нее облизывался! Нельзя же повесить человека только за то, что он думает, — проговорил конюх. — Но, господин, если бы вы нашли госпожу Лили, готов поспорить, ее рассказ об этой ночи отличался бы от рассказа хозяина.

— А где я могу найти госпожу Лили?

— Думаю, она пошла к Мэри Лестер. Старой женщине, единственной, кому здесь было до детей дело.

— Ну, конечно! К няне! Лили так расстроилась, когда Мэри уволили! К ней бы она обратилась за помощью. Она знала, что дяди Валентина нет в стране, что Артемис в Корнуолле и скоро должна родить, что Квинта в Шотландии. Но почему она не обратилась ко мне? Ах да! Когда я был здесь последний раз, я сообщил, что собираюсь изучать право, но перед этим поеду в Европу на несколько месяцев. Она не знала, что у меня все изменилось. Проклятие!

— Эй, господин Уайтлоу, вы ничего не забыли? — напомнил Холлингс.

— Где живет Мэри Лестер? — Саймон не торопился отдавать деньги слуге.

— Этого я не знаю, — протянул Холлингс. Но мешочек был такой тугой и симпатичный, что обидно было бы его лишиться. Почесав затылок, он сказал: — Помнится, у нее есть сестра, которая живет где-то на севере.

— Где именно на севере?

— Кажется, где-то в Уорикшире.

— Название деревни?

— Господин Саймон, вы слишком многого от меня хотите. Таких вещей я не могу знать.

— Если ты подумаешь еще немного, то вспомнишь. И лучше бы тебе вспомнить название правильно. — Саймон развязал веревочку и вытряхнул на ладонь несколько монет.

— Говорили, будто у нее сестра в Ковентри. Чтобы туда добраться, надо ехать не меньше суток отсюда. Она живет как раз за деревней... Как же то место называется? Такое смешное название. Из двух слов... Нет, из трех! Одно из них — название реки. Точно. Это городок на реке. Как же она называется?

— Северн? Перчанс? Эйвон?

— Да, кажется, Эйвон. Точно. Вы оказались сообразительнее. Городок такой же, как Ист-Хайтворд. На реке. Да вы знаете.

Холлингс широко улыбался в предвкушении вознаграждения.

— Стратфорд-на-Эйвоне?

— Да, сэр.

— Держите, вы заслужили все. — И Саймон бросил на ладонь конюху мешочек. — Смотрите, если я не найду их у Мэри Лестер, пеняйте на себя.

Слуга пожал плечами:

— Тут уж как Бог пошлет. С тех пор как они уехали из Хайкрос, всякое могло случиться. Но я знаю, что они проезжали мимо мельницы. Ромни Ли, брат жены мельника, приходил в Хайкрос разузнать, что случилось. И когда я рассказал ему, что произошел несчастный случай и Хартвел жив и почти здоров, чему я не очень-то рад, он сказал, что видел, как Лили, ее брат и сестра и эти Оделы, будь они неладны, проезжали мимо мельницы. Сдается мне, они направлялись в Лондон. За ними послали деревенских, но никто их не нашел.

Саймон вскочил на коня и поскакал со двора.

ЧАСТЬ ЧЕТВЕРТАЯ

ШТОРМ

Глава 20

Мне просто повезло.

*Уильям Шекспир**

— Пирожки с корицей! Пирожки с корицей! Только что испеченные! — выкрикивала маленькая девочка. Позванивала красно-голубым бубном над головой и танцевала перед нарядно убранной тележкой, в которую была запряжена большая собака. — Цветы! Цветы! Покупайте букеты! — звенел голосок девочки. Она изящно кланялась, доставала букетики из полевых цветов, перевязанные шелковыми ленточками.

Ярмарка бурлила.

— Зима будет суровой! Мои старые кости говорят мне об этом! Подходите! Покупайте! Меха! Роскошные, лучшие соболя! Попробуйте, какие мягкие! Такой мех и королеве носить не стыдно!

— Шелка! Все цвета радуги! Дай ей Бог здоровья, последний рулон малинового шелка у меня забрала сама королева! Прямо с корабля, не дожидаясь разгрузки, так он был хорош!

— Вы когда-нибудь видели такой красивый шахматный набор из слоновой кости? Его вырезали мастера при дворе русского царя!

* Пер. С. Маршака и М. Морозова.

— Гвоздика и мускат из Индии!

— Венецианское стекло!

— Сандаловое дерево и алое!

— Спелая вишня! Испанские лимоны! Чудесные лимоны из Севильи!

Над ярмаркой витал запах жарящегося мяса: птицы, баранины, говядины... В котлах кипели соусы, приправленные красным вином и специями. Их подавали в горшках с толстым куском хлеба. Вкусный дымок вился над котлами, в которых варили крабов и устриц. На тарелки щедрой горкой насыпали смесь из кусочков сладкого картофеля, яблок и апельсинов, политых горячим сахарным сиропом с корицей, гвоздикой и мускатом. Пироги с миндалем, изюмом и корицей, пудинги и пирожные, еще теплые, прямо из печей, были выставлены на продажу. Высокие сосуды и бочки с вином ждали жаждущих. Длинные ряды кружек не скучали. Они наполнялись и опустошались. Вино было и дорогое, и подешевле — по пенни кружка.

— Мы продали все пироги, кроме одного, Лили. — Дульси смотрела на последний пирожок.

— Так не годится. Надо что-то сделать с ним, Дульси, и побыстрее, — посоветовала сестра.

Малышка засмеялась, и пирожок, словно по мановению волшебной палочки, исчез.

Облокотившись на тележку, она почесала у обезьянки под подбородком.

— Устала? — спросила у сестренки Лили.

— Немного. Здесь так жарко. Я весь день танцевала.

Дульси обняла Лили за талию, заглянула ей в глаза, ожидая похвалы.

— Ты не отдыхала ни минуты. Надо повесить тебе колокольчик на шею, чтобы знать, где ты, моя красавица, — улыбнулась та.

— Эй! — крикнул Тристрам, пробираясь сквозь толпу к сестрам. — Надо же, все продали, ни крошки не оставили, кроме тех, что у Дульси на губах. Как поживаешь, Раф? — Он опустился на корточки перед собакой. Пес завилял хвостом.

— Тристрам!

— Праакк! Раф! Раф! Поцелуй нас, красавчик! Поцелуй нас, Тристрам, душка! — прокричал Циско. — Раф! Раф!

— Тристрам!

— Ну ладно, ладно, ваше высочество, хватит меня облизывать. Смотрю, вы продали почти все, кроме этих букетиков. Но их все равно нельзя съесть. Интересно, а какой на вкус жареный попугай?

— Ты весь день ничего не ел?

— Занят был — жонглировал. Правда, старая Мария дала мне булку с изюмом. Она так странно смотрела на меня. И еще она просила тебя заглянуть к ней. Она пообещала погадать тебе бесплатно.

— Погадать мне? — Лили была удивлена предложением. Старая Мария никогда ничего не делала даром.

— Раф хочет пить, Лили.

— Возьми тележку, и идите с Дульси в табор. Там вас Тилли покормит. Она, наверное, напекла еще пирожков. Я видела у нее в корзинке головку сыра и хлеб. Фэрфакс говорил, что тоже раздобудет какой-нибудь еды. И не забудь покормить Колпачка и Циско, Тристрам.

— А Рафа? — спросила Дульси. — Ему всегда больше всех работы достается. Вон какую тележку таскает.

— Да, и Рафа тоже. А я попробую распродать оставшиеся букеты. — Лили взяла корзинку с цветами. — Если удастся, тогда куплю несколько жареных сквобов*.

Дульси запрыгала:

— Ура, мы будем есть жареного сквоба, а не холодный мясной пирог.

---

* Сквоб — откормленный голубь.

— Увидимся позже, Лили. — Тристрам махнул рукой.

Поправив корзинку, Лили направилась туда, где народу было побольше. Она могла бы не беспокоиться о том, чтобы распродать цветы. Покупатели появились еще до того, как она стала кричать: «Букеты! Чудесные букетики для дам вашего сердца!» Молодые люди готовы были покупать цветы для несуществующих возлюбленных, если вместе с букетом получали улыбку красавицы.

Кто-то обнял Лили за талию. Она оглянулась, готовая дать оплеуху нахалу, и получила нежный поцелуй в щечку. Это был Ром.

— Я думал, надо дать понять твоим кавалерам, что они могут пялить глаза, но на большее пусть не рассчитывают, если им дорога жизнь. — Цыган говорил громко, чтобы его расслышал настырный паренек, который вот уже полчаса не отходил от девушки.

Рому было жаль паренька — он его хорошо понимал. Лили, одетая в простое платье фиалкового цвета, в накидке из парчи, расшитой золотыми и серебряными нитями, казалась многим лакомым кусочком.

День выдался жаркий. Запах, исходивший от разгоряченного тела девушки, был свеж и приятен. «От нее всегда так пахнет, — подумал Ром. — Кажется, будто она только что натерлась ароматическими маслами. Как хорошо бы сейчас лежать с ней в тени зеленого леса».

— Что с тобой, Ром? — спросила Лили.

— Прости, я задумался. — Он смущенно улыбнулся.

— Ты устал. Ты делаешь для нас слишком много, Ром. Так больше не может продолжаться. Ты должен заниматься своими делами. Мы требуем от тебя слишком многого, Ром.

Впервые Лили заметила скорбные складки в уголках его рта. Не думая о том, как может Ромни истолковать ее жест, она дотронулась до его лица, разгладила морщинки. Затем, взяв его под руку, предложила пройтись.

Ромни чувствовал себя неуютно. Он столько ждал, столько стремился к вот такой близости между ними, но сейчас, сознавая, что лгал ей, он чувствовал себя виноватым.

Позже он пытался убедить себя, что поступил так, потому что пожалел Лили. Ром слишком хорошо понимал, что именно должно было случиться той ночью в Хайкрос. Не только из рассказа Лили и Тилли, но и потому, что хорошо знал Барклая. И как только цыган начинал об этом думать, перед ним всплывало лицо Джеффри Кристиана. Ром закрывал глаза. «Я не такой, как Барклай, — говорил он себе. — Не такой. Нет».

Он взглянул на девушку: слышала она его слова? Нет, не слышала. Лили смотрела на какого-то высокого господина. Во взгляде ее читалось и страстное стремление и одновременно некоторая отчужденность, будто она боялась, что ее чувства разгадает тот, к кому обращен ее взгляд. Все это сильно озадачило Ромни. Впервые он видел в ее глазах такое выражение. Странно. Не могла же она влюбиться прямо здесь, посреди рынка?

Но для девушки он не был незнакомцем.

Сердце ее так колотилось, что стало трудно дышать. Она не смела поверить своим глазам, когда, взглянув вверх, встретила его дерзкий взгляд. Он был точь-в-точь таким, каким она его помнила. Она надеялась, что сможет чувствовать по-другому, когда увидит его в следующий раз, что она переросла свое полудетское обожание. Но любовь оказалась сильнее. И сейчас Лили с ужасом сознавала, что безумно любит этого человека.

Никогда раньше не смотрел он на нее так страстно. Такой взгляд был у него, когда он глядел на других женщин. На Корделию и Гонорию. Но никогда он не смотрел так на нее. Сегодня наступил ее день. Сегодня Валентин не может глаз от нее отвести. Как странно. Неужели она выросла? Неужели стала такой, как Корделия?

Лили и представить себе не могла, что он не узнает ее.

— Валентин, — одними губами произнесла она, улыбнувшись ему такой теплой, такой любящей улыбкой, что проходящий мимо мужчина, заглядевшись на нее, оступился и врезался в женщину, несшую на коромысле два ведра с вином. Та развернулась, и одно из ведер ударило мужчину по спине. Он отскочил и врезался в молодого человека, который рассчитывался с продавцом. Вино пролилось его спутнице на юбку. Девушка закричала. Джентльмен в ту же секунду оказался сбитым с ног. Кошелек вылетел у него из рук и благополучно исчез в толпе.

— Эй, держите вора! Он украл мой кошелек! — зaвoпил молодой человек, пытаясь подняться на ноги. Но его снова толкнули, и он упал на джентльмена, в которого угодило тяжелое ведро. — Держите его! Остановите вора!

Мальчишка в лохмотьях со всех ног бежал с ярмарки, спасаясь от преследования слуг пострадавшего джентльмена.

Ромни Ли выругался. Мальчишка был из их табора.

Ромни огляделся: где Лили? Она куда-то пропала. Пробираясь сквозь толпу, Ром увидел темноволосого джентльмена, на которого так странно смотрела Лили. Тот беседовал с другой женщиной, причем женщиной очень красивой.

Ромни облегченно вздохнул. Мужчина всего лишь полюбовался Лили. Ну что ж, прекрасно. Нужно скорее найти мальчишку. И он бросился прочь.

Лили Кристиан пряталась за палаткой, около которой встретились Валентин и Корделия. С болью в сердце думала она о том, что Корделия посещала Равиндзару, о том, что Валентин должен скоро жениться на ней.

«Он никогда меня не полюбит», — напомнила себе Лили, и сердце ее сжалось. Вдруг она заметила Раймонда Уолчемпса. Тот шел в сопровождении Томаса Сэндрика и других господ. С кем с кем, а с разноглазым ей хотелось встречаться меньше всего.

Лили сделала еще шаг назад. Вдруг кто-то схватил ее за руку. Девушка вскрикнула, и тут же ее затащили в темную палатку.

— Ах, Лили Франциска, ты пришла к старой Марии послушать про свою судьбу? — проскрипел старческий голос. — Такая красивая, такая сладкая, такая опасная, — напевно шептала старуха. — Пойдем, не бойся, малышка. Позволь старой Марии рассказать, что тебя ждет. Пойдем, пойдем... Я тебя не обижу. — Старуха тащила ее к столику, над которым поднимался ароматный дымок.

— Корделия, здравствуй, любовь моя, — приветствовал невесту сэр Раймонд. — Надеюсь, ты не скучала, пока мы с Томасом смотрели кулачный бой?

— Вовсе нет, — ответила молодая леди, словно не замечая язвительных ноток в тоне жениха.

— Скажи мне, случайно не с капитаном Валентином ты мило беседовала пару минут назад?

— Валентин? Он что, здесь? На ярмарке? Утром я получил от него записку. Он приглашает меня поужинать с ним в «Бараньем роге», — сказал Томас Сэндрик. — Извините меня, но я бы хотел поймать его прямо сейчас. Уговорю его заскочить туда пораньше. Чертовски хочется пить. И послушать про путешествие. Надеюсь увидеть вас обоих у себя. — И Томас откланялся.

— Корделия!

— Ты ведь не ревнуешь, дорогой? — засмеялась та.

— Постоянно ревную, — признался Раймонд. — Так что же вы обсуждали с нашим добрым другом капитаном?

— То, что мы обсуждали, касается только нас. Ты же не хочешь, чтобы я выдавала чужие секреты, не так ли? —

продолжала дразнить жениха Корделия. Улыбка ее поблекла, когда Раймонд стиснул ее руку так, что затрещали кос-
точки. — Если ты не сломаешь мне руку, я буду тебе весьма
признательна, дорогой. Успокойся, Раймонд. Я пошутила.

— Не смей ничего от меня скрывать, Делия. Ты об
этом пожалеешь. Я тебя предупредил. Так о чем вы говорили с капитаном? Я хочу знать.

Корделия облизнула пересохшие губы:

— Мы говорили недолго. Он торопился. Очевидно, чтобы
встретиться с Томасом. Если бы он спешил на свидание с
женщиной, я бы догадалась. Мы говорили о его путешествии. Он пробудет в Лондоне не дольше двух недель.

— Да? И куда же он направляется в следующий раз?

— В Корнуолл. Его сестра ждет ребенка. Он хочет быть
там с ней. Раймонд, прошу тебя, пусти, — взмолилась она.

— Понимаю. И что же он собирается делать здесь, в
Лондоне? Можно догадаться! — Он рассмеялся.

— Нет, Раймонд! Честное слово, ты не понял. Мы не
будем встречаться. Я же выхожу за тебя. Тебя я выбрала в
мужья, а не Уайтлоу. Валентин собирается в Уайтсвуд, затем едет в Хайкрос навестить этих проклятых детишек, которых он привез с того острова. У него будет очень мало
времени. Если мы и встретимся, то только во время какого-
нибудь приема. Раймонд, ты мне веришь? — Корделия впервые за долгие годы испугалась его.

— Что? О да, конечно. — Он отпустил ее руку. — Да,
эти дети вечно путаются под ногами, не так ли?

Корделия удивленно смотрела на Раймонда, не понимая,
какое ему дело до этих детей.

— Да, — осторожно согласилась она.

— Но больше трудностей с ними не будет, как я полагаю. Уайтлоу говорил, что поедет в Хайкрос? Он слышал,
что там происходит? — спросил Раймонд.

Корделия не понимала, чего тот хочет от нее.

— Нет, он ничего о них не слышал. Он просто хочет их навестить. Чувствует себя в ответе за их благополучие, как я полагаю. А почему ты спрашиваешь?

— Пустяки, дорогая. Я подумал, что он задержится здесь, а мне бы этого не хотелось. Ревность, только и всего. — Разноглазый зло ухмыльнулся. Насколько он понял, Уайтлоу ничего не знает о том, что детишки у него под носом. Раймонда чуть удар не хватил, когда он увидел здесь Валентина. Решил было, что все потеряно. Но, к счастью, судьба пока благосклонна к нему, Раймонду. Всякий раз он оказывается на шаг впереди капитана. Уолчемпс думал, что избавил себя от опасности, когда поджег этот их проклятый кукольный театр. И сейчас Валентин Уайтлоу уезжает, так и не узнав, как близко он был к разгадке тайны.

Если он и поймет свою ошибку, будет поздно. К этому времени Лили Кристиан будет мертва.

— ...тень смерти нависла над тобой. Ты должна уехать отсюда, Лили Франциска. Я вижу знаки смерти. Ты в опасности. Опасность близка. Бойся колдуна. Он крадется за тобой в ночных кошмарах, он жаждет твоей крови, Лили Франциска.

Лили заставляла себя сидеть спокойно. Хоть она и не верила словам старой цыганки, Мария все же пугала ее своими стонами и завываниями. Да и слова гадалки были нерадостными.

— Нас окружает темное облако, — прошептала старуха, затем закричала, сотрясаясь всем телом: — Но опасность минует тебя, Лили Франциска! У тебя ключ! Ты должна лететь отсюда! Ты должна вернуться к началу! Конец будет началом! Ответ спрятан на морском дне! Беги отсюда! Беги, пока не стало поздно для всех нас! Ты приносишь беду! На

тебе глаз дьявола! Он приносит смерть всюду, куда ступит
его нога! Цвета. Они плохие! Это цвета дьявола! Они не
пара! Зло!

— Мне надо идти, прошу вас. — Лили попыталась
высвободить руку из цепких пальцев цыганки.

— Да! Иди! Ты должна идти! Быстрее, чем ветер! На
поющем корабле, через моря и пространства! Да! Вода. Вода,
дитя мое. Бойся воды. И не бойся воды. Она захочет унести
тебя, но она тебя отпустит. Если ты выживешь в воде первый раз, то она сохранит тебя во второй. Не сдавайся. Кни-
га, дитя мое. Найди книгу, и все станет на свои места, как
должно было быть изначально. Не старайся избежать неиз-
бежного, Лили Франциска. То, что казалось потерянным,
не исчезло. То, что суждено, сбудется! Ты не можешь изменить того, что должно произойти. Твоя судьба с другими.
Твои пути лежат не с нами, далеко от нас, от Ромни Ли.
Ты не для Ромни Ли, ты для другого. Ты вышла из моря,
как он. Цвета! Чистота теплого моря. У вас сейчас один
цвет. Ты должна пойти с ним. Он защитит тебя от зла.
Иди, дитя! Все окончится бедой, если ты не пойдешь. Иди!
Сегодня же! Сегодня! Не оставайся здесь до ночи! Смерть
придет тогда в наш табор сегодня же!

Лили едва заметно улыбнулась. Мария была бабушкой
Навары, и, естественно, она хотела, чтобы соперница ее
внучки покинула табор и оставила в покое Ромни Ли.

— Мария? Что с вами? — тревожно спросила Лили.
Женщина повалилась на скамью. — Вам плохо? Мне помочь?

— Иди, дитя, иди, — прошептала старуха, и девушка
почти поверила, что на этот раз она не валяла дурака. Достав из корзинки, где осталось всего несколько букетов, монетку, она положила ее на стол.

Но, даже покинув палатку, она не успокоилась. Как
будто над ней и вправду сгустились тучи и судьба предве-

щала недоброе. «Старая Мария знает что делает», — подумала Лили, заметив возле палатки, расписанной магическими знаками, Навару.

Она поежилась. Напрасно стараться убедить себя, что не стоит принимать предсказания цыганки близко к сердцу. «Пустые слова и запугивание», — повторяла Лили. Голова ее кружилась от запаха ладана и курящихся трав. Позже девушка никак не могла понять, откуда цыганка узнала, что она, Лили, тонет во сне.

Погруженная в свои мысли, она не заметила человека, который стоял у нее на пути, пока не уткнулась в него носом.

Лили подняла голову и увидела перед собой Валентина Уайтлоу.

Глава 21

Сияет красота ее в ночи,
Как в ухе мавра жемчуг несравненный.
Редчайший дар, для мира слишком ценный!
Уильям Шекспир*

Валентин смотрел на Лили.

Он не ошибся. Она действительно была редкой красавицей. Никогда прежде он не видел женщины такой красоты. В тот вечер, когда он смотрел на нее, то появляющуюся из тумана, то пропадающую в белой дымке, он чуть было не посадил свой корабль на мель.

И вот она стояла перед ним, невинная, словно создание рая. Никогда прежде не встречал он женщин с такой нежной, чистой кожей, так похожей на лепестки цветка. Глаза ее были чистого бледно-зеленого цвета, зеленее, чем только что распустившийся лист. Волосы, более темного оттенка, чем самое лучшее шерри, падали ей на плечи, словно шелковая вуаль.

Казалось, девушка не подозревает ни о своей красоте, ни о том, как действует на мужчин ее внешность. В ней не

---

* Пер. Т. Щепкиной-Куперник.

было ложной скромности, и тем сильнее он был заворожен нежной страстностью ее взгляда, такого невинно-откровенного. Кем была она, без страха ходившая среди всего этого сброда? Кто она — та, что отметила его своей нежностью и улыбалась ему так, словно они были любовниками, разлученными судьбой и нашедшими друг друга вновь? Кто она, девушка, казавшаяся такой чистой душой и телом, словно не знавшая мужской ласки?

Но девушка была куда опаснее своих сестер-русалок. Именно они заставляли мореходов сажать свои корабли на рифы. Эта красавица в два счета украдет его сердце, дай он ей только малейший шанс. Неужели она столь же бездушна, как и морская пучина? Валентин вдыхал нежный запах ее кожи и знал, что стоит ему сказать слово — и она будет принадлежать ему. Валентин решил принять вызов судьбы. Хотя бы на одну ночь эта красавица будет его, даже если потом она растворится в море, оставив в его сердце вечную тоску.

— Я не могу отпустить вас, не узнав хотя бы ваше имя. — Валентин смотрел на нее не отрываясь. Как он хотел прижать ее к себе, почувствовать жар ее тела! Валентин соскучился по женщине. Он слишком долго был в море, чтобы сейчас мог довольствоваться вежливым ухаживанием.

Лили молчала. Как ее зовут? Меньше всего ожидала она услышать от Валентина этот вопрос. Неужели он не удивлен, что видит ее здесь, в Лондоне? Неужели ему не интересно, почему она продает цветы на ярмарке? Разве ему не хочется спросить ее, почему она ушла из Хайкрос? Его не волнует, где остальные? Неужели ему настолько нет до них дела, что он задает какие-то глупые вопросы.

— Ведь у тебя есть имя? Я не отпущу тебя, пока ты мне не признаешься, моя красавица. — Валентин говорил шутя, но по блеску в его глазах Лили догадалась, что намерения у него серьезные.

— Мое имя? — Лили не понимала. Быть может, он так шутит? Ну, конечно. Она ведь всего лишь маленькая девчонка. Почему бы не посмеяться над ней? А остальные сейчас, наверное, где-то рядом наблюдают за этой сценой. Вот потеха им будет!

— Да, — повторил он нежно. — Разве я прошу о многом?

Лили нервничала. Во рту пересохло. Она облизнула губы. Девушка не знала, каким дразнящим был ее жест. Валентин, глядя на розовые лепестки ее губ, был готов поцеловать ее немедленно.

— Разве вы не знаете? — прошептала Лили.

Валентин улыбнулся. Она хочет поиграть с ним! Ведет себя так, будто предлагает погоняться за ней. Но она первой дала ему знак. Что же, он принимает ее игру. Но играть будет по своим правилам.

— Я узнаю, когда ты мне скажешь. Я не предсказатель. — Уайтлоу указал на шатер, откуда она недавно вышла.

— Но я не...

— ...ли Франциска! Букетик для дамы сердца этого паренька! Лови! — крикнул кто-то из толпы, но первая часть ее имени потонула в шуме и гвалте.

Валентин поймал монетку и, достав из корзинки букетик, передал его пареньку, любезно сообщившему имя его незнакомки.

— Франциска, — повторил он, опустив монетку в корзинку. И вдруг на дне корзинки увидел морскую раковину — нежно-розовую, отполированную морем. Капитан испытал странное чувство, словно услышал шаги судьбы.

Валентин достал из корзины ракушки. Они слетели с ожерелья Дульси. Это украшение было любимым у девочки — одна из немногих вещей, оставшихся у них напоминанием об острове.

— Пожалуйста, поосторожнее, — попросила Лили.

— Ракушки, — прошептал Валентин. — Я начинаю верить в русалок. — Впрочем, чему я удивляюсь? К тому же зеленые глаза. — Он странно улыбнулся. — Позже я узнаю наверняка, русалка ты или нет. — Он взглянул на ее юбку. — Не многие люди придают какое-то значение ракушкам. Но для тебя они драгоценность. Ты меня покорила. Кто ты на самом деле, Франциска? Кто тебя послал мне? Мои враги, чтобы терзать меня? Чтобы превратить меня в ничто, лишить души? Если да, то они преуспели, ибо я с радостью умру в твоих объятиях. Франциска... Испанское имя. Так ты испанка? Позволь мне догадаться самому. У тебя отец испанец, а мать — англичанка. Я не верю, что ты цыганка. Глядя на тебя, я могу утверждать, что отец твой был джентльменом. Наверное, он полюбил красивую английскую девушку, но жена его и семья остались в Мадриде. Я угадал?

— Может быть. — Слезы застилали глаза Лили. Он действительно не знал, кто она такая.

— Слезы? Клянусь, я не могу устоять против женских слез. Теперь я верю, что ты послана моими врагами. Ну что же, в Испании у меня действительно нет друзей. Зато там найдется немало тех, кто много бы дал за то, чтобы меня околдовали и в тот момент, когда я меньше всего ожидал бы нападения, проткнули мое черное сердце. Но они знают, что я не могу побороть искушение взять к себе в постель испанскую девушку. — Флибустьер пристально смотрел на Лили. — Но ведь ты здесь не для того, чтобы причинить мне вред, не так ли, Франциска mia*? Ты здесь, чтобы подарить мне наслаждение!

— Разве вам можно сделать больно?

— Да, если знать мои слабые места. — Валентин любовался лицом незнакомки.

---

* моя *(исп.)*.

Лили Франциска Кристиан смотрела на человека, которого любила. А он не узнавал ее. Она ничего для него не значила. Никогда. Он и подумать не может, что женщина, попавшаяся ему на глаза, была когда-то девочкой, которую он забрал с острова в Вест-Индии. Той самой девочкой, чье сердце он разбил в саду Тэмсис-хауса.

— Вы хотите, чтобы я погадала вам? — неожиданно для самой себя спросила Лили.

— Ты умеешь предсказывать судьбу, малышка? Так, может быть, ты прочтешь и свою судьбу тоже? — Капитан притянул девушку к себе. — Пойдем вон к тем деревьям. Там мы будем одни. Расскажешь мне о моей судьбе, если сумеешь.

Но Лили Кристиан, дочь Магдалены и Джеффри Кристиана, была не из тех, кого мог устрашить враг. А с этой секунды Валентин Уайтлоу стал ее врагом. В это мгновение ее оскорбленная гордость взяла верх над чувствами. Ну что же, решила Лили, она даст ему урок, который он не скоро забудет. Держись, капитан Уайтлоу!

— Пойдем, капитан, я расскажу тебе о твоей судьбе, — сказала она тихо, с тем легчайшим акцентом, с каким говорила мать. — Ты был прав, ты не предсказатель судьбы, судьбу предсказываю я, а ты охотишься за счастьем и за сокровищами. Твои поиски обогатили тебя.

Ее слова удивили Валентина.

— Да, у меня есть корабль. Ты слышала, что ко мне обращались как к капитану?

— Так как насчет судьбы, капитан? — напомнила Лили. Она поставила корзину на землю, повернула его руку ладонью кверху и притворилась, что изучает линии. «Какая сильная у него рука», — думала Лили, проводя пальцами по мозолистой ладони.

— Может быть, ты хочешь, чтобы я заплатил тебе вперед? — сдавленным голосом спросил Валентин, ибо от этих легких прикосновений он терял голову.

— Решайте сами, капитан. Если вы останетесь довольны моим гаданием, вы заплатите мне столько, сколько сочтете нужным.

— Конечно, заплачу, — прошептал он и неожиданно
взял ее за подбородок. — Я обещаю тебе, что ты не будешь
разочарована, — произнес он хриплым от желания голосом.

Лили тряхнула головой и вновь склонилась к ладони.

— Ты только что вернулся из плавания, капитан. Ты много лет бороздил моря. У тебя поющий корабль, капитан. —
Она повторяла слова старой Марии. — Ты никогда не сидишь
на одном месте. Ты всегда готов сорваться, чтобы искать что-
то. Но есть место, где тебя ждут. Дом в стране, где садится
солнце. Красивый дом возле моря. Он стоит пустой и ждет
твоего возвращения. — Лили входила в роль.

Валентин замер. Девушка почувствовала его смятение.
То, что красавица узнала все его мысли и тайные желания,
испугало и смутило его.

— Но море, которое ты так любишь, жестоко обошлось с
тобой, — продолжала юная гадалка низким голосом. — Ты
потерял того, кого любил. Мудрого, доброго человека, чьи слова были исполнены смысла, к чьим советам ты привык прислу-
шиваться. Ты стал знаменит. Тебя боятся враги, но море еще
потребует с тебя выкуп. Помни об этом, капитан. Всегда помни. Однажды ты уже заплатил дань морскому царю, когда
море чуть было не забрало себе твой корабль во время шторма
у чужих берегов. В тот день ты обидел море, и с того дня ты
носишь отметину на своем теле, оставленную стихией.

Лили не могла отказаться от удовольствия пересказать
Валентину историю, которую слышала однажды от него самого. На плече у него был крестообразный шрам — на него
упала рея.

— В тот раз многие из твоих людей отдали морю жизнь.
Не так ли, капитан?

Валентин недоверчиво смотрел на девушку. Откуда она могла знать все это, если, конечно, отмести предположение, что она действительно умеет читать по руке? А может, кто-то решил над ним подшутить и подослал ее?

— Ты так молода и столько знаешь, — улыбнулся Уайт-лоу. — Если бы я не был уверен, что никогда раньше с тобой не встречался, я бы сказал, что у тебя хорошая память. Но пока ты говорила лишь о том, что было. А как насчет будущего? Видишь ли ты, где пересекутся наши пути и куда они нас приведут?

Лили улыбнулась и хитро взглянула на собеседника. А капитан терзался. Быть так близко от нее и не почувствовать вкус ее губ, нежность ее тела — это трудно.

— Но наши пути уже пересекались.

— Ты дразнишь меня, малышка. Если бы наши пути пересекались, я бы это запомнил. Я бы не смог забыть твое лицо, хотя...

Валентин замолчал, услышав ее тихий смех.

— Хотя? Ты не слишком уверен в себе, капитан? Может быть, ты ошибся? Не забудь о предосторожности, не то твоя самонадеянность заведет тебя далеко. Ты сойдешь с верного пути и заблудишься навеки, — предупредила юная гадалка. В какой-то момент Валентину показалось, что они и вправду встречались раньше. Но, черт побери, он не мог вспомнить где.

— Франциска? — пробормотал он. — Красивое имя, но...

— О, не мучь себя, капитан. Наши пути пересеклись только что, — быстро сказала Лили. Ей так понравилось водить Валентина за нос. Он был в смятении. Не знал, что и подумать. Скоро она скажет правду. Девушка уже представила себе, как потрясен будет капитан.

Уайтлоу поднес ее руку к губам.

— Я хочу, чтобы наши пути соединились в один, Франциска.

Какое-то время Лили смотрела на него непонимающим взглядом. Но когда поняла его намек — вспыхнула. Взгляд его не оставлял сомнений относительно его истинных намерений, касающихся юной гадалки.

Лили вырвала руку, схватила корзину и загородилась ею, как щитом.

— Я должна идти. — Девушка испугалась, что беседа может зайти не в то русло. Он застал ее врасплох. Ей нужно было время, чтобы все обдумать.

— Боишься?

— Нет! — ответила Лили оглядываясь. Куда все подевались? Для этого времени на ярмарке было удивительно пустынно.

— Ты уже отдала свое сердце кому-нибудь?

Лили открыла рот, чтобы сказать «нет», но не смогла. Глядя в эти бирюзовые глаза, она понимала, что не может заставить себя разлюбить Валентина. Слишком сильно ее чувство.

— Тот мужчина, что целовал тебя в щеку, он твой любовник? — К собственному удивлению, Валентин понял, что ревнует. Никогда раньше он не замечал за собой, что пускает слюни, словно мальчишка, при одном виде легкодоступной девчонки.

— Ром? Мой любовник? Нет! Конечно, нет. Ром — мой друг. Он всегда готов прийти к нам на помощь. — Лили возмутило такое предположение. — Я люблю его, но как брата.

Валентин улыбнулся:

— Понимаю. Тогда я хотел бы знать, кто тот господин, кому удалось завладеть твоим сердцем. Клянусь, он дурак, если позволяет тебе бродить одной, без него. Если бы ты была моей, Франциска, я не отпустил бы тебя от себя ни на шаг.

— Если бы я была вашей?

— Да, моей, Франциска. — Уайтлоу обнял девушку за плечи.

Она была такой хрупкой, такой изящной. Сдави посильнее — и она сломается. Но Валентин не мог причинить ей боль. Кто угодно, только не он. Вопреки странному ее окружению девушка казалась невинной, нетронутой. Он знал, что это неправда. Не могла женщина, не знавшая любви, смотреть на него так, как смотрела она. Он не мог ошибиться.

— Ты мне не веришь? Пойдем со мной на корабль. Он стоит на якоре здесь, на реке, неподалеку от места, где я увидел тебя впервые.

— Вы видели меня раньше?

— С того самого момента я едва ли мог думать о чем-то другом, кроме тебя, — признался Валентин.

Он запустил руку в ее густые шелковистые темно-рыжие кудри. Голос его был глубоким и чувственным:

— Я никогда не видел такой красавицы. Ты очаровала меня, маленькая русалочка. Верхом на белом коне ты скакала по берегу. Исчезала в тумане. Потом снова появлялась из него. Твои волосы горели на солнце. Ты была так прекрасна, так горда, так свободна. Разве можно винить меня за то, что я хочу тебя? О тебе я мечтал, пока был в море. — Он нежно касался ее лица кончиками пальцев.

— Пожалуйста, не надо, — слабым голосом произнесла Лили.

Если бы он только знал!

Но Валентин не слушал ее, а продолжал говорить, и слова его были ласковы и сладострастны. Валентин знал, как уговорить эту девушку. Он чувствовал ее смущение, но не сомневался, что соблазнит ее. Она была любопытна, эта кошечка, и любопытство должно сыграть против нее. А потом она уже не сможет сказать «нет».

— Ты когда-нибудь плавала на корабле, Франциска? Пойдем со мной. Мы поплывем по реке к морю. Ты узнаешь, что такое море. Я покажу тебе его, и ты узнаешь его волшебство. Отбрось сомнения, почувствуй себя свободной, пусть ненадолго. Ты ведь хочешь этого, не так ли? Я вижу по твоим глазам. Это такое чувство, будто летишь над волнами. Ветер надует наш парус. Мы помчимся куда быстрее, чем твой белый конь. Пойдем, Франциска. Пойдем со мной. Трюм «Мадригала» полон сокровищами. Он наполнен ароматом заморских специй. Этот запах щекочет ноздри и услаждает душу. Пойдем со мной, и я одену тебя в шелка такой красоты, что ты решишь, будто их соткали эльфы. Я воздам честь твоей красоте, Франциска. Я подарю тебе камни такой чистоты, такого огня, что ты поверишь, будто они живые. Пойдем сегодня же. Пойдем ко мне на корабль. Я хочу, чтобы ты почувствовала, как он движется под тобой, и ты, я знаю, уже не захочешь его покинуть. И тогда на рассвете мы отправимся с тобой в путь.

— Прошу вас, не говорите ничего больше. Вы не понимаете, — взмолилась Лили, испуганная его словами, огнем желания в его глазах. Разве он посмел бы говорить такое, если бы знал...

— Ты дрожишь. Но не от страха. Ты хочешь меня так же сильно, как и я хочу тебя. Я вижу по твоим глазам. — Капитан взял корзину у девушки и отставил в сторону. — Я видел то же чувство в твоих глазах, когда мы встретились впервые. Тогда ты не захотела скрывать свою страсть. Ты смотрела на меня так, будто узнала. Будто мы уже были любовниками. Ты не можешь этого отрицать, Франциска. Я чувствовал твой взгляд еще раньше, чем увидел тебя. Ты думаешь, я стал бы охотиться за каждой девчонкой, которая мне понравится? Что-то случилось со мной, когда я тебя увидел. Не знаю, что это: звезды так сошлись или меня околдовали приворотным наговором, — но я испытал странное чувство, словно знал тебя раньше. То же чувство, что испытала ты. Да, я знал тебя. Мне казалось, будто я знаю тебя всю жизнь. В тебе есть что-то знакомое, в этих зеленых глазах. Но я знаю и то, что не смотрел ни разу в твои глаза. Нет, не отворачивайся. — Он удержал ее. — Ты кажешься такой невинной, и в то же время ты соблазняла меня так, будто мы уже были любовниками.

— Нет! — Лили попыталась вырваться.

— В какую игру ты играешь? Сначала ты манишь меня, потом отталкиваешь. Как можешь ты быть такой бесчувственной? Или ты боишься, что я мало тебе заплачу? Ну что же, бери. — Валентин бросил в корзину кошелек. — Сейчас ты моя должница. Одна ночь, Франциска. Давай посмотрим, стоишь ли ты этих денег.

Лили не знала, как ей поступить. А он привлек ее к себе и прильнул к ее устам. Потом принялся покрывать поцелуями ее щеки и шею. Затем снова приник к ее губам. Лили было трудно дышать. Лицо ее горело. С каждым вздохом она чувствовала, как он наполняет ее собой, своим запахом, своим вкусом — солоноватым вкусом моря.

Трепет охватил Лили, когда рука Валентина скользнула вниз. Сжав ей бедра, капитан прижал красавицу к себе. Даже сквозь несколько слоев одежды Лили почувствовала, как сильно он хочет ее. Это новое ощущение одновременно и пугало, и возбуждало ее, вызывало одновременно чувство вины и наслаждения от того, что позволила мужчине такие интимные прикосновения. Лили была столь невинна, что не понимала, чего добивается Уайтлоу. Наверное, поэтому она не могла постичь, отчего в ней росло ощущение пустоты, жажды чего-то большего, более полного наслаждения. Лили Кристиан узнала вкус страсти. Но это был всего лишь первый поцелуй.

Валентин оторвался от губ своей русалки и взглянул в ее пылающее лицо. Дыхание девушки участилось, ресницы опустились и чуть-чуть дрожали. Он чувствовал запах ее тела, ее тепло согревало его. Она была так хороша!..

Никогда Лили еще не знала такого наслаждения. Она хотела еще и еще поцелуев, еще ласки. Руки ее поднялись сами собой и обняли ее ненаглядного. Она чувствовала под пальцами черные мягкие кудри. Девушка сейчас боялась лишь одного — что все это кончится и он уйдет...

Жаркая волна страсти захлестнула Валентина. Сейчас красавица уже не просто принимала его ласки, но и отвечала на них. Она тоже хотела почувствовать вкус его языка, и он целовал ее все глубже. Валентин гладил ее бедра медленными, дразнящими движениями. Одной рукой он накрыл ее грудь. Даже сквозь ткань он чувствовал, как твердеют под его пальцами соски. Он прижал девушку к стволу. Поцелуй следовал за поцелуем.

Дыхание его стало хриплым.

— Пойдем прямо сейчас, — прошептал он, глядя в ее зеленые, блестящие от возбуждения глаза. — Пойдем на корабль, Франциска, не отказывай мне, — говорил Валентин. — Прости мне мой напор. Но я не мог сдержаться. Мне так хотелось обнять тебя, дотронуться до тебя...

Ее запах сводил Валентина с ума. Сладковатый аромат женского тела, пряный и нежный, возбуждал его так, что, окажись она сейчас на борту его корабля, ничто на свете не смогло бы ему помешать обладать ею.

— Я... Я должна сказать вам. Прошу вас, это плохо. Я не хотела, чтобы так получилось. Вы не знаете, я...

— Нет, это не плохо. Это не может быть плохо, когда двое чувствуют то же, что мы. Франциска, послушай меня... — говорил Валентин. Она не может покинуть его сейчас. Только не в эту минуту, когда им так хорошо вместе.

— Капитан, капитан! — раздался голос Мустафы. — Торопиться. Встреча. Мустафа не забывать. Мустафа говорить.

Валентин с трудом оторвал взгляд от девушки и посмотрел на слугу каким-то сумасшедшим взглядом.

— Встреча? Дьявол! Черт ее возьми! Ну, конечно, — пробормотал он и взглянул на Лили.

Девушка отвернулась. Чувствовалось, что она смущена и стесняется того, что произошло.

Заглянув ей в лицо, Валентин удивился. Она плакала. Он нежно поцеловал ее в лоб.

— Я должен идти. Я вернусь, Франциска. Я обещаю, что это только начало. Я приду за тобой. Собери свои вещи. Я увезу тебя.

— Прошу вас, не надо. Вы не должны приходить в табор. Здесь не любят чужих. Это будет глупо. — Лили хотела перенести встречу на завтра. К тому времени она придумала бы, как быть. — Приходите завтра.

— Нет, сегодня. Вечером. Или ты согласишься встретиться со мной, или я приду за тобой и смету весь этот твой табор. Встречаемся на берегу, там, где ты вчера скакала на коне. Я приду туда как только стемнеет. Мой корабль стоит недалеко. Я приплыву на лодке, так что нас никто не увидит. Я не позволю тебе просто так уйти из моей жизни. Не понимаю, что ты со мной сделала, но обещаю, что со мной тебе будет в постели так хорошо, как ни с кем еще не было. До вечера, Франциска. Я вернусь. — Валентин пошел за турком, потом обернулся и с мальчишеской озорной улыбкой сказал: — Ты ни разу не спросила, как меня зовут. А может, ты уже знаешь? Я — Валентин Уайтлоу. Сегодня вечером, Франциска. Не забудь.

Турок тоже обернулся. У хозяина новый роман. Опять нашел красивую девчонку. Вот только кого-то она напоминала Мустафе. Где он мог видеть ее раньше? На базаре? Покачав головой, турок последовал за капитаном.

— Я знаю, как тебя зовут, Валентин Уайтлоу, — сквозь слезы прошептала Лили, глядя вслед уходящим. — Я не

забыла тебя, как никогда не позабуду то, что ты со мной
сделал.

Что же он за человек, этот Валентин Уайтлоу, если мог
спокойно тискать ее в то время, как где-то совсем рядом его
ждала невеста? Встреча. Ну, ясно с кем. С этой ненавист-
ной госпожой Хауэрд. И еще, наглец, притворяется, что обо
всем забыл. Да, он, наверное, целовал ее, а сам думал о
другой. Дьявол... Так он, кажется, пробормотал? В нем точно было что-то от дьявола. Лили почти не сомневалась в
этом. А что он сделал с ней, с Лили? Какое семя посеял в
ее душе? Никогда не сможет она быть прежней. Она узнала
вкус его губ. Ее тело хранило его запах. Он касался ее так,
как до сих пор не смел касаться ни один мужчина.

И это еще не все. Теперь девушка сама себе казалась
чужой. Разве это она стоит здесь, у дерева? Нет, кто угодно,
но только не Лили Франциска. Валентин перехитрил ее, обманул. Он заставил ее испытать чувства, доселе ей неизвестные,
украл у нее самое драгоценное — ее любовь. Она отдала свою
любовь человеку, который никогда не сможет ответить ей вза-
имностью. Человеку, который даже не знал, кто она такая.

Лили попыталась откинуть назад волосы, но длинные
пряди спутались. Несколько цветков из тех, которыми она
украсила прическу, упали на землю и теперь валялись в
пыли. Франциска коснулась губ и поморщилась — они рас-
пухли и болели. В мечтах Лили представляла себе любовь
совсем другой. Столько лет воображение ее рисовало, как
Валентин целует ее. На самом деле все оказалось совершенно не так. Лили вздохнула и поправила корсаж. Ей было
жарко и неуютно в этом платье. Хотелось поскорее смыть с
себя следы его прикосновений и в то же время поскорее
быть в его объятиях снова.

Лили взяла корзину и, не замечая никого и ничего, побрела к своим. Невидящим взглядом скользнула она по хоро-

шо одетому джентльмену со странного цвета глазами, не обратив внимания ни на его ухмылку, ни на поспешность, с которой тот скрылся в толпе. Перед повозкой она едва не оступилась, а взглянув вниз, заметила небольшой кожаный мешочек — кошелек с деньгами, который дал ей Валентин. Девушка вспыхнула. Стоила ли она того, что ей заплатили? Лили вспомнила, как Валентин целовал ее. Он назначил встречу сегодня вечером и сказал, что придет за ней. Он велел ей быть на месте. Что ж, Лили сделает так, чтобы он ее не скоро забыл. Так просто все не кончится. Это точно.

Франциска улыбнулась. Она придет, так и быть. Вот уж удивится Валентин, когда она швырнет ему в лицо его деньги! Лили едва не рассмеялась, представив, как он будет ошеломлен, когда узнает, что перед ним дочь Джеффри Кристиана. Вначале он не поверит, потом побагровеет от злости, затем побелеет, вспомнив, как обнимал ее, как целовал и признавался в своем желании. О да, она непременно придет. На это свидание она должна пойти во что бы то ни стало.

Но вот Лили увидела Тристрама и Дульси. Дети сидели на земле и ели. Раф устроился подле своей юной хозяйки, внимательно наблюдая за тем, как пища исчезала из миски девочки. Пес всем своим видом показывал, что тоже голоден. Однако, заметив Лили, мастифф поднялся, завилял хвостом и едва не выбил миску из рук Тристрама.

— О, госпожа Лили, — заговорила Тилли, пытаясь подняться со скамьи в глубине повозки, где она сидела вместе с Фарли. Фэрфакс предпочел ужинать в тени раскидистого дуба неподалеку. — Я подам вам ужин. Вы выглядите смертельно усталой.

— Сиди, Тилли, — сказала Лили. Раф, полаяв для приличия, вернулся к Дульси и снова стал заглядывать девочке в миску.

— Ой, да вы продали почти все букеты! — воскликнула Тилли, но, присмотревшись к Лили повнимательнее, всплеснула руками. — Да что это с вами? Вас словно кто-то ударил по губам! Они припухли. Пойду-ка принесу мазь.

— Я сам принесу, Тилли. — Фарли усадил жену.

— Ничего страшного, само заживет, не беспокойтесь, — быстро проговорила Лили, убирая корзинку с оставшимися букетиками и монетами, вырученными за цветы, в дальний угол повозки. Кошелек с золотом она убрала за пояс.

— Лили, тебя тоже в той драке побили? — Тристрам удивленно посмотрел на сестру. Та была растрепанна. — Похоже на то.

— В какой драке?

— Ты не знаешь? Где же ты ходила последние полчаса?

— Я была занята. Так что за драка? — спросила она оглядываясь. — И где Ром?

— Он в городе, разбирается с констеблем и прочими, чтобы те решили дело миром. На ярмарочной площади была большая драка. Все из-за мальчишки, что украл кошелек у джентльмена. Паренька здорово отделали слуги того человека. Довольно-таки противная сцена. Столько людей дрались! Того и гляди кости переломают, никто уже и не разбирал, кто прав, кто виноват.

— С Ромом ничего не случилось?

— С Ромом? Да ты что! Ему все нипочем. Видела бы ты, как он их отделывал! Раз! Два! И все.

— Я не стал оставлять для него ужин. Все равно, как только он покончит с делами в городе, его будут ждать на совете старейшин. Там собираются обсудить драку и решить: оставаться нам или нет? — проговорил Фарли. — Есть о чем подумать, госпожа Лили. Зима на носу, и Тилли скоро рожать. Надо бы поскорее найти другое пристанище. Пока что спать под открытым небом даже приятно, но что будет, когда польет дождь? Не думаю, что такая жизнь пойдет нам на пользу.

— Знаю, Фарли, — кивнула Лили. — Я тоже думаю, что пришла пора прощаться с ярмарочным житьем-бытьем. Вряд ли Рому удастся уговорить остальных смириться с нашим присутствием в таборе.

— Все они чертовски завистливы, — пробормотал Фарли. — Наших кукол сжег кто-то из них. Сдается мне, не слишком-то сообразительны эти цыгане. Раньше они говорили, будто мы переманиваем у них покупателей, а сегодня я уже слышал, как кое-кто из них ворчал, будто выручка упала из-за того, что мы больше не даем представления и народу от этого меньше возле их лотков. Им не угодишь.

— Надеюсь, Ром не сильно их разозлил. Они его друзья, и мне не хотелось бы, чтобы его из-за нас прогнали. Он и так достаточно для нас сделал. У нас еще есть куда пойти, а Рому больше некуда.

— Готов поспорить, что он рассчитывает на большее, — процедил Фарли.

— Куда мы двинемся, Лили? — спросил Тристрам. — Мы же не можем вернуться в Хайкрос.

— Так мы идем к Мэри Лестер?

— Да нет, сейчас в этом уже нет необходимости.

— Что ты имеешь в виду, Лили? Она умерла? Она ведь старая, не правда ли?

Лили вздохнула:

— Я сегодня видела Валентина. Он вернулся.

— Дядя Валентин в Лондоне! — взвизгнула Дульси.

— Валентин! Вот здорово! Лили, это правда? — Братишка вскочил. — Где он? Почему он не пришел с тобой сюда? Ты с ним не говорила?

Лили опустила глаза.

— Нет. Я с ним не разговаривала. Мне нужно было время, чтобы обдумать предстоящий разговор. Я должна буду объяснить, что произошло в Хайкрос и почему мы оказались здесь, на ярмарке. Я послала ему записку, назначила встречу на вечер. Тогда мы и поговорим.

— Сегодня вечером? Так он придет сюда? — уточнил Тристрам.

— Нет. Я встречаюсь с ним поздно вечером, и разговор предстоит долгий. Я не хочу, чтобы вы задерживались со мной допоздна. Довольно трудно будет все ему объяснить, — добавила Лили больше для себя.

Радость от предстоящего свидания заметно поблекла, стоило ей подумать, о чем придется им говорить.

— Я хочу переодеться, — вдруг заявила Лили. — Сегодня так жарко. Надо постирать это платье.

— Нам с Фэрфаксом, наверное, стоит пойти с вами, — предложил Фарли. — Рассказать, почему мы и Тилли оказались тоже здесь. Не хочу, чтобы капитан решил, что мы сделали что-то плохое. Боюсь, увидев нас здесь, он так и решит.

Фарли посмотрел на Фэрфакса. Тот даже рот от удивления раскрыл, услышав предложение брата явиться на встречу с Уайтлоу. Однако, по мере того как Фарли говорил, Фэрфакс все больше убеждался в его правоте. Не стоило оставлять у грозного капитана впечатления, что в несчастье, которое постигло его подопечных, виноваты братья Одел.

— Спасибо, Фарли, но лучше я пойду одна. Не думаю, что разговор у нас будет приятным. Я постараюсь не упоминать о том, как вы прятались на церковном дворе и перепугали до полусмерти преподобного и жителей.

— Верно, пожалуй, — согласился Фэрфакс.

— Если бы кое-кто держал рот на замке, история вообще никогда не выплыла бы наружу, — мечтательно протянул Фарли.

— Я никому ничего не скажу! — заявил Тристрам. Неудивительно, ведь он тоже участвовал в этой затее.

— Я про тебя и не говорю, Тристрам, — покачал головой Фарли, с подозрением глядя на своего тугодума-братца.

— Эх ты, Фарли. Ты-то должен бы знать, что я не проболтаюсь. Помнишь, когда ты с той девчонкой... Как там ее звали? Впрочем, не важно, — осекся Фэрфакс, перехватив недоуменный взгляд Тилли.

— Лили, у тебя же крошки во рту весь день не было. — Дульси протянула сестре миску с булочкой и кусочком сыра. — Это последняя, — заявила девочка, посчитав, что таким образом повысит ценность угощения в глазах старшей сестры.

Но Лили вдруг заплакала. Она напрочь забыла о том, что собиралась купить к ужину жареных голубей.

— Что стряслось, Лили? — нахмурилась Дульси. Она готова была тоже заплакать. — Я велела Тристраму не есть вторую булочку. Я знала, что ты вернешься голодной. Свою я разделила с Рафом.

Лили покачала головой и обняла брата и сестру:

— Я не из-за этого плачу. Я просто немного устала. Да и есть мне не хочется. Давайте-ка я съем сыр, а вы поделите булочку. Я уже перекусила. Держите. — Она протянула детям по половине разломленной булки.

— Ты честно ела? — недоверчиво переспросил Тристрам.

— Да. Делайте как я говорю! Не хочу больше ни слова об этом слышать, — быстро добавила Лили. Она не заметила, как Фарли и Тилли обменялись многозначительными взглядами. — Хочу искупаться до того, как стемнеет. — И она направилась к маленькой палатке, разбитой между повозкой и дубом. — Мне хочется прийти на свидание в лучшем виде. Пусть не думает, что мы нищие попрошайки.

— Вам помочь, госпожа? — Тилли поднялась. — Мы принесем вам воды из ручья.

— Спасибо, но я хочу помыться прямо в ручье. Я не надолго.

Взяв зеленое бархатное платье, полотенце и, конечно же, любимые духи, она направилась к ручью. Деревья вдоль ручья создавали надежное укрытие. Вокруг не было ни души. Лили разделась, сложила одежду на камне, затем расчесала волосы, заплела их в косу и убрала наверх. Оставшись в одной тонкой рубашке, вошла в холодную воду, вымыла руки, ноги, лицо, смыла с себя всякое напоминание о прикосновениях Валентина Уайтлоу.

Стоя в воде, прислушиваясь к нежному журчанию ручейка, Лили полной грудью вдыхала напоенный запахами леса воздух. Ручей ласкал ее ноги, плескался у бедер. Лили вдруг захотелось лечь на воду и, отдавшись течению, поплыть вместе с ручейком туда, где несла свои воды Темза, а оттуда в море.

Между тем тени удлинялись, силуэты деревьев на розовато-лиловом небе становились темнее и четче. Смеркалось. Внезапно где-то рядом хрустнула ветка. Стайка птиц с тревожным криком взметнулась в небо.

— Кто здесь? — воскликнула Лили, рассерженная тем, что за ней подглядывают.

Но ответом ей была тишина.

Она выскочила из воды. Девушка отказалась от мысли вытереться насухо и растереться благовониями. Рубашка липла к влажному телу, застежка зеленого платья не хотела слушаться.

Лили, беспрестанно оглядываясь, поспешила к лагерю. Лесок у ручья казался гуще, чем когда она шла купаться. Со вздохом облегчения покинула Лили зеленые заросли и вышла на поляну, все еще залитую золотистым светом. Здесь стоял табор. Теперь с ней ничего случиться не может.

Девушка перекинула шелковое платье через край повозки, туалетные принадлежности положила в мешочек, потом подсела к Фэрфаксу, который подбрасывал хворост в костер. Тилли уютно свернулась возле Фарли. Тристраму и Дульси пора было спать. К вечеру становилось прохладнее. Все сильнее ощущалось дыхание осени.

— Ребятишки, идите спать. — Старшая сестра тронула за плечо Дульси, которая уже клевала носом.

— А ты мне расскажешь сказку? — Девочка зевнула.

— Какую? — Лили наперед знала, каким будет ответ.

— Сказку о белых конях, — сонно пролепетала девочка. — Расскажи мне еще и про остров, Лили. Я хочу услышать про Нептуна и его колесницу.

— Когда мы были на острове, ей все время хотелось услышать про Англию и королеву. Сейчас, когда мы здесь, она все время просит рассказать про остров, — пробурчал Тристрам, снимая с Колпачка курточку и шапку.

— Пррраак! Белые кони!

— Тристрам, ты не забыл покормить Весельчака?

— Дал ему полный мешок овса, а он за мои старания укусил меня в плечо, — ответил мальчик, протягивая ноги к огню. — Мне кажется, он становится все более вредным, Лили.

— Он стареет, Тристрам, — улыбнулась сестра.

— Значит, с возрастом он становится все более вредным, — сделал вывод Тристрам. — Эй, смотри! Я заметил первую звезду!

— Опять ты, Тристрам! Это нечестно. Ты всегда замечаешь первый, — недовольно пробурчала Дульси. — Я вот ни одной не вижу.

— Не печалься, скоро их будет так много, что не сочтешь, — успокоила ее Лили. — После сказки о белых конях я расскажу тебе сказку о танцующих звездах, — пообещала она и начала свой рассказ. Скоро, очень скоро придет время свидания с Валентином Уайтлоу.

В таверне «Бараний рог» было полно народу. Негде поставить кружки с пивом, так тесно стало за дубовыми столами. В большом камине весело потрескивали дрова. Над рекой поднимался туман. Таверна недалеко от порта всегда собирала много посетителей. Сие питейное заведение облюбовали моряки, ибо рядом находилась Лондонская гавань. Да и куда еще пойти корабельному человеку, только что ступившему на берег, как не в «Бараний рог»? Весьма часто раздавался такой родной голос хозяина: «Суши весла!» А в ответ — дружный одобрительный рев. Сколько раз воцарялась тишина в знак уважения к мастерству рассказчика, который умудрялся вставить в речь головокружительное коленце не для дамских ушей.

Уайтлоу встретил Сэндрика в условленное время. Заказали еду и вино. Вскоре их компания разрослась. Подошли Джордж Хагрэйвс, Вальтер Ралли и капитаны — знакомые Валентина.

Вокруг так шумели, что Валентин еле слышал собеседников.

— Тебя долго не было. Ты знаешь, что Фрэнсис Дрейк стал сэром?

— Да он настоящий дьявол, этот парень, скажу я вам!

— Ее величество поднялась на борт корабля Дрейка в Депфорте и посвятила его в рыцари прямо на палубе. Надо было это видеть! Знаешь, как она поступила? Испанцы требовали голову Дрейка, так королева взяла шпагу и... Все уже думали, что она сама казнит Дрейка. Не тут-то было! Она посвятила его в рыцари.

— Миллион фунтов — приличная сумма. Дрейк стоит такого обращения.

— Это верно. Я служил у него и знаю, что он хитер как лис.

— С тех пор как Дрейк зачастил в Новую Испанию, испанцы прозвали его Эль Драгон*. Дрейк внушает им суеверный страх, и неудивительно: никогда не знаешь, с какой стороны он появится.

---

* Дракон *(исп.)*.

— Слышали, что и от тебя у испанцев вставали дыбом волосы, Уайтлоу. Научился у Дрейка своим штучкам, а?

Но Валентин сделал вид, что не расслышал. Он почти не вникал в разговоры. Мысли его были заняты другим. Капитан вспоминал нежное тело, что так недавно сжимал в объятиях, цветочный запах кожи. Скоро, скоро стемнеет. Было уже довольно поздно, а у Вальтера Ралли все не кончались вопросы. Ему хотелось побольше узнать о Новом Свете.

— Томас, мне пора. У меня назначена встреча.

— Готов спорить, что это встреча с женщиной!

— Тогда Валентин на какое-то время исчезнет из нашего общества.

— Она красивая?

— Какая разница! Наш друг вернулся из плавания. Несколько месяцев ни одной юбки. Я после таких путешествий бывал не слишком разборчив. Первая же пара ножек — и она кажется тебе королевой, — проговорил один из моряков, широкоплечий и косолапый, чем-то похожий на медведя.

Он поймал пышнобедрую девицу, разносившую пиво, усадил на колени и чмокнул в щеку. Девушка засмеялась, замахала руками, но, несмотря на ее протесты, чувствовалось, что такое обращение ей по душе.

Валентин брезгливо поморщился. Впервые грубость приятеля задела его, и хотя в словах Матта Эванса не было ничего для Валентина обидного, тот почувствовал себя уязвленным. Как можно было сравнить Франциску с рябой девкой на коленях у Матта!

Валентин чувствовал к своей русалке нечто большее, чем просто желание. Что бы он там ни говорил ей насчет единственной ночи на борту «Мадригала», он знал: одной ночи ему не хватит. Капитан уже подумывал над тем, чтобы сделать ее своей постоянной любовницей. Он мог бы поселить ее в городе и сделать так, чтобы она ни в чем не нуждалась.

Снял бы для нее красивый дом в Сити. Купил бы карету. Надарил бы ей платьев и драгоценностей. Нанял бы слуг, готовых исполнять любое ее желание. Он баловал бы ее, одевал бы в шелка и бархат, убирал бы жемчугами ее роскошные волосы, умащивал бы ее кожу самыми экзотическими, самыми дорогими духами Аравии.

Быть может, он даже взял бы ее с собой в Плимут и тогда смог бы проводить побольше времени у себя на родине. Тогда, чтобы увидеть ее, достаточно было бы нескольких часов езды. Однажды он мог бы даже привезти ее в Равиндзару. Когда молодой человек думал о ней, лежащей рядом с ним в постели, о ее губах, трепещущих под его поцелуями, образы других женщин меркли. Он не мог представить рядом с собой ни одной, кроме этой рыжеволосой и зеленоглазой колдуньи. Думая о ней, он забывал обо всем.

Валентин грезил наяву, а меж тем солнце село. У реки его ждала женщина — предмет его мечтаний. Он поднялся из-за стола.

Но выйти из таверны ему не дали. Его окликнул человек, которого капитан видел впервые. Протянув Валентину записку, посланник пояснил:

— Вас ждет лорд Берли.

— Прямо сейчас?

— Да. Его высочество был занят целый день и только сейчас выкроил время, чтобы принять вас. Итак?

Валентин понял, что ответить отказом нельзя. Едва ли в Англии нашелся бы хоть один человек, который посмел бы не явиться, когда его вызывает сам Уильям Сесил, первый министр ее величества.

Валентин кивнул. Джентльмены вышли. На небе зажглась первая звезда. Он с тоской посмотрел на берег, туда, где должна была ждать его девушка его мечты.

— Мустафа!

— Да, капитан.

— Я не знаю, как долго мне придется пробыть на приеме, — сказал тот и взглянул на посыльного.

— Боюсь, что не могу ничего сказать вам, сэр, — тихо ответил он.

— Мустафа, я хочу, чтобы ты нашел Франциску. Я не хочу, чтобы она решила, будто я обманул ее. Черт! — выругался Валентин, заметив ночного сторожа с алебардой и фонарем. — Сейчас позднее, чем я думал.

— Франциска? Там? Ярмарка?

— Да. Я назначил ей встречу. Но вместо меня пойдешь ты. Она видела тебя со мной сегодня днем. Объясни ей, почему я не смог прийти. Приведи ее на корабль и не слушай никаких возражений. Хотя, я думаю, возражений не будет. — Валентин знал, что нравится женщинам, и был уверен, что в этот раз не получит отказа.

— На борт? — переспросил Мустафа. До сих пор на борту корабля не бывало продажных девок.

— Капитан Уайтлоу, вы заставляете лорда Берли ждать, — напомнил ему посыльный.

— Прошу тебя, Мустафа. Я хочу видеть ее у себя в каюте, когда вернусь. — Валентин бросил прощальный взгляд на противоположный берег, где его должны были ждать, и поднялся на баржу.

— Мустафа будет привести. — Турок поклонился пустому пространству. — Капитан болеть? Капитан женщин водить? А Мустафа рыжая видеть. Давно-давно видеть.

Лили похлопала коня по спине. Темнело быстро. Берег стал почти невидимым. Только судовые фонари отражались в черной глади воды. Но по мере того как туман становился гуще, и этих слабых огоньков стало почти не видно.

Лили становилось все более неуютно здесь одной. С реки доносились какие-то звуки — то плеск, то урчание, то скрежет. Переругивались друг с другом перевозчики.

Лили разглядела силуэт «Мадригала». Она узнала вырезанную на носу корабля сирену. При других обстоятельствах Лили с удовольствием вновь поднялась бы на борт этого судна — самого красивого здесь, на Темзе. Но сейчас — ни за что...

Она вздохнула. Весельчак тревожно заржал.

— Все хорошо, малыш, — прошептала Лили, потрепав коня по шее. — Я знаю, что тебе не нравится здесь. Мне тоже, поверь.

Он не шел. Валентин не спешил к ней на встречу. Какой же дурой она была, когда поверила ему! Он получил все, что хотел, там, под деревьями. В конце концов все остальное он в любой момент может получить в объятиях Корделии. Вполне вероятно, что они сейчас там, на «Мадригале», вдвоем стоят на палубе и смотрят в трубу на нее, ждущую на берегу своего принца, и смеются над ней. Или, быть может, он нашел другую девчонку. Лили начинала сердиться.

Девушка не знала, чего больше в ее чувствах: гнева или разочарования. Не знала, то ли радоваться тому, что капитан «Мадригала» не пришел, то ли злиться. Конечно, девушка плохо представляла, каким будет их разговор. Однако было неприятно чувствовать себя одураченной. Оставаться здесь и дожидаться неизвестно чего — глупо и унизительно.

— Пошли, Весельчак, — прошептала Лили, вскочила на коня, и лошадь полетела к табору.

Сэр Раймонд Уолчемпс поднес к носу шарик с амброй: «Ну и воняет здесь!» В корчме набилось невероятное количество народу. Дышать было совершенно нечем.

Кроме того, все были злые как черти. Малейшая вспышка — и этих людей, изрядно поколотивших друг друга на ярмарке, не удержать от новой драки.

Сэр Раймонд улыбался. Сегодня дела у него шли лучше.

— Будь прокляты эти попрошайки! Один из них крепко надул меня сегодня!

— На прошлой неделе один цыган продал мне хромую кобылу. Я пробовал вернуть ее назад, но мне ответили, будто, когда я брал ее, она не была хромой. Пройдоха заявил, что я вру! — кипятился другой посетитель.

— Продают ром, которому и трех дней нет, а стоит он больше, чем даже у меня! Я бы сказал, из чего они его делают, если бы не видел, как кое-кто из вас его пил!

— Так что, Джон? Из-за них ты теряешь посетителей?

— Верно. Пора бы их в шею гнать из Лондона!

— Видел, тебя сегодня побили на площадке для боев. Зачем ты позволил этому светлому парню так себя скрутить?

— Да он смухлевал! Толкнул меня в плечо незаметно, — оправдывался перед приятелем детина, опустив в пол глаза.

— Да он не только тебя побил, он и с дочкой твоей успел полюбезничать!

— С Лиззи?! Наложил на нее свои грязные лапы?! Да я...

— Эй вы, а платить кто будет? — возмущенно спросил трактирщик у нарядного джентльмена в углу.

— Мне нечем вам заплатить, добрый человек, — заявил сэр Раймонд Уолчемпс, оглядывая недоуменно уставившихся на него людей. — У меня украли кошелек. — Он вскочил, и миски, которые трактирщица поставила на стол, покатились по грязному полу. — Шлюха украла. Та, что пришла сюда с цыганами. Эта, с рыжими волосами. Она это сделала. На ярмарке, совсем недавно. Она хотела, чтобы я купил у нее букетик.

— Да, я помню ее, — сказал кто-то.

— Улыбалась мне сладко-сладко. А уж какая наглая! Еле от нее отвязался.

— Хотел бы я, чтобы она со мной так же заигрывала, — протянул другой. Если бы девчонка была с ним поласковее, он бы не стал на нее обижаться, даже если бы пришлось лишиться кошелька.

— Назначила мне встречу за одной из палаток. Но я ведь всего лишь мужчина, не так ли? Девчонка хороша собой. Я и положил на нее глаз, — продолжал Раймонд, досадуя про себя на то, что не подготовил речь заранее и снова дал маху, невольно привлекая внимание завсегдатаев кабака к своим разноцветным глазам. — Однако стоило мне лишь ее обнять, как кто-то ударил меня по голове, а когда я очнулся — ни кошелька, ни колец! — заключил Уолчемпс, спрятав в шляпу шарик с амброй. — Видит Бог, — пожаловался он, — я был так слаб, что смог дойти лишь до вашей таверны, так что, добрый господин, простите, что пью ваше вино, хотя не могу за него заплатить.

— О, сэр, даже не беспокойтесь! Это подарок заведения. О чем тут речь! После того, что вы пережили! Их надо всех перевешать! Как смели они так поступить с джентльменом?! Никогда не слышал о подобной дерзости!

— Вы совершенно правы, — пробормотал сэр Раймонд. Двое мужчин у двери в таверну, ждавшие его сигнала, подхватили факелы и зажгли их, к ужасу трактирщика. Язычки пламени начали лизать стропила его дома.

— Спалим их! Пошли! Кто с нами?

— Все!

— Сожжем воров и шлюх! Вон из нашего города!

— Мы покажем этим цыганам!

— Я с вами! — закричал сэр Раймонд.

Он растворился в толпе. По мере приближения к ярмарочному полю толпа увеличивалась. Грозная лавина подкатилась к мирному табору, где люди, сидя вокруг костров, вкушали горячую пищу. Кое-кто уже спал под телегами или в цветастых повозках.

Огонь от подожженных будок и прилавков с неимоверной скоростью распространялся во всех направлениях, захватил палатки, взметнулся ввысь.

Начался переполох. Дым черными клубами вился над табором. Кричали дети, визжали женщины, животные блеяли, мычали, ржали... Заработали кулаки и дубинки — горожане встретились с яростным сопротивлением цыган и прочего ярмарочного люда.

Сэр Раймонд отделился от толпы и наблюдал за происходящим с безопасного расстояния. Женщины и дети, сбившись в кучки, жались к краям поля битвы. Те, кто не полез в драку, быстро собирали оставшиеся вещи, сваливали их на телеги и в повозки, которые не успел захватить огонь, и откатывали их подальше.

Сэр Раймонд Уолчемпс искал Лили Кристиан. Вдруг он увидел ее. Девушка стояла около телеги, запряженной парой волов.

В шуме и грохоте не было слышно его шагов, и Раймонд подобрался совсем близко к своей жертве. Выйдя из-за деревьев, он занес нож над девушкой. Мгновение — и последовал смертельный удар.

Девушка упала. Улыбаясь, Уолчемпс перевернул ее. И остолбенел. То, что он принял за темно-рыжие волосы, оказалось кружевной вуалью цвета меди. Легкая ткань сползла с лица несчастной. Это была не Лили. Цыганка лежала у его ног. Ее черные глаза безжизненно смотрели в небо.

Вдруг сэр Раймонд увидел цыгана. Тот с ножом в руках бежал к нему. Парень налетел на Уолчемпса, и оба покатились в грязь. Убийца закричал, почувствовав жгучую боль. Он уже решил, что умирает. Но злодей не сдавался. Кинжал был у него в руках, и он пытался развернуть оружие, чтобы острие вонзилось в грудь врага. Вдруг нападающий обмяк, Раймонд дернулся, но противник не шевелился. Тогда Уолчемпс откатился в сторону. Осторожно поднялся на ноги, прижимая руку к кровоточащей ране в плече. Теперь он мог разглядеть человека, напавшего на него.

В груди молодого цыгана торчал нож сэра Уолчемпса. Раймонд недоуменно смотрел на рукоять. Лучшего удара он нанести бы не смог. Не сразу понял сэр Раймонд, что борьба кончена, что толпа рассосалась и люди разбежались кто куда залечивать полученные раны.

Достав из камзола носовой платок, сэр Раймонд прижал его к плечу. Странно, но теперь, когда опасность миновала, убийцу совершенно не заботила его рана. Одно не давало ему покоя: Лили Кристиан по-прежнему жива.

Раймонд отступил в тень деревьев, глядя оттуда на два мертвых тела, на двоих убитых им людей. Сейчас ему казалось невероятным то, что он обознался. На девушке было то же платье, что и на Лили днем. Да еще эта дурацкая рыжая вуаль.

И вдруг сэр Раймонд оцепенел — Лили Кристиан верхом на белом коне въезжала в лагерь. Спешившись, она направилась прямо к тому месту, где стоял негодяй. Кто-то окликнул ее, и она повернула в сторону.

Мальчик и девочка бежали к Лили. Прижав к себе детей, она поспешила к беременной женщине, пытавшейся опуститься на колени перед мужчиной с разбитой головой. Другой мужчина, ниже ростом, помог ей, затем присел рядом и принялся вместе с женщиной осматривать лежащего без сознания человека.

Лили Кристиан вдруг обернулась, и сэру Раймонду показалось, будто она смотрит прямо на него. Он отступил за дерево.

Сэр Раймонд понимал, что Лили не могла его видеть, зато он видел ее. На этот раз она обманула смерть, но в следующий раз ей это не удастся. В другой раз промаха не будет.

Глава 22

Где ты, милая, блуждаешь?
Уильям Шекспир*

Близился рассвет. Валентин стоял на палубе «Мадригала», устремив взгляд к берегу, едва заметному в туманной дали.

Он потерял ее.

Пока он ждал встречи с лордом Берли, она исчезла. А теперь, зная из рассказа Мустафы о том, что произошло в таборе, он понимал, что может больше никогда не увидеть красавицу. Валентин проклинал обстоятельства, помешавшие ему встретиться с ней, помешавшие быть рядом с ней в тот страшный момент.

Ему пришлось прождать около пяти часов, прежде чем лорд Берли смог принять его. Когда Валентин вошел в покои Сесила, усталый хозяин собирался уйти. Королева срочно пожелала принять своего советника. Тот, извинившись и пообещав, что долго не задержится, похромал по коридору.

Валентин терпеливо ждал. Сначала сидя. Затем встал и принялся ходить туда-сюда по темному коридору. Часы тянулись страшно медленно. То и дело он возвращался мыс-

---

* Пер. Э. Линецкой.

ленно к женщине, ожидавшей его на корабле. Успокаивало лишь то, что ждет она не на улице, а в удобной каюте.

Сейчас Валентин вспоминал, как обнаружил каюту пустой и как встревожился, узнав от Мустафы, почему она пуста. В который раз он клялся свести счеты с доном Педро Энрико де Вилласандро, капитаном «Утренней звезды». Испанец и тут все ему испортил.

Лорд Берли вызвал к себе Валентина из-за испанского капитана, поэтому Уайтлоу во всем винил дона Педро. И за то, что Валентин не смог быть рядом с Франциской в минуты опасности, и за то, чего не произошло сегодня ночью на борту «Мадригала». Министр был озабочен растущей напряженностью в отношениях между двумя капитанами и посоветовал Валентину вести себя более осмотрительно. Сесил не хотел, чтобы личная неприязнь двух человек переросла в столкновение между двумя недружественными странами. От испанского посла поступила официальная жалоба на Валентина Уайтлоу, в которой подробно перечислялись случаи пиратских вылазок англичанина против Испании и ее подданных. Дрейк своими последними «подвигами» в Новом Свете вызвал гнев Филиппа II. Испанская сторона подчеркивала, что подобные действия подданных Елизаветы могут обострить и без того напряженные взаимоотношения Испании и Англии.

Министр говорил отважному капитану, что не следует дразнить Филиппа уже для того, чтобы избежать военного вторжения Испании. Валентин знал: Сесил и королева всеми силами стараются предотвратить войну. Однако мнение военного совета, куда входили такие люди, как Уолсинхэм, Хэттон и Лейстер, сильно отличалось от убеждений ее величества.

Сесил известил Уайтлоу, что дон Педро около месяца назад посетил Англию. Испанец, естественно, не хотел, чтобы о его прибытии в страну стало известно. К сожалению, сохранить инкогнито ему не удалось. Дон Педро интересовался, где живет Уайтлоу, куда он плавал последний раз и куда собирается плыть потом.

Валентин улыбнулся. Недолго дону Педро пребывать в неведении. Сесил сообщил, что его враг отправился в Испанию две недели назад, причем на борту его судна находились весьма высокопоставленные члены посольства. Похоже, в последнее время «Утренняя звезда» путешествует в основном по государственным делам. Так что будет скандал, если Валентин случайно потопит корабль, на котором будут находиться члены королевской семьи. Однако, добавил Сесил, если на «Мадригал» нападут, Валентин будет иметь полное право обороняться.

Молодой человек был совершенно согласен с лордом Берли. У него, разумеется, есть свои осведомители, и он вскоре узнает, куда в ближайшем будущем направится дон Педро и будут ли на борту его корабля высокопоставленные лица. Если нет — Уайтлоу будет не прочь побеседовать с доном Энрико.

Но это пока подождет. Сейчас его ждет неотложное дело — разыскать Франциску. Если бы он только был здесь, когда толпа горожан напала на табор! Мустафа говорил, что много повозок и шатров спалил пожар, рассказал о драке.

Турок был глубоко огорчен тем, что не смог выполнить просьбу своего господина. Он переправился на противоположный берег, как и велел ему капитан, но девушка уже ушла. Он решил отправиться на ее поиски, когда вдруг заметил сполохи огня и услышал крики. Турок поспешил в лагерь. Группа людей собралась вокруг мужчины и женщины, раненных во время схватки цыган с горожанами.

Мустафа подошел поближе, думая, что может чем-нибудь помочь. Лицо женщины он разглядеть не смог, потому что люди заслоняли ее, но платье ее из зеленого шелка было в крови. Пробравшись поближе и выглянув из-за спин собравшихся вокруг лежащей на земле пары, он увидел девушку, которую его хозяин просил привести на борт «Мадригала». Да, это была та самая девушка, сообщил Мустафа оцепеневшему Валентину. У нее были те же темно-рыжие волосы и зеленые глаза.

На один ужасный миг капитан поверил, что убили Франциску. Ведь в тот день именно на ней было зеленое шелковое платье. Перед его глазами возникла картина: Франциска лежит на залитой кровью земле с ножом в груди.

Но турок продолжал рассказ. Оказывается, Франциска стояла на коленях перед раненым мужчиной. Видимо, тот пытался защитить убитую. Мертвая была цыганкой: темноглазая, смуглая, черноволосая. Ее обнимал седовласый мужчина. Он же дал указание положить раненого мужчину в одну из повозок. Седовласый приказал всем собираться в дорогу. Цыгане должны были уйти из города до рассвета, не дожидаясь возвращения нападавших.

Девушка, державшая на коленях голову раненого, посмотрела вверх, и турок увидел, что ее лицо залито слезами. Пожар не удалось погасить полностью, и черный дым поднимался над табором. Мужчина стонал. Мустафа слышал, как он говорил «Франциска». Раненый сжал руку девушки и что-то зашептал. Франциска склонилась над ним, затем, умоляюще посмотрев на седовласого, попросила его, чтобы он позволил ей и ее семье ехать с цыганами.

Старик покачал головой, сказал что-то оскорбительное девушке, после чего раненый, приподняв из последних сил голову, шепотом попросил старика позволить ей остаться. Седовласый после некоторого колебания согласился исполнить просьбу умирающего.

Казалось, Мустафе не очень хотелось говорить дальше, но Валентин настоял. Тогда турок сказал, что девушка от раненого так и не отошла. Ближе турок подойти не смог. Он старался держаться поодаль. Мустафа видел, как повозки покатились на юг. Затем он пришел на корабль и стал дожидаться возвращения капитана.

Закончив рассказ, слуга нахмурился. Его беспокоило странное чувство, будто он знаком с девушкой, но Мустафа не стал говорить об этом капитану.

Стоя под деревьями, он заметил человека, джентльмена, который наблюдал за уходом цыган. Турка заинтересовал странный господин. После того как последняя повозка скрылась из виду, джентльмен вышел из-за деревьев. Вел он себя довольно странно. Оглядывался, словно искал кого-то. И действительно, некоторое время спустя к нему подошли двое с факелами. Человек протянул каждому по мешочку. Один мужчина, видимо, не доверяя джентльмену, высыпал на ладонь содержимое и пересчитал монеты. Не сказав ни слова, двое с факелами ушли.

Турок узнал джентльмена. Это был давний знакомый капитана — сэр Раймонд Уолчемпс.

Это имя не выходило у Валентина из головы. Он не мог понять, почему рыцарь ее величества находился в цыганском таборе, а тем более расплачивался с людьми, очевидно, принимавшими участие в поджоге.

Уайтлоу стоял на палубе, погруженный в свои мысли. Квинты не будет в Лондоне еще по меньшей мере недели две. Сэр Роджер должен задержаться в столице по своим делам. К завтрашнему дню «Мадригал» должны разгрузить. Значит, у него есть немного времени, чтобы найти Франциску. Нельзя упустить свой шанс и позволить ей так просто уйти из его жизни после того, что произошло между ними. Он знал, что все равно не сможет ее забыть. Первые лучи осветили землю, когда Валентин услышал окрик.

Как бы ни любил Валентин племянника, сейчас, увидев Саймона, махавшего ему с лодки, он не испытал радости.

— Дядя! Дядя! Вы вернулись! — кричал Саймон.

Саймон вскарабкался на борт. Вид у него был расстроенный и несчастный, камзол весь в пыли, один рукав порван. Штаны его имели вид столь же жалкий, а туфли были в грязи. На щеке у юноши краснела царапина, под левым глазом — кровоподтек.

— Мой Бог! Что с тобой приключилось, Саймон? Надеюсь, в Риверхасте ничего страшного не случилось? Я был там вчера утром — навещал леди Элспет и сэра Уильяма.

Валентина встревожил растерзанный вид племянника.

— Нет, в Риверхасте все нормально. Я как раз оттуда. Именно там я узнал, что вы в Англии и сможете помочь. Я заехал в Риверхаст, чтобы сообщить, что случилось, и мама и сэр Уильям сказали мне, что вы вернулись. О, дядя Валентин, какое счастье, что вы вернулись! Я уже и не знал, что делать. Как хорошо, что...

— Хватит причитать, как девица. Возьми себя в руки. И рассказывай все по порядку. Что с твоей щекой? Ты подрался? — Капитан недоумевал. Очень не похоже все это было на племянника.

— Нет, — глядя в пол, ответил Саймон. — Я упал с лошади. Не разобрал, куда еду. Наверное, я задремал. Но со мной все в порядке. Пара синяков не в счет. По крайней мере хороший урок. В Уайтсвуде тоже все прекрасно. Дядя Валентин, она пропала! Пропала! — вдруг закричал Саймон, и на глазах его появились слезы.

На мгновение Валентину почудилось, что эхо повторило его собственные мысли. Но ведь не могло ничего случиться с его родными.

— Кто пропал?

— Дядя Валентин, как вы не понимаете! Она пропала. И остальные вместе с ней. Лили исчезла!

— Лили?

— Да, Лили Кристиан! Дульси и Тристрам тоже! И с ними Колпачок, Циско, Раф и Весельчак! Они все исчезли. И все из-за Хартвела Барклая! Из-за него! Если бы он не зашел в ее комнату и не свалился в лохань с водой, Бог знает, что могло бы случиться. И вот они убежали. С ними Оделы и Тилли!

Валентин смотрел на племянника. Никогда он еще не видел Саймона в таком состоянии. Он решил было, что мальчишка перебрал вина.

— Саймон, иди сейчас в мою каюту и ляг отдохни. Ты выглядишь утомленным. А после того как ты отоспишься, мы обсудим твои дела.

— Да, дядя Валентин, я устал. Я в седле уже больше суток, но, пока мы не найдем их, я не буду отдыхать. Они ушли, дядя. Им пришлось сбежать из Хайкрос. Все из-за этого толстяка. Он, конечно же, все отрицает, но я знаю правду! Мне он никогда не нравился. А теперь Лили хотят объявить ведьмой! Они хотят сжечь ее на костре! Ну что же, они ответят передо мной за все, передо мной и моей семьей, и я сказал им об этом. Я позабочусь о том, чтобы этот преподобный увидел ад еще при моей жизни.

Саймон все больше распалялся.

— Конечно же, — продолжал он, — поскольку вы, дядя, здесь, вы сами захотите разобраться с этим делом, но я буду сопровождать вас. Хочу я посмотреть на этих ханжей, когда вы вытащите их за ушко да на солнышко. Особенно этого мерзкого констебля и злобную бабенку с ее дочкой.

Валентин со вздохом посмотрел на берег. Ему ничего не оставалось, кроме как предложить племяннику пройти с ним в каюту и обсудить положение.

— Я знал, что могу на вас рассчитывать, дядя Валентин. Все время на пути из Хайкрос я думал: лишь бы встретить вас поскорее. Вы ведь придумаете, как нам быть, правда? Может, они отправились к Мэри Лестер?

— Кто такая Мэри Лестер?

— Старая нянька. Только ей они могли довериться. Вас не было в стране. Артемис вышла замуж. Квинта где-то на севере. Представляю, каково пришлось Лили! Они думают, что Хартвел Барклай мертв. Бедные дети! Братьев Одел и Тристрама должны были наказать за хулиганство. Я заскочил в деревенский трактир подкрепиться. Слышали бы вы, о чем там говорят. У меня аж волосы дыбом встали. Давайте, дядя, собирайтесь. Поедем в Стратфорд!

— В Стратфорд?

— Да, там живет Мэри Лестер.

Валентин хмурился. Этот мальчишка ему все планы портил.

— Если ты, Саймон, вздумал меня дурачить, я...

— Да что вы! — воскликнул юноша. — Дядя Валентин, я говорю правду. Вы можете съездить в Хайкрос и поговорить с Хартвелом сами. Но он вам скажет то же, что я: моя сестра, Лили и Тристрам ушли из Хайкрос. Нам надо их найти. Один Бог знает, что могло с ними случиться. Быть может, они все еще бродят по стране. Подумайте о разбойниках на дорогах. О бродягах, ворах, цыганах!

Капитан кивнул. Он уже думал о цыганах.

— Стратфорд находится севернее. Кажется, в Уорикшире?

— Да, — кивнул Саймон. — Недалеко от Ковентри, — добавил он.

— Ты уверен, что Лили, Дульси и Тристрам отправились именно туда? — Валентин с тоской смотрел на юг. Затем, приняв решение, отвернулся. У него не было выбора. На нем лежала ответственность за Лили и ее брата и сестру.

Внезапно он вспомнил клятву, данную ей однажды. Тогда он обещал, что всегда будет рядом. Эта клятва стоила большего, чем желание найти женщину, которая была нужна ему только для постели.

Валентин горько усмехнулся. Фортуна в этот раз отвернулась от него. Приходилось смириться с обстоятельствами — не всегда жизнь складывается так, как хочется человеку.

— Ну что же, Саймон. Будем надеяться, что ты прав и они поехали к Мэри Лестер.

— Франциска? Моя Лили Франциска, — бормотал Ром в полубреду. — Где ты, Франциска? Не оставляй меня. Здесь так темно. Я хочу солнца. Я так замерз.

Цыгана бил озноб, потом раненый сбрасывал одеяла и жаловался на жар.

Дело было после полудня. Джон Сильвер велел остановиться на широкой поляне, чтобы дать отдых животным и перевязать раны тем, кто пострадал во время поджога и драки.

Лили прикладывала к пылающему лбу Ромни мокрую тряпку.

— Я не оставлю тебя, Ром. Я здесь, рядом с тобой, — заверяла она умирающего.

— Любовь моя, моя красавица Лили Франциска, — говорил он и смотрел на нее так, словно хотел навек запечатлеть в памяти любимые черты.

Лили ласково улыбалась ему.

— Я люблю тебя, Лили Франциска. Наверное, я всегда любил тебя. Ты была для меня словно драгоценный золотой кубок, о котором я мечтал всю жизнь, но никогда не мог получить. Я всегда мечтал о том, что было мне недоступно. Когда я увидел, как на тебя напал этот человек, я почувствовал, будто теряю самое главное в жизни. Я так бежал, но я не успел. Ты упала. Так много крови. Твоя кровь текла

по моим рукам. Твоя кровь. Такая алая, — говорил он, вздрагивая всем телом. Бред возвращался.

— Все хорошо, Ром. Пожалуйста, не думай об этом. Я
не мертва. Никто меня не обидел. Я здесь, вот, ты чувствуешь мою руку?

Ром судорожно сжал ее пальцы.

— Нет, ты не умерла. Я чувствую твое тепло, твой
запах. Твое сердце так сильно бьется. Я чувствую, — сказал он, легко касаясь ладонью ее груди.

Лили не отстранилась.

— Я растерялся. В этом моя вина. Я думал, ты умерла. Я
думал, что ты умерла из-за меня. Я лгал тебе, и своим предательством я убил тебя. Но потом я увидел лицо Навары. Это
ведь она была? Ее убили вместо тебя. Я не мог ничего понять.
Все было как в кошмаре. На ней было твое платье, ведь так,
Франциска? — бормотал Ром. — Она была одета в твое
нарядное зеленое платье. Франциска, где ты?

— Я здесь, — нежно ответила та.

Навара умерла, и девушку не оставляло чувство, что
цыганка пала случайной жертвой от руки, занесенной над
ней, Лили. Старая Мария, однако, восприняла смерть Навары без всякого удивления, как будто предвидела ее. Лили
судорожно вздохнула — при воспоминании об увиденном
прошлой ночью ее охватывал ужас. Ей тогда показалось,
что мертвые глаза Навары смотрят на нее и обвиняют ее.
На цыганке было платье Лили, то самое, в котором она
была днем. Зеленый шелк пропитался кровью бедняжки. В
ту секунду Лили показалось, что она видит себя мертвой.
Холодный пот прошиб ее.

Теперь она поняла, что тогда, у ручья, за ней наблюдала Навара. Цыганка видела, как она повесила платье
на борт телеги, и украла его. Несчастная всегда завидовала ее нарядам.

Вероятно, кошелек с деньгами Валентина тоже оказался у цыганки. Когда Лили вспомнила про забытые деньги и вернулась за ними, то ни кошелька, ни платья на месте не оказалось.

— Лили Франциска, ты простишь меня? — вдруг спросил Ром.

— За что, Ромни? Я всегда буду тебе благодарна за твою дружбу. — Она убрала со лба раненого влажный каштановый завиток.

— Ты считаешь меня другом? Я не заслужил. Но я люблю тебя так, как никого не любил. Не проклинай меня за то, что я украл у тебя это лето, Лили Франциска. Не кляни меня, прошу.

— Никогда, Ром. — Лили поцеловала его в щеку.

— Никогда?

— Хочешь знать один секрет? Я вовсе не считаю, что лето пропало. Мне нравилось путешествовать с тобой от ярмарки к ярмарке.

Ромни вздохнул:

— Мы будем счастливы вместе, Лили Франциска. Мы будем ездить по стране от ярмарки к ярмарке. Наш кукольный театр сделает нас богатыми. Мы купим красивый вагончик, резной, расписанный ярко, как солнце. Он будет нам домом. Мы будем любить в нем друг друга и растить наших детей. Ты ведь будешь спать со мной, Лили Франциска? — спросил он с задорно-невинным выражением, казавшимся жуткой гримасой на его лице.

— Да, Ром. Я буду спать с тобой.

— Ты будешь любить меня? Меня одного, Лили Франциска?

— Да, любовь моя.

— Мой красивый цветок, ты ведь любишь меня?

— Да, Ром, я люблю тебя, — отвечала Лили. Да, она любила его, но как друга. Совсем не так, как того хотел Ромни.

В глазах ее стояли слезы. Лили наклонилась к цыгану и легонько поцеловала его в губы, обещая то, чему никогда не суждено сбыться.

Через два часа Ромни Ли умер на руках у Лили. Джон Сильвер подошел к повозке:

— Мы возьмем его с собой. Там, на южных болотах, родились они с Наварой оба, там же они будут лежать вместе, — проговорил старый цыган, глядя в сторону. Он всегда относился к Рому как к сыну, считая, что рано или поздно тот станет мужем его племяннице. — Я сообщу сестре Рома о его смерти, но похороним мы его сами. Он был одним из нас, и моя Навара любила его. Я нашел у нее за поясом деньги. Не знаю, где она их взяла, но я собираюсь устроить им на эти деньги достойные похороны. Навара посчитала бы это справедливым. — Джон пристально посмотрел на Лили. Оба они прекрасно знали, что на его племяннице в ту роковую ночь было платье Лили.

— Вы должны уйти.

Лили кивнула.

— Мы позволили вам остаться только из-за Рома. Он убедил меня. Но сейчас уходите побыстрее. Так будет лучше для вас, потому что... Кое-кто готов обвинить тебя в смерти Рома. И Навары тоже. Так что уходите, пока не поздно.

Лили побрела к своей повозке. Тристрам и Дульси притихли. Тилли и Фарли громким шепотом спорили о чем-то, Фэрфакс с перевязанной головой сидел, прислонившись к колесу.

— Мы уезжаем, — сообщила Лили.

— Ром умер?

— Да.

— Куда поедем?

— На север. Нам, кроме как к Мэри Лестер, некуда податься.

— Разве мы не можем вернуться к Валентину? Он бы помог нам. Ты ничего не рассказала ему, Лили? — спросил Тристрам. — Он не поверил тебе?

— Я его не встретила. Наверное, он уже плывет в Корнуолл, — ответила сестра.

Может быть, так оно и лучше. Едва ли капитан мог что-то для них сделать. Они не нуждаются в его помощи.

— Вижу, нас послали прочь, — пробормотал Фэрфакс. Голова у него горела как в аду, и ему до смерти надоели цыгане.

— Становится холодно, Лили. Может, разведем костер? — попросила Дульси. — И еще я есть хочу. Мы весь день не ели.

— Да, мы разведем костер, но не здесь. Запрягай волов, Фарли, мы должны отойти подальше до темноты. Тогда можно будет отдохнуть. — Лили старалась не смотреть в сторону повозки, где лежал Ромни Ли. Однако, седлая Весельчака, она обернулась. И встретилась взглядом со старой Марией. Та стояла и смотрела им вслед со странной печальной улыбкой. Подняв скрюченную кисть, похожую на птичью лапу, цыганка указала на север и погрозила им пальцем. Затем, согнувшись почти пополам, побрела прочь, к телу покойной внучки.

— Что это старая ведьма делала? — с опаской пробормотал Фарли. — Не наслала ли она на нас заклятье?

Волы были запряжены. Фарли щелкнул кнутом, и животные тронулись с места. Телега покатилась по дороге, ведущей на север. Вскоре табор пропал из виду. Небольшая задержка произошла только у реки, когда им пришлось подождать баржу, но очень скоро беглецы переправились на противоположный берег и покатили по узкой пыльной дороге.

Никто из них ни разу не обернулся. Поэтому таинственный всадник, следовавший за ними, так и остался незамеченным.

Глава 23

Но в это время на небе плясала звезда, под ней-то я и родилась.

Уильям Шекспир*

Трое всадников въезжали в Уорикшир. Перед ними лежали зеленые лужайки, густые леса, фруктовые сады, полные поспевающих плодов, золотые поля со спелыми колосьями, часть из которых уже убрали в стога и оставили для просушки под последними лучами летнего солнышка. Всадники проезжали деревеньки с маленькими опрятными домиками под соломенными крышами, кони их пили воду и купались в небольших речушках и ручейках.

Длинная улица Стратфорда — небольшого торгового городка у реки — была заполнена людьми и повозками с товарами со всего света. Город сей был лишь промежуточным пунктом следования торговых караванов. Сбыв часть товаров здесь, купцы везли оставшееся дальше, вниз по реке, в более крупные города.

Валентин Уайтлоу, его племянник и верный Мустафа внимательно смотрели по сторонам, надеясь увидеть пропавших. С

---

* Пер. Т. Щепкиной-Куперник.

другой улицы доносились голоса детей, заунывно повторяющих слоги и цифры — там была школа, а прямо перед школой — ратуша и площадь. Именно туда решил отправиться Валентин, чтобы узнать, где живет Мэри Лестер. Он остановил паренька, бегущего в класс. Судя по несчастному виду ребенка, тот опаздывал, и Саймон искренне посочувствовал мальчику, подозревая, что розог ему не избежать.

Увы, паренек ничего не мог сказать о Мэри Лестер. Извинившись, мальчик побежал дальше. Он только один раз оглянулся на Мустафу. Вероятно, пареньку придется приложить немало усилий, чтобы заставить приятелей поверить, что он встретил на улице настоящего турка в тюрбане и с ятаганом.

Некая пожилая женщина с корзиной, полной только что испеченных булочек, оказалась знакома с Мэри Лестер. Она видела ее неделю назад на рынке. Однако сестры Мэри, как поведала горожанка, в Стратфорде не было. Она уехала на север, в Ковентри, к дочери, которая собиралась рожать еще одного ребенка, уже пятого, в то время как муж ее — всего лишь нищий сапожник. Ничего не будет удивительного, если они вернутся все вместе, чтобы жить у Молли на ферме. Что же тут такого? Молли овдовела, сыновей у нее нет, и должен кто-то помогать ей по хозяйству. Саймон перебил женщину, спросил, не останавливались ли на ферме у Молли какие-нибудь незнакомцы.

Об этом женщина ничего не знала. Потом Валентину с трудом удалось отделаться от расспросов любопытной торговки. Переехав через Клоптонский мост, они двинулась на юг, в сторону маленькой деревушки, где жила Мэри Лестер.

— Она ничего о них не знает, не так ли? — спросил Саймон.

— То, что она о них не знает, еще не означает, что их там нет, — ответил Валентин. Откровенно говоря, он серьезно сомневался, что особа, столь осведомленная о делах ближних, могла упустить из виду такое значительное событие, как приезд к приятельнице оравы гостей.

— Может быть, Мэри их прячет? — предположил юноша.

Они ехали в указанном направлении. Миновали дуб, одиноко росший на холме, потом пересекли ручей со старой мельницей. Проехали еще пару миль по цветущим лугам. У каменного моста путники наконец увидели домик Молли.

— Дождь собирается, дядя Валентин, — пробормотал Саймон. Впрочем, тот и без племянника догадался, что будет гроза. Небо закрыли черные тучи. Вдали раздавались раскаты грома.

— Ты прав, Саймон, — согласился Валентин. — Надо бы поискать подходящее укрытие, чтобы не вымокнуть.

Они свернули с узкой дороги на едва протоптанную тропинку вдоль ограды. Слева стоял хлев, рядом с ним — покосившийся сарай, где, вероятно, держали свиней и домашнюю птицу, справа — амбар и голубятня. Всадники въехали во двор, окруженный низкой каменной стеной, и остановились перед домом. Казалось, здесь никто не живет.

Саймон, однако, вскоре убедился, что это не так. Соскочив с коня, он чуть ли не бегом бросился к домику, надеясь поскорее увидеть Лили. Едва он схватился за молоточек, дверь отворилась, и ему прямо под ноги выскочил визжащий поросенок, проскочил у него между ног и кинулся во двор. Саймон упал на четвереньки и в таком виде предстал перед женщиной, выскочившей из дома следом за поросенком. Хозяйка в порыве гнева огрела Саймона веником по спине, по ошибке приняв его за виновника беспорядка на кухне. Увидев, что обозналась, женщина всплеснула руками:

— Господи, кто это? — Затем, узнав гостя, воскликнула: — Господин Саймон! Что это вы тут делаете? Да еще на четвереньках?!

Саймон хмыкнул, издав звук, напоминавший хрюканье свиньи, и выпрямился, стараясь, насколько это было возможно при данных обстоятельствах, сохранить достоинство.

— Я... мы... мы ищем Лили Кристиан, Тристрама и Дульси. Они здесь?

Женщина недоуменно смотрела на гостей.

— Здесь? Почему они должны быть здесь? — спросила она. — А это кто? Капитан?

— Да, Мэри, это Валентин Уайтлоу.

— Так вы меня помните? — улыбнулась женщина, затем нахмурилась. — Вы ищете госпожу Лили, Тристрама и малышку у меня? Почему?

— Они убежали из Хайкрос! — выпалил Саймон и, не в силах скрыть разочарования, ударил кулаком о дверной косяк.

— Убежали, говорите? — В глазах женщины зажегся недобрый огонек. — Готова поспорить, что к этому приложил руку Хартвел Барклай, — сказала бывшая нянька. — Он давно положил глаз на молодую госпожу, меня-то он не смог провести. Почему, вы думаете, он от меня избавился? Я считала своим долгом перед капитаном и ее милой женой, доньей Магдаленой, защищать их детей, особенно молодую госпожу. Этот старый греховодник ходил за ней по пятам. Готова поспорить, он давно вынашивал планы относительно Лили. Никогда не могла понять, как случилось, что Тристрам едва не упал с крыши, да и вообще, как он туда залез. А потом, когда молодая госпожа написала мне о болезни Дульси, я тоже не могла понять, почему оказалось открытым окно в ее спальне. Девочка едва не умерла, бедняжка. Как я по ним скучала! Наверняка этот Хартвел посчитал, что если он избавится от детей, то унаследует Хайкрос. Не смотрите на меня так, я знаю, что говорю. Этот человек ни перед чем не остановится. А когда у него ничего не получилось ни с Тристрамом, ни с Дульси, он решил уложить к себе в постель молодую госпожу. Боялся, что с ее красотой и наследством она недолго засидится в девушках и он потеряет Хайкрос. Видела я, какое у него было лицо, когда в Хайкрос приезжал погостить господин Саймон. Ревновал Лили еще как.

Судя по всему, Мэри ничего не забыла за прошедшие несколько лет.

— Я же говорил, дядя Валентин! — воскликнул Саймон, слегка покраснев от смущения. Уж слишком явно высказала женщина его намерения относительно Лили Кристиан.

— Вы думали, они приедут сюда, к своей старой няньке? — вслух рассуждала Мэри Лестер. — Может, вы и правы. Может, они скоро объявятся.

— Сомневаюсь, — вздохнул Саймон. — Они пропали в июне.

— Господи! Так давно! Почему же вы спохватились только сейчас? — сердито спросила нянька.

— Я виноват, — признался Валентин. — Недосмотрел.

Он до сих пор тревожился только из-за того, что дети оказались без присмотра. Но теперь, узнав, что они находились в постоянной опасности и в Хайкрос, капитан чувствовал себя преступником. В конце концов, в создавшейся ситуации был виноват именно он. Слишком много времени он проводил в море, а когда возвращался в страну, предпочитал отсиживаться в Равиндзаре. Редко когда он задумывался о судьбе детей, позволив их опекуну поступать с ними, как ему вздумается.

Мустафа, наблюдая за капитаном, почувствовал, что тот сердится. Кровожадно улыбнувшись, турок погладил рукоять ятагана. Несладко придется теперь брату Джеффри Кристиана.

— Бедные малыши! Одни, голодные, беспомощные. Кто угодно мог их обидеть. Кто только не шляется нынче по дорогам! — Мэри покачала головой. — Здесь даже самый отважный мужчина должен быть настороже. Думаете, я бы стала здесь жить, если бы не нужда? Конечно, не все, кто странствует, люди плохие. Сюда заглядывали труппы бродячих артистов. С виду они люди приличные, не знаю, правда, так это или нет на самом деле. Но все они кончают одним — нищенством. Кое-кто, правда, находит приличную работу в Лондоне... Господи, как подумаю, что дети одни...

— Они не одни. С ними братья Одел и Тилли, — сообщил Саймон.

— Ну и ну! — выдохнула Мэри. — Вот так дела! Хорошо, что вы не рассказали мне об этом с самого начала, не то я бы померла прямо на месте. Да эти тупоголовые братцы только притягивают несчастья! А эта овца Тилли если и имеет мозги, так уж точно не знает об этом! Я должна была догадаться, что без Оделов тут не обошлось! Если без них дети и могли как-то избежать неприятностей, то теперь они уж точно попадут в какую-нибудь историю!

Саймон и Валентин переглянулись. Они уже сомневались в том, что поступили мудро, отправившись к Мэри Лестер.

— Ну что ж, раз детей здесь нет и вы не видели их с тех пор, как уехали из Хайкрос, нам ничего не остается, кроме как вернуться и поговорить с Хартвелом получше. Может, он что-то скрывает, — сказал Валентин. — Долгий нам предстоит разговор.

— Я поеду с вами, — решительно заявила нянька. — Управляться с детьми у меня получается куда лучше, чем с животными. Особенно с этим проклятым поросенком. Клянусь, несноснее свиньи я в жизни не встречала.

— Думаю, лучше будет, если вы останетесь здесь. По крайней мере до тех пор, пока мы не выясним, где дети, —

предложил Валентин. — Саймон, возможно, был прав, и они поехали сюда. А мы пока поищем их на дорогах и в деревнях между Хайкрос и Стратфордом.

— Хорошо, сэр. Теперь только и буду думать о том, что могло с ними случиться. Надеюсь, они здесь появятся. И тогда я уже скажу этим братцам все, что о них думаю.

— Если они приедут к вам, скажите, что мы их ищем и что им не о чем беспокоиться. Хартвел Барклай жив, и отныне он будет навсегда избавлен от заботы по попечительству. Им не придется его больше бояться.

— Жаль, что он жив, — сказала Мэри Лестер.

— Вы передадите им мои слова, если они появятся? — напомнил женщине Валентин.

— Да, конечно. А вы дадите мне знать, если их найдете? — Глядя на этого стройного красавца, такого спокойного и уверенного в себе, она не сомневалась, что тот найдет способ посчитаться с обидчиком ее любимцев.

— Когда мы найдем детей, мы пришлем за вами, Мэри Лестер. И спасибо вам за ценные сведения о Хартвеле Барклае.

— Не за что. Смотрите, как бы под дождь не попасть. Не знаю, удастся ли вам добраться до деревни, пока не начнется ливень. Я бы предложила вам остановиться здесь, но у нас только одна кровать, к тому же кухарка из меня никакая. Никогда ничего не готовила раньше, кроме жидкой овсяной кашки для младенцев. Да и в Хайкрос я всегда ела со слугами. Мне много не надо — кусочек хлеба, сыра и капельку браги, чтобы согреться перед сном. Молли считает каждое полено, — вздохнула нянька.

— Спасибо, мы лучше остановимся в Стратфорде. Постараемся успеть до дождя, — ответил Валентин.

— Уже холодает. Зима не за горами. Страшно подумать, что им нечем укрыться от непогоды. Вы проведете ночь в Стратфорде, а затем направитесь в Ковентри, будете там их искать?

— Нет. Не думаю, что найду их севернее. Не могли же они петлять, если к вам ведет прямая дорога. А в Лондоне их скорее всего не было. Ни один из тех, к кому они могли бы обратиться в столице, их не видел. Мы поедем на запад, вдоль главного пути, идущего от Лондона. Направляясь сюда, мы спрашивали про детей в каждой деревушке, но так ничего и не узнали. Никто не встречал их. Известно только, что они взяли повозку и пару волов, так что они должны были проезжать по дороге, но тем не менее их никто не видел. — Валентин натянул перчатки. — На этот раз мы отправимся в Оксфордшир и Бакингемшир, возможно, они поехали через Оксфорд. Вот так.

— Да, дети могли поехать этим путем. Даже если они побывали в Лондоне, а затем отправились на север, то могли взять западнее. И поехать к Оксфорду. Там о них, вероятно, знают. Они могли поехать на север, до перекрестка дорог, а потом мимо Бакингема и Тауцестера. Вам надо немного срезать где-то между Бэдфордом и Лавелским аббатством. Если они когда-либо проезжали там, вам скажут. Мой Бог, много же вам придется изъездить дорог!

— Мы найдем их, — пообещал Уайтлоу-старший.

Мэри Лестер стояла на пороге, глядя вслед трем удаляющимся всадникам. Но вот кавалькада скрылась из виду. Вздохнув, женщина вошла в дом. Где могут быть дети?

— Сколько нам еще ехать, Лили? — Дульси дрожала от холода и с тревогой вглядывалась в сгущающуюся тьму.

— Сколько раз нам придется оставаться на ночь в глухих местах, где ни одной живой души не встретишь? — вздохнул Фарли, поправляя ярмо на волах.

— Похоже, мы никогда отсюда не выберемся, — добавил Фэрфакс. — И честно говоря, не очень-то хочется с кем-то встречаться.

— Что это с тобой, Фэрфакс? — Тристрам покачал головой. — Такой большой — и раскис совсем.

— Во-первых, потому, что мы здесь чужие, а во-вторых, потому, что если мы кого и встретим, то скорее всего разбойников, — ответил за брата Фарли. — Знаешь, приятного мало. Не посмотрят, что мы бедные, ножом по горлу — и все.

— Не пугай Дульси, — рассердился мальчик.

Тристрам с тоской посмотрел на стайку птиц, поднявшихся в небо.

— Эй, Фарли, тебе не кажется, что за нами кто-то наблюдает? Может, это разбойники?

— Все может быть, — пожал плечами Одел. — Вот так крадутся они за нами всю дорогу. Или нет, наверное, в этом лесу охотников много. Ну, которых королевская стража вечно ловит. Забивать дичь в дворянских лесах — самое милое занятие, если, конечно, держать ухо востро.

— Эй, Фарли, я слышал, будто умные люди делают у повозок двойное дно. Как ты считаешь, не прогуляться ли нам с господином Тристрамом и стариной Рафом по лесочку? А потом мы все дружно сядем на дичь, и королевские ищейки, если мы их встретим, ничего не заметят.

— Не отказался бы, — вздохнул Тристрам. Перед его мысленным взором возникла жареная куропатка.

— А волки в этих лесах есть? — Глаза у Дульси от страха стали как тарелки.

— Мне кажется, прошлой ночью я слышал вой, — сказал Тристрам, не обратив внимания на знаки, которые подавала ему старшая сестра.

— Прракк! Волки! Уууу! — подхватил Циско. Дульси завизжала от страха. Колпачок, подхватив ее крик, нырнул Тилли под юбку.

— Я знаю, что ты не шутишь, Тристрам, — сказал Фэрфакс, почесывая светлую бороду. — Мне тоже прошлой ночью показалось, что за нами кто-то крадется.

— Возможно, это дикий кабан. Что-то с тобой не то, — добавил Фарли, взглянув на позеленевшее лицо Тилли.

— Она цветом похожа на зеленые бобы. — Дульси уже забыла о своем страхе.

— Ее укачало, — заявил Тристрам.

— Укачало в телеге? — захохотал Фэрфакс.

— Какая разница, телега или корабль? Движение одно и то же, что на телеге, что на корабле, — с видом знатока пояснил паренек. — Туда и обратно. Вверх-вниз. Вот и внутри у тебя все падает вверх-вниз, туда и обратно.

Лили, ехавшая верхом на Весельчаке, смотрела на брата с растущим раздражением.

— Полагаю, ты все и так очень подробно объяснил, — заметила она, и братишка понял, что допустил промах. Тристрам пробормотал извинения, продолжая наблюдать за сестрой. После смерти Ромни Лили была необычно молчаливой и бледной. Тристрам слышал, как сестра плачет по ночам, и утром глаза у нее всегда были красные.

— Если бы ты не свернул не туда, мы бы уже приехали в Стратфорд, — упрекнул брата Фарли.

— Если бы ты не уснул, у меня было бы у кого спросить. И потом, ты сам не лучше меня знаешь, какая дорога куда ведет, — огрызнулся Фэрфакс.

— Ну знаешь, человек в здравом уме разберется, с какой стороны солнце всходит! Так вот оно, Фэрфакс, всходит на востоке, но никак не на севере! Та деревня, в которой мы были, называется Бэдфорд. И если мы проезжали через Бэдфорд, а этого, Фэрфакс, не случилось бы, если бы мы выбрали верный путь, тогда нам надо было ехать на запад, а не на восток! Мы должны были оказаться в Нортличе, прямо по дороге в Стратфорд.

— Откуда же мне это знать, Фарли? — угрюмо ответил брат. — Я раньше никогда не бывал дальше Ист-Хайтворда.

— Ничего страшного, — произнесла Лили. — Подумаешь, потеряли каких-то пару часов. Мы снова вышли на верный путь. Если тот старичок не обманул, скоро мы выедем на главную дорогу.

— Хотелось бы верить. Только не знаю, можно ли доверять словам этого странного типа. Уж очень сильно от него несло вином. Он и понял-то, о чем мы говорим, не сразу, — пробормотал Фарли и тяжело вздохнул. Ему-то приходилось довольствоваться родниковой водой, в то время как душа давно просила чего-нибудь покрепче.

— Не знаю, правильно ли мы сделали, что решили срезать угол. Дорога эта такая пустынная, госпожа Лили. — Фэрфакс взглянул на девушку. — Что, если у нас колесо отвалится или ось сломается? Никто и не узнает, что с нами стряслось.

Вокруг не было ни души. Только мрачные ели поднимались по сторонам дороги.

— Зачем же так? Кто-нибудь из нас может дойти до соседней деревни. Старик сказал, что где-то неподалеку должно быть село под названием Чиппинг. — Фарли, хоть и успокаивал брата, тоже чувствовал себя неуютно. — Скажи честно, что тебя беспокоит?

Фэрфакс взглянул на Лили. Девушка отъехала немного вперед и не могла услышать слов Одела:

— Не нравится мне, как эти типы на дороге смотрят на нашу госпожу. Слишком она хорошенькая, чтобы разъезжать верхом одной, без мужчины, который мог бы защитить ее от всяких подонков. Я вот еще о чем думаю, Фарли. Они могут решить, что раз она с нами, то она не госпожа, а уж нас с тобой за джентльменов никто не примет. Нам надо быть настороже. Я тоже слышал, как кто-то бродил вокруг нас ночью. И мне тоже кажется, что за нами наблюдают.

— Да ладно тебе! — махнул рукой Фарли. — Кому мы нужны? Никто не знает, куда мы сбежали. Да и тех парней, о которых ты говорил, мы встретили только вчера. Это просто нервы у тебя сдают, Фэрфакс. Ты же знаешь, это бывает, когда ешь впроголодь.

— Да, может, ты и прав. Только, скажу тебе, Фарли, нам надо быть готовыми ко всему. Мало ли что может случиться.

— Похоже, скоро дождь пойдет, — произнесла Тилли, глядя на небо. — Надеюсь, мы успеем найти какое-нибудь укрытие. — Она с трудом пересиливала тошноту, когда колесо попадало в выщербину на дороге.

— Потерпи чуть-чуть, Тилли, голубка, — сказал ей Фарли. — Смотри по сторонам. Как найдешь хорошую полянку... А вот как раз подходящая. Эй, Тристрам, пойдем хворост искать. Может, нам повезет, и мы поймаем в силки кролика. Если пойдет дождь, спать будем под телегой. Гляди-ка, как здесь уютно.

Фарли и Фэрфакс переглянулись. Место было выбрано не случайно. Здесь их не было видно с дороги, а значит, меньше искушений для всякого темного люда.

Валентин огляделся: впереди дорога, позади дорога и никакой обещанной тропки.

Рано утром, сразу после завтрака, они выехали из Стратфорда. Вскоре город остался за холмом. Вот уже несколько часов тряслись они по узкой грязной дороге, но так и не увидели перекрестка, о котором говорила Мэри Лестер. Ветряной мельницы, которая должна была находиться на полпути между городом и боковой дорогой, тоже не было. Видимо, нянька что-то напутала.

— Дядя Валентин, мы уже почти до Сайренсестера добрались, а ни мельницы, ни дороги не видно.

— Нам остается либо ехать вперед, либо вернуться в Стратфорд и снова спросить дорогу, — ответил тот.

— Почему бы нам не спросить у него? — Саймон указал на паренька лет двадцати, идущего им навстречу. — Он похож на местного жителя.

Парнишка шел, погруженный в свои мысли, и заметил всадников только в самый последний момент. Разинув рот, смотрел он на черного человека в странном головном уборе.

— Доброе утро, господа. С хорошей вас погодой. — Он поклонился.

— И тебе доброго утра. Нам сказали, что где-то тут есть дорога на Оксфорд. Мы нездешние, графство нам незнакомо. Мэри Лестер, указавшая нам путь, говорила про старую мельницу. Ты знаешь эту дорогу?

— Мэри Лестер? Имя знакомое. А, сестра Молли Креншоу! Да, теперь припоминаю. Я гостил у нее на ферме меньше недели назад. Тогда еще в Стратфорд актеры приезжали. Многим они не понравились. Хотя мне, признаться, они пришлись по душе. Впрочем, кто нас действительно развлек, так это сама Мэри Лестер. Она рассказывала о семье, в которой работала. А дорогу вы проехали. Конечно, дорогой ее трудно назвать. Это тропинка, и проходит она берегом реки. Там еще жимолости много растет. Должен признаться, я проводил там немало приятных часов. Так хорошо полежать в теньке!

— А где же мельница, о которой говорила нам Мэри? — спросил Саймон. — Не могли же мы ее не заметить.

— Она заросла плющом, и ее вполне можно принять за дерево. Как-то ночью один мой знакомый страшно испугался, когда проходил по этой дороге. Ему показалось, что мельничное крыло оседлал месяц. Это был тот единственный случай, когда крылья мельницы вращались. Впервые с тех пор, как благородный рыцарь был ранен в сердце и умер под этой мельницей. Говорят, она в знак печали перестала петь песни с ветром. Та ночь, наверное, была волшебной, — с улыбкой заметил юноша. — Пойдемте со мной, я покажу вам тропинку.

— Спасибо. Очень любезно с вашей стороны. Не знаю, как вас зовут...

— Уильям. Уильям Шекспир. Я живу в Стратфорде. У моего отца лавка. Он перчаточник.

— Приятно познакомиться, господин Шекспир. Меня зовут Валентин Уайтлоу, это мой племянник Саймон Уайтлоу, а это Мустафа — мой друг. Мы вам очень признательны. Если бы вы не согласились показать нам дорогу, мы потратили бы массу времени.

— В самом деле? Мне приятно оказать вам услугу.

— Вы случайно не видели троих детей? Они путешествуют в повозке, запряженной волами? С ними должны были ехать двое мужчин, один высокий и крупный, другой низкий, и еще женщина. Да, с ними могут быть обезьяна, попугай и собака.

— Нет, я их не видел. Я бы запомнил такую живописную компанию, хотя... Послушайте, не о них ли говорила Мэри Лестер? Вы их разыскиваете?

— Да, они убежали от своего опекуна, который дурно с ними обращался, и нам надо их разыскать, — сказал Саймон.

— Какое несчастье! Похоже, у этих детей не жизнь, а одни неприятности, — пробормотал Уильям. — С вами, надеюсь, все в порядке, господин Уайтлоу? Ваше имя кажется мне знакомым. Я нигде не мог его слышать?

Паренек с интересом поглядывал на Мустафу. Ему любопытно было узнать, что делает турок в самом сердце Англии. Но спрашивать он не осмелился.

— Мой дядя — флибустьер. Он плавал с Дрейком, а теперь у него свой корабль, «Мадригал», — объяснил Саймон.

— Ну конечно! Сэр, для меня большая честь познакомиться с вами. Я слышал о ваших приключениях. И не могли бы вы рассказать о Новом Свете? Мне так хочется побольше узнать об этих загадочных землях.

Молодой человек оказался на редкость заинтересованным слушателем, ловил каждое слово, задавал множество вопросов, и глаза у него блестели. Он качал головой, почесывал затылок. Он так сожалел, что не может побывать в тех сказочных странах.

— Быть может, однажды вы сами побываете в Новом Свете и увидите все своими глазами, — улыбнулся Валентин.

— О, сомневаюсь в этом, сэр. Через два месяца я женюсь. До сих пор мне не доводилось отъезжать от Стратфорда на сколько-нибудь приличное расстояние. Сомневаюсь, что мне удастся побывать хотя бы в Лондоне, — сказал Уильям. — А вот и ветряная мельница. Если вы посмотрите внимательно, то разглядите крылья. — Молодой человек указал на странного вида дерево. — Было приятно с вами познакомиться, господа. Семь футов вам под килем!

Валентин кивнул юноше. Путники свернули на тропинку.

— Пока! — крикнул Саймон, и Шекспир, обернувшись, помахал им рукой.

— Дульси, ты не голодна?

Дульси кивнула, затем, улыбнувшись, взглянула на сестру.

— Я умираю от голода, — сказала девочка, стараясь увернуться от гребешка, которым ее расчесывала сестра. — Я вчера думала, что мы будем есть кролика.

— Что поделаешь, если Фарли ничего не поймал.

Увы, приходилось довольствоваться тем, что осталось: черствым хлебом да небольшой головкой сыра на всех. Накануне вечером они доели мясной пирог, купленный в Барфорде, а последние орехи и фрукты доели на завтрак.

— А может, рыбу какую-нибудь?

— Фарли не видит в темноте, дорогая, — объяснила Лили.

Оделы ловили кроликов, пока не стемнело, а потом ловить рыбу было уже поздно.

— Сегодня все будет по-другому, я обещаю. — Она поцеловала сестренку.

Фарли с Тристрамом ушли вперед, чтобы проверить, сможет ли проехать повозка по узкой тропинке, в которую постепенно превращалась дорога. Дождь, прошедший накануне ночью, не прибавил им хорошего настроения — вода заливала костер, и густой коричневый дым разъедал глаза, да и спать пришлось на холодной земле под телегой.

— Колпачок не голоден. Он все утро поедал ягоды и орехи. — Дульси с завистью смотрела на обезьянку. Весь бархатный колпачок его был в репейнике, да и колокольчики он растерял. Сейчас, стащив с себя шапочку, обезьянка разглядывала ее и грустно причитала.

Фэрфакс распряг волов. Тилли сидела на своем обычном месте в телеге. Ходить ей было очень тяжело. Сейчас она штопала Фарли штаны. Циско прогуливался по бортику и щебетал, подражая голосам птиц. Услышав из уст попугая испуганный храп коня, Лили удивленно оглянулась на Весельчака, мирно пощипывающего траву неподалеку, на небольшой лужайке. Вдруг конь замер, вскинул голову и заржал, но, не услышав ничего в ответ, снова принялся щипать травку.

Раф, лежавший у ног Дульси, встал и навострил уши, прислушиваясь к какому-то шороху в кустах. Потом зарычал. Лили удивленно смотрела на собаку. Что это с ним?

Она отдала Дульси гребень, а сама пошла посмотреть, на что рычит Раф.

— Фэрфакс, это ты? Эй, кто там? — позвала она, вглядываясь в полумрак. — Фэрфакс! — крикнула девушка снова, но ответа не было.

— Что там, Лили? — Дульси подбежала к сестре. Раф замахал хвостом.

— Не знаю. Может быть, олениха. Она, наверное, испугалась еще сильнее нас, — пожала плечами Лили, стараясь подавить странное ощущение, что за ней наблюдают.

— Смотри! Вон туда! Это Тристрам и Фарли, и Фэрфакс с ними! — воскликнула Дульси.

— Угадай, что я знаю! — воскликнул Тристрам, выбегая вперед.

— Вы нашли дорогу?

— Не совсем, но зато мы видели домик, — ответил мальчик. — И людей тоже. Там была женщина. Она кормила цыплят. Там еще двое малышей были.

— Домик как раз за перелеском. Я думаю, мы могли бы обменять на еду кое-что из рукоделия и этих ваших мешочков, от которых так приятно пахнет, госпожа Лили. Несколько яиц, хлеб, сыр, может, жареного цыпленка. Готов поспорить, та женщина захочет купить какие-нибудь красивые безделушки. Найти такие можно только в ближайшем городке, а до него путь долгий. Думаю, она не слишком-то часто может позволить себе такое путешествие. Да и цену за ленты я не стал бы заламывать особенно высокую, — сказал Фарли. — Я даже думал, не стоит ли покопаться в сундуке и продать пару ножей, которые мы почти не используем. Там им нашли бы применение.

— Мне можно с вами?! — воскликнул Тристрам.

— Ну, если госпожа Лили разрешит.

— Ты можешь идти, но при условии, что будешь Фарли помощником, а не обузой, — сказала девушка.

— Конечно, Лили!

— Я думаю, Тристрам мог бы поразвлекать малышей, пока я буду говорить с хозяевами. У нас еще сохранились те коробочки, которыми он жонглировал на ярмарке?

— Можно? — И Тристрам кинулся к сундуку, где хранились их пожитки.

— Интересно бы узнать, госпожа, — спросил Фэрфакс, — у вас еще осталась кукла, та самая, что не сгорела?

— Колдун?

— Да, он самый. Помню его безобразную рожу.

— Да, он у меня в сундуке. Я думала, он нам пригодится, если мы решим устраивать спектакли. Остальных кукол сделаем еще раз.

Лили погрустнела, вспомнив Ромни Ли. Этот спектакль был его детищем. Он так много для них сделал! Так теперь не хватало его поддержки!

— Я подумал, что, если Тристрам развеселит детей, у родителей поднимется настроение. А это способствует торговле, — с самодовольной улыбкой заявил Фарли. Создавалось впечатление, что ему уже есть чем гордиться — наторговал всего и дешево.

— Я найду эту куклу. Ты пойдешь с ними? — спросила Лили у Фэрфакса.

— Нет, я останусь. Пока Фарли будет выменивать продукты, я попытаюсь поймать рыбу. К тому времени как они вернутся с провизией, мы могли бы уже запечь рыбу.

— Да, к тому же лучше будет, если с вами останется кто-то из мужчин, — добавил Фарли.

— В этом случае и я бы остался, — сказал Тристрам, но Лили знала, что мальчику очень хочется пойти с Фарли.

— Мы не задержимся долго. Тем более тут недалеко. Похоже, наше путешествие подходит к концу, госпожа Лили. Отдохнем, наедимся. — Фарли потянулся.

Забравшись в повозку, Лили открыла большой сундук — тот, что стоял в ее спальне в Хайкрос. Когда она подняла крышку, воздух наполнил запах лаванды, роз и восточных растений. В этом сундуке лежали ценности — по крайней мере для нее, Лили. Эти вещи разделили с ней тяготы пути. «Вы были со мной и в горе, и в радости», — думала девушка, глядя на аккуратно сложенные платья, маленькие коробочки и шкатулки Тристрама и Дульси, которые они попросили ее сохранить у себя. Снова она вспомнила Ромни Ли. Цыган всегда заглядывал ей через плечо, когда Лили открывала этот сундук. Смотрел на вещи, иногда подносил к носу флакончик духов или надушенный носовой платочек. Лили временами казалось, что он даже хочет, чтобы она сделала ему замечание, отругала его за то, что он трогает ее вещи. Но только зачем? Тогда она не могла его понять, но теперь, зная, что он любил ее...

Улыбка сошла с губ Лили, когда она увидела куклу. Безжизненная деревяшка вдруг показалась ей живым существом, омерзительным и опасным, жутким из-за этих странных глаз.

— А вот и колдун, — ухмыльнулся Фарли. — Пусть сослужит нам последнюю службу — за него можно будет выручить целое состояние или, на худой конец, пирог.

Сказав это, Фарли грубо схватил куклу и сунул ее в корзину с лентами и мешочками с ароматными травами.

— Надеюсь, что за него можно будет пару пирогов взять. Я страшно голодна, Фарли. Не знаю, что со мной будет, если я не съем чего-нибудь в ближайшее время, — сказала Тилли. — У меня в животе словно рота солдат марширует.

— Ну что же, мы накормим их пирогом. Не волнуйся, ты не успеешь и до трех сосчитать, как мы с Тристрамом обернемся. Давай, парень, пошли!

Тилли занялась штопкой другой пары штанов.

В животе у нее так громко заурчало, что Раф вскочил, ощетинился и зарычал. Потом бочком подошел поближе к источнику звука, а затем, вильнув хвостом, спрятался под повозкой.

Фэрфакс захохотал.

— Пес не понял, откуда гром! Придется Фарли раздобыть пирогов не меньше дюжины, — говорил он, аккуратно наматывая на здоровенный кулак веревку.

— Поищи ягод, Дульси. Хоть их пожуем, пока ребята не раздобудут еды, — предложила Лили.

— Теперь уж я поймаю самую большую рыбу. — Фэрфакс направился к ручью.

— Возьми корзинку для ягод, — сказала Лили сестренке.

— Пойдем вместе.

— Нет, вчера, я заметила небольшое озерцо. Пойду помоюсь, пока есть время.

— Поцелуй нас, милашка! — сказал Циско, усевшись на крышку сундука. Он знал, что там хранятся миндальные орешки, которыми угощала его хозяйка. Расправив крылья, Циско удалился с лакомством в клюве.

— Ой, Лили, мне тоже придется мыться? — с недовольной гримасой спросила Дульси. Она любила плавать, но мыться — это совсем другое дело.

Лили посмотрела на чумазое личико сестры.

— Это неплохая мысль. Но вначале набери ягод, — решила Лили. Весь рот и руки у сестры будут в соке, и отмываться придется все равно.

— А мне можно будет поплавать? Да? Вот здорово! — возбужденно воскликнула Дульси, Раф залаял.

— Вода слишком холодная, — вздохнула Лили. Ей тоже очень хотелось поплавать. — Пойдем, нам по пути.

— Ну вот, всегда так.

— Ничего, поплаваем в другой раз. Я буду здесь, за этими кустами, — сказала Лили.

Хмурая Дульси отправилась через лужайку, за ней — Раф и Колпачок.

В лесу было тихо. Даже журчание ручья казалось приглушенным.

Лили остановилась, огляделась, затем осторожно подошла к запруде, положила гребешок и флакон с ароматическим маслом в густую траву.

Этот пруд напомнил ей похожее озерцо на острове, на берегу которого они так часто сидели с матерью. «Как давно это было», — подумала Лили, расстегивая платье. Она сняла нижнюю юбку, аккуратно положила поверх платья, затем скинула туфельки. Ей не терпелось смыть с себя грязь. Сколько дней они уже едут по пыльным дорогам!

Одетая в одну лишь тонкую льняную рубашку, Лили села, опустила босые ноги в холодную воду. «Брр! Не думала, что вода такая ледяная. А Дульси купаться еще хотела».

Она ополоснулась чистой водой. Затем достала масло и втерла его в кожу: вначале растерла ноги, затем руки и плечи. После этого Лили взяла в руки гребень и принялась расчесывать волосы. Она сидела лицом к воде и смотрела на темные отражения в зеркальной глади. В них было что-то таинственно-магическое, успокаивающее и завораживающее.

И вдруг Лили увидела в пруду отражение человека в плаще. Оцепенев от ужаса, смотрела девушка, как человек поднимает тяжелую палку. Она закричала, затем почувствовала страшную боль в затылке. Черная гладь пруда расступилась. Лицо сэра Раймонда Уолчемпса исчезло, и вместо него в ее угасающем сознании всплыла усмехающаяся физиономия колдуна из кукольного спектакля.

Двое малышей визжали от восторга, глядя на то, как забавно дергается в руках кукловода смешная марионетка, но третий ребенок — самый младший — все еще испуганно жался к матери, поглядывая на ужасное создание. Фарли сделал ему козу, надеясь хоть как-то позабавить его, но малыш даже не улыбнулся. Детям, оказывается, не так-то просто понравиться.

По сигналу Фарли Тристрам принялся жонглировать разноцветными кубиками с ловкостью, заслужившей одобрение хозяина фермы. Малыши принялись упрашивать мальчика научить их своему искусству.

Пока Тристрам занимал малышей, Одел вытащил из корзины цветные ленты, расправил, тряхнул ими в воздухе. Шелк блестел и переливался. Глаза у хозяйки заблестели. Фарли зевнул, делая вид, что скучает.

— Генри, посмотри, какой прекрасный шелк! Я никогда такого не видела! — Женщина всплеснула руками.

Генри отвернулся:

— Ты купила себе лент на ярмарке месяц назад. Довольно с тебя безделушек.

Взгляд жены потух, но она все продолжала с надеждой глядеть на полоски цветного шелка. Фарли Одел поглядывал на угрюмого хозяина с растущей неприязнью. Черт возьми, его жена заслужила подарок. Если не ленты, то...

Фарли ленивым жестом достал мешочки с душистыми травами. Каждый из этих мешочков был искусно вышит и украшен нежным кружевом и изящными завязками. Фарли повернулся к мужчине так, чтобы аромат коснулся его ноздрей.

— О, никогда ничего красивее не видела, — вздохнула хозяйка. — И как хорошо пахнет!

Генри тоже не остался равнодушен к запаху. Фарли принялся расхваливать товар:

— Да, эти мешочки шили нежные женские ручки. Смотрите, какие они белые и мягкие, словно тело красавицы. И пахнут так же приятно. Подумайте, как будет пахнуть одежда в вашем сундуке или простыни на вашей постели! Стоит вдохнуть этот запах, и любой мужчина не пожелал бы ничего большего, чем лежать на душистых простынях рядом со своей теплой женушкой да слушать, как воет на улице ветер и дождь стучит в окно. Ничего лучшего вы в жизни не найдете.

Генри подозрительно взглянул на чернявого коротышку, но, подумав, что от мешочков и впрямь хорошо пахнет, кивнул.

— Что вы хотите за парочку таких штук? На деньги не рассчитывайте, но мы можем дать вам яйца и сыр.

— Я только что напекла пирожков!

Одел мастерски изобразил на лице сомнение, но, обернувшись к Тристраму, незаметно подмигнул.

Мальчик подмигнул в ответ, при этом чуть было не уронил один из кубиков, но вскоре поймал ритм и принялся подбрасывать их еще выше, к безудержному восторгу детворы. И вдруг один из кубиков, вместо того чтобы упасть на землю, каким-то чудом растворился в воздухе. Тристрам резко обернулся и удивленно застыл, увидев перед собой Валентина Уайтлоу.

— Капитан! Вы пришли! Я знал, что вы придете! Я знал, что вы о нас не забудете! Лили сказала, что вам теперь нет до нас дела, но я знал, что она не права! Я знал это! — И мальчишка бросился к Валентину на шею.

— Конечно же, я не забыл про вас, мальчик мой, — ответил Валентин, растроганный таким восторженным приемом. — Где Лили и Дульси? С ними все в порядке? — спросил он, все еще не в силах поверить, что зрение его не обмануло, что перед ним один из тех, кого он ищет, что мальчик, жонглирующий во дворе, и есть сын Джеффри Кристиана.

Фарли был сдержан. Ни Уайтлоу, ни тем более его свирепый слуга не вызывали у него воодушевления. Скоро суровый капитан потребует от него, Фарли, объяснений, и тут уж ему не поздоровится, это точно.

— Лили и Дульси здесь недалеко. Фэрфакс с ними. Он собирался наловить рыбы. Мы все так проголодались! — Вдруг Тристрам увидел еще двух всадников: — Мустафа! Саймон! И вы поехали нас искать?

Саймон глубоко вздохнул. Он все не мог поверить в то, что беглецы найдены.

— Мы вас повсюду искали, Тристрам!

Теперь юноше не терпелось поскорее увидеть Лили и Дульси.

— Я знал, что все будет хорошо. Я знал! Посмотрим, что скажет Лили, когда увидит нас всех вместе! Вот уж она удивится! Тогда ей придется взять обратно свои слова. Она про вас такого наговорила!

— Почему бы не сделать ей сюрприз? — сказал Валентин. Его самолюбие было задето замечанием о том, что Лили не рассчитывала на его помощь. — Забирайся в седло, поскачем вместе, Тристрам. — Обернувшись к Фарли, он сказал: — Мне с тобой нужно о многом поговорить, Фарли Одел.

— Я хочу купить эти мешочки, — напомнил Генри, переводя взгляд с одного мужчины на другого. Хозяин видел, что один из них, по виду джентльмен, настроен весьма решительно и сейчас может начаться выяснение отношений. А про мешочки никто и не вспомнит. Ему, Генри, очень хотелось приобрести парочку. — Пожалуй, я дам за пару курицу.

Фарли Одел вздохнул и медленно произнес:

— Да, капитан, поговорим. Понимаю, что вы ждете объяснений. Только сначала надо покончить с этим делом. Наверное, и вы проголодались после долгого пути. Через пару минут я подойду. Тем временем парнишка вам все расскажет. Знаю, что вы хотите поскорее увидеть госпожу Лили и малышку Дульси. Я мигом, капитан.

— С тобой поедет Мустафа. Садись на его коня сзади, и он довезет тебя до вашей стоянки, — сказал Валентин.

Фарли, парень не робкого десятка, оцепенел — соседство, да еще столь близкое, с кривой саблей турка было не самым приятным.

— Что вы, я пешком дойду. Это недалеко. Как раз за деревьями, на другой стороне поляны.

— Мустафа не рассыплется, довезет тебя. Мне бы не хотелось, чтобы кто-то снова потерялся. Ты сможешь показать нам, где лагерь, Тристрам? — спросил Валентин. Фарли Одел в этот момент от души сочувствовал брату. Теперь оправдываться будет Фэрфакс. Ничего. Пусть попотеет. Ему полезно.

Фэрфаксу вначале показалось, что он слышит колокольный звон, столь монотонным и пронзительным был звук, и только чуть погодя до его сознания дошло, что это крик и доносится он со стороны лагеря.

Бросив удочку, он понесся к стоянке. Повозка была пуста. Конь пасся там, где его оставили. Тилли ушла собирать ягоды вместе с Дульси. Минут пятнадцать назад он видел их неподалеку от того места, где рыбачил. Пропала Лили.

Какое-то время Фэрфакс стоял и прислушивался. Криков больше не было. Вдруг со стороны зарослей возле ручья донесся отчаянный вопль Тилли.

— На помощь! На помощь! — кричала она, с трудом продираясь сквозь кусты. — Фэрфакс, беги к ручью! Госпожа... Она, наверное, мертва!

Никогда еще за всю свою жизнь Фэрфакс Одел не бегал так быстро и никогда еще так не пугался.

Посреди пруда лицом вниз, раскинув руки, лежала Лили Кристиан. Темно-рыжие волосы ее покачивались на воде, обагренной кровью.

— Господи! Что делать-то?! — Он беспомощно оглядывался.

— Спаси ее, Фэрфакс! Сделай же что-нибудь! — вопила Тилли, изо всех сил дергая его за рукав.

— Я не умею плавать! — закричал в ответ Фэрфакс.

Дульси нырнула в пруд. Маленькая фигурка ее скрылась в воде. Тилли завизжала, решив, что малышка тоже утонула. Но в этот момент темная головка девочки появилась рядом с головой старшей сестры. Дульси перевернула Лили так, чтобы лицо ее оказалось на поверхности.

Фэрфакс и Тилли, оцепенев от ужаса, смотрели, как обе головы исчезают под водой. Одел огляделся, отодрал от дерева первую попавшуюся большую ветку и ступил пруд. Не ожидая, что он окажется таким глубоким, громила оступился и ушел под воду. Вынырнув, он принялся размахивать руками и хватать ртом воздух. Тилли не долго думая протянула ему конец ветки, выпавшей у него из рук. Ценой неимоверных усилий ей удалось вытащить Фэрфакса.

Раф носился по берегу и отчаянно лаял. Ни Тилли, ни Фэрфакс не заметили, как на берегу пруда появились еще люди. Они поняли, что подоспела помощь, лишь когда увидели, как в пруд прыгнул человек, за ним другой — поменьше.

Наглотавшийся воды Фэрфакс, открыв рот, смотрел, как легко и непринужденно плывет Тристрам, подхватив младшую сестренку. Фэрфакс протянул было руку, чтобы помочь мальчику выбраться, но снова чуть не рухнул в воду. Впрочем, в его помощи не было нужды. Саймон уже вытаскивал Дульси с Тристрамом.

Обернувшись к пруду, Фэрфакс увидел, как к берегу, придерживая над водой Лили Кристиан, плывет Валентин.

Капитан бережно положил девушку на прибрежную траву. Взгляд его невольно скользнул по ее белым стройным ногам, бедрам, нежно-округлой груди. Лили была без сознания, но, к счастью, она была жива. Валентин перевернул ее на живот, надавив ладонями на спину так, чтобы вода вышла из легких. Он не мог, как ни старался, остаться равнодушным к красоте ее тела, почти обнаженного, если не считать короткой, насквозь промокшей тонкой рубашки. Он был озадачен, немного испуган тем, что вместо голенастой девочки, какой он помнил Лили Кристиан, перед ним оказалась девушка, юная, прелестная.

Валентин перевернул ее на спину и убрал с лица намокшие темно-рыжие пряди. Он не мог поверить глазам. Перед ним была та, которая преследовала его во сне, та, которую он потерял.

Вдруг веки ее дрогнули. На мгновение девушка открыла глаза.

— Франциска, — выдохнул Валентин.

— Лили! Она не должна погибнуть! Валентин, ты не должен дать ей умереть сейчас, когда мы нашли ее! — взмолился Саймон.

Глава 24

Торопись: пускай
Одна нога другую обгоняет.

*Уильям Шекспир**

Валентин стоял, повернувшись лицом к маленькому окошку, выходящему из комнаты постоялого двора на узкую улицу городка. Солнце садилось. Красный шар отражался в воде. Со стороны старой Саксонской церкви, построенной на рыночной площади, доносился колокольный звон. Шпиль этой самой церкви служил им ориентиром, когда они шли по холмистой долине к тому месту, где речка Уиндраш впадала в Темзу.

Рыночная площадь была заставлена повозками торговцев шерстью, там же продавали еду и домашнюю птицу. Здесь же можно было снять комнату на ночь, и местные жители наперебой зазывали усталых приезжих, громко выкрикивая цены.

Валентин вновь посмотрел на спящую в комнате девушку. В камине горел огонь, согревая небольшую спальню.

_____

* Пер. Н. Рыковой.

Днем еще было тепло, но осень вступала в свои права, и вечерами становилось прохладно и сыро.

«Лили Кристиан. Лили Франциска Кристиан», — поправил себя Уайтлоу. Он подошел поближе к кровати. Темно-рыжие кудри, разметавшиеся по подушке, окаймляли бледное лицо, так хорошо ему знакомое.

Слишком поздно вспомнил Валентин смеющееся пухленькое личико ребенка с зелеными глазами, так похожими на отцовские. С некоторым сожалением вспомнил он и голенастую, немного нескладную девочку-подростка с широко распахнутыми зелеными глазами, в которых читался страх перед будущим.

Улыбка тронула губы Валентина, когда он вспомнил русалку в зеленом платье, верхом на белом коне скачущую по берегу Темзы. И то, что было потом, на следующий день, — ту страсть, что увидел он в ее колдовских зеленых глазах. Вот этот любящий взгляд встретил он на рыночной площади. Их таинственная встреча не давала Валентину покоя.

Теперь в его воображении всплыло то же лицо, но покрытое смертельной бледностью. Он помнил, как завернул ее в одеяло, перевязал голову и уложил в повозку. Глаза Лили открылись тогда лишь на мгновение, но молодой человек знал, что она поняла, кто рядом. Сердцем чувствовал. Он сжал ее руки в своих и пообещал, что больше не оставит ее. Тогда Валентин вспомнил обещание, данное им много лет назад и с легкостью забытое. Он не был с ней тогда, когда она нуждалась в нем больше всего. С трудностями ей пришлось справляться одной.

Теперь, после всего пережитого, едва ли он сможет когда-нибудь забыть ее. Он смотрел на девушку и никак не мог насмотреться, пока ехали через долину по казавшейся бесконечной дороге. Дульси свернулась клубочком возле сестры, пес лежал рядом, и обезьянка что-то бубнила, забившись в угол телеги. Тристрам, на удивление тихий, ехал верхом на одном коне с Саймоном. Попугай тоже молчал. Братья Одел шли рядом с волами впереди повозки. Мустафа ехал позади и вел белого коня Лили. Турок смотрел по сторонам, готовый, если потребуется, отразить еще одно нападение невидимого врага.

Валентин смотрел в лицо спящей. Такое невинное, такое милое и беззащитное.

— Ну и дурак же я, — пробормотал он.

В самом деле, как он мог не узнать ее? Впрочем, разве мог он подумать, что встретит Лили Кристиан, девочку, которая так нравилась ему, Лили Кристиан, дочь славного капитана Джеффри и знатной испанки, на ярмарке?! К тому же он не видел свою подопечную уже около трех лет. А за это время она выросла, превратилась в красавицу. И сейчас капитан испытывал волнение, глядя на нее.

Не в силах противостоять искушению, он дотронулся до рыжих волос. Она выставила его дураком. Зачем? Чем он так не угодил ей? «Как она, должно быть, смеялась надо мной!» — вдруг со злостью подумал Валентин. Он был не из тех, кто прощает людям шутки над собой, особенно женщинам. Он решил выяснить все немедленно и не уходить из этой комнаты, не поставив все точки над і.

Молодой человек все еще не мог оправиться от потрясения, испытанного им в тот момент, когда он узнал лежащую перед ним девушку. Вытащив из воды Лили Кристиан, он вдруг обнаружил Франциску, которую отчаянно желал отыскать. Но вместо того, чтобы пуститься в погоню за своей русалкой, он отправился совсем в другом направлении — на поиски Лили Кристиан. Интересно, что было бы, если бы решение его было иным? Он мог потерять обеих, даже не узнав, что обе они — Лили Франциска Кристиан.

Проклятие, зачем она это сделала?!

Однако его намерения относительно Франциски, вернее Лили, единственной дочери капитана Джеффри Кристиана, честными назвать было нельзя. Валентин понимал двойственность своего положения и от этого чувствовал себя весьма неуютно. Он собирался сделать ее своей любовницей и в мыслях уже считал ее таковой, жениться на Франциске даже не приходило ему в голову. Встретив ее на ярмарке и затащив под деревья, он вел себя с ней так, как ведут с женщиной, с которой собираются переспать, а вовсе не как с невинной девушкой из хорошей семьи. Нет, он вел себя с ней не как с дочерью Кристиана, а как с женщиной, способной утолить жажду изголодавшегося мужчины. Он убил бы негодяя, посмевшего обращаться с дочерью Джеффри так, как обращался сам. Кого же вызывать на поединок? Себя самого? Он предал дружбу Джеффри — он пытался соблазнить его дочь. От этих мыслей на душе у Валентина стало совсем мрачно.

Он все еще не мог поверить, что эта соблазнительная женщина, заставлявшая его испытывать такое острое желание, была Лили Кристиан, та самая девочка, которую он пожалел тогда, в Равиндзаре, когда она стояла перед ним такая растерянная и жалкая в своем некрасивом платье. Валентин взъерошил волосы и тряхнул головой. Он смотрел на спящую все с тем же чувством, которое испытал на берегу реки, когда перевернул ее с живота на спину и увидел перед собой девушку, укравшую у него покой. Неудивительно, что его все время преследовала мысль, будто он где-то видел ту рыжую колдунью. Действительно, эти зеленые глаза были знакомы ему почти с рождения. Сначала — ясный взгляд капитана Джеффри, потом — его дочери.

Как он мечтал об этом! Смотреть на нее, спящую, ласкать взглядом нежные очертания ее лица, обнаженных плеч... Она уже была бы его, если бы... Но сейчас все изменилось. Теперь им никогда не стать любовниками.

Лили тихонько застонала, повернулась. Валентин присел на край кровати и тронул ее лоб. Он был холодным. Лихорадки нет. Сидя так близко от Франциски, капитан смотрел и смотрел на нее, словно хотел запомнить каждую черточку ее лица. Длинные пушистые ресницы, разлетающиеся брови. Нос прямой и маленький, с узкими ноздрями, а чуть приоткрытые губы — полные и мягкие. На щеках играл легкий румянец. Не сразу Валентин понял, что Лили приоткрыла глаза и наблюдает за ним.

Взгляд ее зеленых глаз, который он помнил таким теплым и нежным, стал вдруг далеким и холодным.

— Как себя чувствуете? — спросил он отстраненно вежливо, будто говорил с незнакомкой.

— Спасибо, хорошо, — ответила Франциска и отвернулась.

— Обычный вежливый ответ, но сейчас он неуместен, — сказал Валентин, раздраженный тем, что от него пытаются отделаться как можно скорее. — Тебе тепло?

— Да, Тилли сказала, что вы вытащили меня из пруда. Я утонула бы, если бы вы не оказались там. Спасибо. — Девушка избегала встречаться с ним взглядом.

— Тебе незачем меня благодарить. На самом деле спасла тебя Дульси. В конце концов и тот парень, похожий на быка, мог бы тебя спасти. Словом, я пришел к тебе не за благодарностью. Я хочу тебя кое о чем расспросить.

Валентин подался вперед и, увидев на лице Лили испуг, откинулся и медленно проговорил:

— Тебе незачем опасаться меня теперь, Лили Франциска.

Лили попыталась сесть, но не смогла. Валентин пробурчал что-то себе под нос, наклонился к ней. Она замерла, смущенная наплывом незнакомых доселе ощущений. Запах, исходивший от него — запах кожи, конского пота, мешавшийся с запахом его тела, — действовал на нее возбуждающе. Она не чувствовала к нему враждебности, скорее наоборот. Тепло, исходившее от него, согревало ее. Рука его была такой нежной, когда он легонько дотронулся до шишки у нее на затылке.

— Тебе очень повезло, Лили Франциска Кристиан, — пробормотал он.

Лили затеребила край одеяла. Но лучше бы она этого не делала — взгляд ее упал на мускулистое бедро Валентина. Их ноги были так близко, что не спасало даже то, что она была укрыта одеялом. Лили вспомнила жаркий день, когда они были намного ближе. С поразительной остротой припомнились ощущения, испытанные в его объятиях. Она покраснела, подняла глаза и встретилась взглядом с Валентином. Девушка понимала, что тот прочтет ее мысли. Куда проще было бы встретиться с ним тогда. Она бы посмеялась над этим капитаном, насладилась бы его унижением.

— Почему, Лили? Почему ты не сказала мне, кто ты? Почему ты не обратилась ко мне за помощью?

— Я даже не знала, что вы в Англии.

— Я понимаю. Я говорю о той встрече на ярмарке. Ты могла бы тогда все мне рассказать.

— Я пыталась, но вы не стали слушать меня. А после вы испарились. Так что сами виноваты, — ответила Лили.

Валентин был недоволен ее словами. Он нахмурился:

— Ты могла бы рассказать, что попала в беду, когда мы встретились в первый раз. На ярмарке, помнишь? Ты увидела меня, Лили, и узнала. Я видел твое выражение. Потом ты пропала.

— Вы беседовали с Корделией. А то, о чем я хотела с вами поговорить, было очень личным.

Лили даже себе не хотела признаваться, как больно отозвалась в ее душе эта сцена. Валентин и Корделия. Вспомнились старые обиды. Франциска представила, как скривится Корделия Хауэрд, когда узнает, что та девчонка, которая бегала за ее любовником, вела жизнь нищенки. Девушка не желала соглашаться, что именно любовь к Валентину принудила ее спрятаться от него.

— Когда я назвал тебя Франциской, ты меня не поправила. Почему? Почему ты позволила мне принимать тебя за другую?

— Потому что я... — Лили запнулась. Не может она признаться ему в любви. — ...я была удивлена, что вы меня не узнали. Вы принимали меня за другую. Не могла же я взять и сразу все вам выложить. Вам не было до нас дела. Вы ничего не знали. А я в тот момент растерялась. Тем более мне надо было думать о других людях. И, честно говоря, не ваше это дело, — вдруг заявила она. — Я не ваша родственница. Мы и без вас прекрасно справлялись.

— Прекрасно справлялись, говоришь? Да ты едва не оказалась на том свете из-за собственного безрассудства. А что касается моей доброты...

Валентин злился. Он чувствовал, что Лили обижена на него. Но не понимал, за что. Чем он ей не угодил?

— Я собиралась все рассказать вам тем же вечером, когда мы должны были встретиться на берегу. Но вы так и не появились.

— Меня вызвал во дворец лорд Берли. Я послал Мустафу, чтобы он доставил тебя на борт «Мадригала», но ты уже ушла, — сказал Валентин. И удивился, как легко ему удалось оправдаться. В конце концов это у него был повод для обиды или недовольства, это из него сделали дурака.

— Когда я вернулась в лагерь, там был пожар. Рома ранили. Навару убили. Кроме того, Фэрфакса сильно стукнули по голове. Словом, стало не до вас. Нам некуда было больше идти — только с цыганами. Как я могла прийти к вам, когда не знала, где вы? Кроме того, не могла же я бросить Рома. И чем больше я думала о той нашей встрече днем, тем больше злилась. Даже если вы приняли меня за служанку, как смели вы приставать ко мне, когда вас ждала невеста? Что вы за человек? Кажется, вы даже не слышали слова «верность»?

Валентин оторопел.

— Как ты смеешь говорить мне такое? — наконец вымолвил он. — И потом, какая невеста? Моя? У меня нет никакой невесты! — «Эта девчонка кого хочешь с ума сведет».

— А как же Корделия? Квинта сказала мне, что Корделия гостила в Равиндзаре и что вы поженитесь осенью. А когда вы уходили, я слышала, как вы выругались, досадуя на то, что назначили встречу на сегодня. И рысцой побежали за Корделией. А меня оставили на вечер. На сладкое, да?

— Корделия не моя невеста. Она выходит замуж за другого. Я встретил ее на ярмарке случайно. Свидание же было назначено с Томасом Сэндриком, а вовсе не с Корделией.

Лили воспрянула духом. Так, значит, они с Корделией не обручены?

— Ты очень уж хорошо отзываешься об этом цыгане, Ромни Ли. Как я понял из рассказа Тристрама, он и посоветовал вам покинуть Хайкрос. Ловко он устроил, чтобы ты была у него под боком. Уговорил вас присоединиться к этой шайке ворюг. Я видел, как он тебя целовал на ярмарке. Так и вертелся возле, то тут обнимет, то там прижмет. А ты ему улыбалась, нежно, ласково. И после этого ты позволила мне целовать тебя. И отвечала на мои поцелуи! Так что говорить о *твоей* верности, Лили Кристиан?

Лили ударила его по щеке. На бронзовой коже сразу же выступило красное пятно. Валентин схватил девушку за руку и сжал до боли. Так, молча, разозленные, смотрели они друг другу в глаза. Лили была в такой ярости, что даже не заметила, как упало одеяло и обнажилась ее грудь.

— Он не был моим любовником, но мог бы им стать! — выпалила она. Валентин скривился, словно ему вновь дали пощечину. — Он был моим другом! Он всегда был рядом! Он заботился о нас! Он не предавал нас! Он сделал для нас так много! Он стольким рисковал ради нас!

— Ради тебя, Лили, а не ради вас. Он тебя хотел, — медленно проговорил Валентин. — То, что он делал, он делал только ради тебя.

— Хорошо, пусть ради меня. Он любил меня. Что же тут такого? Он помог нам ускользнуть из-под носа людей, жаждавших спалить меня на костре. Он спас нас, в конце концов он отдал за меня жизнь! Ведь он думал, что спасает меня, когда бросился на того человека. — Лили чуть не плакала. — Наверное, со временем я бы смогла его полюбить и...

— Нет, не смогла бы, Лили. Он лгал.

В голосе Валентина не было жалости к человеку, о котором говорила Лили. Глупости! Ерунда! Нельзя заставить себя влюбиться! Цыган — не тот мужчина, который мог бы стать ее любовником. Ромни не смог бы сделать Лили счастливой. Она ему не пара.

— Лгал? — «Что он хочет этим сказать?» — подумала девушка.

— Да. Причина для бегства из Хайкрос могла быть только одна: опекун вас слишком сильно ненавидел.

— Но Хартвел Барклай мертв. Послушайте, разве Тристрам не рассказал вам, как все было? Поэтому мы и убежали. — «Он ничего не знает. Придется ему сейчас услышать невеселую историю». Лили хотела заговорить, но Валентин не дал ей:

— Видишь ли, дорогуша, Хартвел Барклай не умер. Он просто потерял сознание. А потом спокойно похрапывал себе в холодной водичке, пока его не разбудили. И Ромни знал об этом. Он же уходил в тот день в Ист-Хайтворд, не так ли? И когда он советовал вам уехать, он знал, что вам незачем бежать. Он лгал тебе, Лили.

— Нет! Я вам не верю! Это вы лжете. Вы наговариваете на него. Вы ненавидите его за то, что он помогал нам, за то, что он не такой благородной крови, как вы! Откуда вам это известно?

— А у тебя разве не возник вопрос, откуда это мы взялись ни с того ни с сего? Когда я встретил тебя на ярмарке, я не знал, что произошло в Хайкрос. Однако я собирался приехать туда перед тем, как уплыть в Равиндзару. Потом примчался Саймон. Он побывал в Хайкрос. Выяснил, что произошло. Он говорил с Хартвелом Барклаем. Тот, правда, сломал ногу, уж не знаю как. Но это все. Саймон поговорил с конюхом. Тот решил, что вы скорее всего отправились к няне, Мэри Лестер, в Стратфорд. Наутро (после той ночи, когда на ваш табор напала толпа) мы с Саймоном отправились в Стратфорд. Откуда нам было знать, что мы едем впереди вас? Мы спрашивали о вас в каждой деревне. Когда выяснилось, что у Мэри Лестер вас нет, мы повернули обратно. И столкнулись с вами на дороге.

— Нет! — Лили все еще была не в силах поверить в вероломство Рома. Но тут она вспомнила его последние слова. Теперь только девушка поняла, почему цыган просил прощения. Он просил не держать на него зла за то, что украл у нее это лето. За свою любовь он заплатил высокую цену. Слишком высокую. Разве можно ненавидеть человека, отдавшего за тебя жизнь? Лили готова была разрыдаться. Слезинка упала с ее ресниц прямо на руку Валентину.

— Ты плачешь из-за него? Из-за человека, который тебя предал? — хрипло спросил Валентин. Он ревновал.

Ревновал к мужчине, который ее обманул, который мог украсть ее любовь, к мужчине, по которому она льет слезы. —
Он тебя использовал. Он знал, что ты наследуешь Хайкрос.
Он также знал, что у тебя нет причин туда не возвращаться.
Конечно, к тому времени вы бы обвенчались и он стал бы
хозяином поместья. Ты очень красивая женщина, и он хотел
тебя, и еще он хотел твоих денег и не остановился бы ни
перед чем, чтобы получить желаемое.

С каждой минутой ревность Валентина становилась все
сильнее. Капитан даже не хотел понимать, что цыган больше не стоит у него на пути.

— А разве вы не такой, как он? — спросила Лили. —
Разве, считая меня цыганкой, вы не собирались использовать меня? «Всего на одну ночь...» Разве я ослышалась?

— Нет, Лили Франциска, не на одну ночь. — Валентин неожиданно стал кроток.

Проследив за его взглядом, Лили увидела, что грудь ее
обнажена. Боже! Так вот почему он не смотрит ей в лицо!
Она потянула одеяло на себя. Но прикрыться ей удалось
только наполовину, поскольку вторую руку Валентин не от-
пускал.

— Я никогда не чувствовала себя с Ромом в такой
опасности, как чувствую с вами, — проговорила Лили.

Но Валентин не успокаивался:

— Из-за него ты оказалась в такой ужасной ситуации.
Меня нельзя упрекать за то, что мне понравилась красивая
женщина. Едва ли я мог предположить, что встречу в цыганском таборе дочь Джеффри Кристиана. Кроме того, из-
за Ромни Ли в опасности оказались Тристрам и Дульси.
Удивительно, как то, что произошло с тобой сегодня, не
случилось раньше. Мы найдем негодяя, который напал на
тебя у пруда. Не сомневайся, он не уйдет от наказания.
Правосудие свершится.

— Я знаю того, кто напал на меня, — произнесла Лили.

— Знаешь? Кто он? Цыган? А может быть, какой-нибудь повеса, увивавшийся за тобой на ярмарке? — Валентин едва ли сознавал, что под последнюю характеристику как нельзя лучше подходит он сам.

— Нет. На меня напал сэр Раймонд Уолчемпс.

— Раймонд Уолчемпс? Что он делает в этой дыре?

— Вы мне не верите? Я же не слепая. А я видела отражение в пруду так же ясно, как вижу сейчас ваше лицо.

Валентин смотрел на Лили как на помешанную.

— Сэр Раймонд Уолчемпс? Ты уверена? Должен признать, этот господин мне не особенно нравится. Но трудно поверить, что он желает тебе зла. Он едва с тобой знаком. — Тут капитан вспомнил, что Мустафа говорил ему, будто видел сэра Уолчемпса в толпе в ту ночь, когда подожгли табор. Турок говорил, будто видел, как Раймонд расплачивался с двумя бродягами, наверняка зачинщиками поджога.

В ту злополучную ночь была убита девушка, цыганка, одетая в тот самый наряд, что днем носила Лили. Да и Корделия Хауэрд была на ярмарке в сопровождении сэра Раймонда.

— Кто была та убитая девушка?

— Я же сказала — Навара. Она была племянницей цыганского барона. А почему вы спрашиваете?

— Ведь на ней было твое платье, не так ли?

— Да. А вы откуда знаете? Я помню, какой испытала ужас, увидев ее мертвой. На мгновение мне показалось, будто...

— Будто ты лежишь мертвая.

— Да. Честно говоря, если бы я не пошла на свидание с вами и осталась бы в лагере, убитой могла быть я, а не Навара. Ромни принял ее за меня, хотя, мне кажется, он и за Навару вступился бы. Но тогда он решил, что ножом ударили меня...

— Но зачем? Я спрашиваю себя, зачем Раймонду твоя смерть? Какую угрозу ты для него представляешь? Ты уверена, что это был он? Может быть, произошла ошибка? У тебя нет никаких сомнений? — спрашивал капитан.

Лили тряхнула головой.

— Я уже говорила, что видела в воде его отражение. У него палка в руках была. Большая. Его лицо не из тех, что легко забываются. А Дульси его боится как огня.

Лили передернула плечами. Одеяло соскользнуло вновь, и вновь взгляду Валентина открылись два нежных холма. Вздохнув, он натянул одеяло повыше, задержав ладони на ее теле чуть дольше, чем это было необходимо.

— И что? — тихо спросил он и слегка улыбнулся, заметив, как вспыхнула Лили.

— Вы сочтете меня сумасшедшей, но он улыбался.

— Вот теперь ты меня убедила. Так мог поступить только Уолчемпс. — Улыбка исчезла с лица Валентина. — Но почему? — повторил он больше для себя, не замечая, что гладит ее руку.

— Может быть, потому, что он видел кукольное представление? — сказала Лили. И, увидев, как вытянулось лицо Валентина, пояснила: — На ярмарке мы показывали кукольное представление. Вы не могли его видеть. Нашу будку сожгли накануне ночью.

Лили говорила и внимательно следила за рукой Валентина. Тот рисовал на ее ладони какой-то замысловатый узор.

— Публика нас любила, — продолжала Лили. — Однако сэру Раймонду едва ли мог понравиться спектакль. Одна из марионеток — колдун — была на него очень похожа. Когда мы ее делали, то представляли себе именно его, сэра Уолчемпса. Мне он никогда не нравился.

— И мне тоже. Подозреваю, что я задевал его достоинство куда чаще и глубже, чем вы со своей куклой. Но меня он убить не пытался. Жаль, эта кукла сгорела. Хотелось бы на нее взглянуть.

— Она не сгорела. Она в повозке, в моем сундуке. Нет. Фарли брал ее туда, на ферму, чтобы позабавить хозяйских детей. Должно быть, она все еще у него.

— Тебе не кажется странным, что спалили именно вашу будку? Мне бы хотелось посмотреть это представление. О чем оно было? — спросил Валентин.

— Это сказка про белых коней. Я обычно рассказывала ее перед сном Дульси, когда мы жили на острове. На самом деле это Бэзил...

В дверь постучали. Затем на пороге появились Дульси и Тристрам. Увидев, что сестра не спит, они влетели в комнату, следом — Раф и Колпачок.

— Лили! Ты жива! — Дульси тут же забралась к сестре на кровать. — Я боялась, что ты вообще не проснешься. Дядя Валентин не разрешал к тебе заходить.

Саймон Уайтлоу тоже вошел в комнату. Он стоял на пороге и хмурился. Юношу раздражало то, что дядя Валентин сидит на кровати Лили. Более того, Саймону показалось, что капитан держит ее за руку.

— Я говорил Дульси, что с тобой все будет в порядке! — Тристрам, конечно, умолчал, что в этот раз у него впервые кусок в горле застревал. Ужин его так и остался нетронутым.

— Тилли сказала, что у тебя на голове шишка величиной с яблоко, — сообщила девочка, с любопытством глядя на сестру.

— Нет, Дульси. Вовсе не такая большая. С орех, не больше. Правда, Лили? — поправил сестру Тристрам.

Та попробовала улыбнуться. От такого количества людей у нее разболелась голова.

— Спасибо, что спасла меня, моя сладенькая. Шишка, пусть и огромная, — не беда. Главное, все хорошо. — Лили поцеловала сестру в лоб. — Ты у меня такая храбрая! Дульси прижалась к ней.

— Я ведь умею плавать, Лили, а Фэрфакс — нет, — объяснила она. — Он так смешно выглядел: бегал по берегу туда-сюда и руками размахивал, словно большой цыпленок. Я боялась, что он столкнет Тилли в пруд, и тогда уж никто не сумеет ее оттуда вытащить.

— Мы придумаем, как отблагодарить вас с Тристрамом. — Валентин пощекотал Дульси под подбородком.

— Хотел бы я оказаться возле этого злополучного пруда раньше, — сказал мальчик. — Я поймал бы этого негодяя, Лили.

— Насколько я понимаю, мы должны благодарить вас, Саймон, за то, что нас стали искать, — обратилась Лили к молодому человеку.

Саймон улыбнулся, подошел, поцеловал протянутую ему руку и присел на противоположный от дяди край кровати.

— Мне кажется, я состарился на целую жизнь за то время, пока мы бежали к пруду. А потом еще вы с Дульси ушли под воду... Так напуган я был только тогда, когда приехал в Хайкрос и узнал, что вас нет. Тогда я чуть было не придушил этого Барклая на месте, — признался Саймон. И посмотрев на дядю, заметил, что тот держит руку Лили обеими руками.

Саймон покраснел и поднялся.

— Должно быть, вы утомлены. Мне очень приятно видеть вас улыбающейся и знать, что вы поправитесь. Не помню, спал ли я хоть немного с тех пор, как узнал, что с вами произошло. Я так волновался за вас... всех.

— Не знаю, удастся ли вам поспать и этой ночью, — заметил Тристрам. — Циско, наверное, опять орать будет.

Младший Уайтлоу озадаченно посмотрел на мальчика. Он не сразу понял, что речь идет о попугае. А когда понял, улыбнулся. Он ничего не имел против того, чтобы ночью его будил попугай, если в соседней комнате будет мирно почивать Лили. Взгляд его остановился на девушке, сидящей в подушках, с распущенными волосами. Дульси устроилась в объятиях сестры поудобнее, и одеяло чуть-чуть соскользнуло, приоткрыв сливочно-белую грудь. Саймон открыл рот и судорожно вздохнул.

— Где были Оделы, когда ты ушел? — резко спросил у племянника Валентин. Он заметил, куда смотрит юноша.

— Внизу в корчме. Никогда не видел, чтобы люди так много пили.

— Вы про Фэрфакса? Да он любого перепьет, — с гордостью сообщил Тристрам.

— Да нет, я про другого — низенького. Бог знает, куда в него столько вмещается. — Саймон не отводил от Лили восхищенного взгляда. Пусть она натянула одеяло повыше, все равно столь роскошное зрелище он видел первый раз в жизни.

Валентин поднялся и встал между племянником и Франциской.

— Как ты думаешь, Фарли помнит, куда он дел куклу? — спросил Валентин.

— Не уверен, что он помнит, как его зовут. — Саймон теперь не видел девушки. Дядя своими широченными плечами заслонил ее.

— Давай спустимся и поговорим с ним прямо сейчас, пока он не опустошил все бутылки в трактире, — предложил он. — Мне очень хочется взглянуть на эту куклу.

— Куклу? Какую куклу? — Саймон не понимал.

— Ту самую, из спектакля. Злого колдуна! — закричала Дульси. Перепуганная обезьянка юркнула под кровать.

— Ну что же, если он не знает, то спросим у Тилли, — произнес юноша. — Вещи, что были в повозке, сундуки и все остальное — в комнате братьев Одел.

— А где Тилли? Лежит? — спросил Валентин. Впервые он видел женщину с таким огромным животом.

— Нет. По крайней мере когда я поднимался сюда, она ела. Она не выходит из-за стола с тех самых пор, как мы приехали.

Саймон не мог забыть выражения лица трактирщика, когда женщина попросила принести ей еще пирога с мясом после того, как съела целых два.

— Ну что же, теперь, когда я знаю, что тебе лучше, я пойду тоже что-нибудь съем. А то Тилли все сама умнет. — Тристрам вдруг почувствовал зверский голод.

— Принести тебе что-нибудь, Лили? — заботливо спросил Саймон.

— Спасибо, не надо. Тилли обо мне позаботится.

Тристрам с сомнением посмотрел на дверь. Когда Тилли наестся, она не сможет войти в комнату — застрянет.

— Я приберегу для тебя пирожок, — великодушно предложил Тристрам.

— Я надеюсь, после возвращения в Лондон и... и когда все уладится с Хайкрос, вы приедете погостить ко мне в Уайтсвуд, — предложил Саймон. — Мама и сэр Уильям сейчас живут в Риверхасте, так что я... В общем, мне хотелось бы показать вам дом и земли. Думаю, вам понравится.

— Мы поедем, Лили? Когда? — загорелся Тристрам.

Племянник Валентина смотрел на мальчика улыбаясь, дядя хмурился.

— Непременно, Саймон, — ответила Франциска.

— Ну что, пойдем? — Валентин взял юношу за локоть и повернул к двери.

— Спокойной ночи, — бросил Саймон через плечо, увлекаемый дядей к выходу.

— Я попрошу трактирщика приготовить тебе что-нибудь легкое, — сказал Валентин.

— Я не забуду про пирожок, — пообещал Тристрам и поспешил за дядей.

— Лили, ты расскажешь мне сказку? — спросила Дульси.

— Какую?

— О танцующих звездах. А потом о белых конях, — потребовала малышка. Раф, улучив минутку, прыгнул на кровать, Лили в ноги. Пес смотрел на сестер таким грустным и добрым взглядом, что ни у одной не поднялась рука согнать его с уютного местечка, мягкого и теплого. «Ладно уж, сегодня такой хороший день. Пусть посидит!»

— Слушай. — Лили обняла сестренку. — Жила-была маленькая мерцающая звездочка, которая любила танцевать. И вот однажды под этой звездой родилась девочка, которая тоже любила танцевать...

Валентин отсутствовал не более пятнадцати минут. Он ухитрился ускользнуть от остальных. Оставил Саймона разбираться с пьяным в доску Фарли, а сам, прихватив поднос с ужином, поднялся наверх к своей русалке. Сейчас он стоял в дверях и слушал нежный голос девушки, повествующий о белых конях, Нептуне и предательстве. Лили не слышала, как он вошел, и все пела свою сказку о прекрасном принце Бэзиле и маленькой Сладкой Розочке. Сердце Валентина забилось сильнее, когда речь зашла о предательстве колдуна, из-за которого принц оказался на необитаемом острове, и о заговоре против королевы Северной страны.

Дульси уже крепко спала. Темная головка малышки покоилась на плече Лили. Она осторожно переложила девочку на подушку и только тогда заметила в дверях Валентина с подносом. Глаза ее расширились от удивления.

— Вы напугали меня. Я не слышала, как вы поднимались.

— Я на цыпочках.

— А, вы нашли куклу. — Лили увидела марионетку под мышкой Валентина.

— Да, я нашел ее и хотел узнать, чем же кончится твоя сказка. Где ты ее слышала, Лили?

— Эту сказку рассказывал нам на острове Бэзил.

Валентин бросил куклу на стул. Глаза его возбужденно блестели.

— Так ты ничего не поняла? Господи! Представляю, какое было у Уолчемпса лицо, когда он слушал эту сказку. Представляю, что он испытал, наблюдая за развитием событий в этом вашем далеко не наивном спектакле. Там же шла речь о его тайне, о тайне, которую он столь тщательно оберегал! Готов поклясться, что он и сжег вашу будку, чтобы никто больше не узнал правды.

— Какой правды? О чем вы? Да это всего лишь сказка, придуманная Бэзилом, чтобы позабавить нас. Я знаю ее лет с семи.

— Вот поэтому ты и не понимаешь. Ты всегда воспринимала эту историю как сказку, но ведь ее Бэзил сочинил, Бэзил, сам! Расскажи ее тебе другой, и я поверил бы, что все в ней — вымысел. Но Бэзил очень хорошо знал, что делает, когда рассказывал вам эту сказку. Он заставил вас выучить важные сведения. Он спрятал в этой истории все, что случилось на острове. И даже объяснил, как вы туда попали. Не зря у него колдун похож на Уолчемпса. Бэзил хотел сообщить, что сэр Раймонд — предатель. Колдун плетет заговор против королевы. Я всегда подозревал, что Бэзил оказался на борту корабля твоего отца потому, что его послали лорд Берли или Уолсинхэм. Я уверен, что он собирал для них сведения в Санто-Доминго. Каким-то образом Бэзил узнал, что Уолчемпс участвует в заговоре против королевы. Теперь я уже думаю, не собирался ли Раймонд убить королеву в тот раз, когда сама она решила, что он

спас ей жизнь? Бэзил знал правду, Лили. Он боялся, что не
доживет до того дня, когда сможет доложить все лорду
Берли лично и предупредить об опасности королеву. Вот он
и рассказал вам невинную сказку. Надеялся, что вас заберут
с острова. Да, сэр Раймонд сам убедил меня в том, что эта
сказка — больше, чем сказка. Иначе зачем ему беспокоиться? Он дважды пытался тебя убить.

— Дважды? Меня пытались убить всего один раз —
у пруда.

— Нет. На ярмарке он убил другую вместо тебя, Лили.
Эта цыганка была убита неким джентльменом, оказавшимся
в толпе поджигателей. Ею должна была стать ты. Но ты в
это время ждала меня на берегу, — напомнил ей Валентин.

— Мое платье! Навара украла его и надела!

— Да. Мустафа видел, как сэр Раймонд расплачивался
той же ночью возле табора с двумя мужчинами. Проклятие! —
выругался капитан. — Если бы у меня были доказательства.
Сказка — еще не документ.

— Я видела сэра Раймонда, когда он напал на меня, —
напомнила Лили. — Я могу поклясться в этом на Библии.

— Что твое слово против его! Боюсь, дорогая, ему больше
доверяют, чем тебе. Только Бэзил мог бы доказать вину
Уолчемпса. Но он мертв. Хотел бы я, чтобы у нас было
что-нибудь. Какие-нибудь записи.

— Записи? — Лили смутилась.

— Да, записи. Помнишь, ты говорила мне, когда мы
вернулись с острова, о журнале, который вел Бэзил? Он
сгорел вместе с остальными его вещами в хижине. Брат
имел привычку записывать все свои впечатления о людях, о
местах, в которых бывал. Я уверен, там мы могли бы про-
честь, что́ он узнал в Санто-Доминго. Бэзил должен был
подготовить доклад Уолсинхэму. Хоть брат и казался скромным, на самом деле это очень отважный человек, царствие

ему небесное. Если бы сохранился тот журнал... Я уверен, там все записано! В противном случае нам не удастся ничего сделать с Раймондом. Конечно, я доложу обо всем Сесилу, но этого мало. Боюсь, одних моих подозрений окажется недостаточно.

— Журнал... Боже, я напрочь о нем забыла! Бэзил всегда говорил, что это очень важная вещь. Он никогда нам не позволял туда заглядывать, но сам читал нам многое.

— Так, значит, ты никогда не видела, что там?! — Валентин не в силах был скрыть своего разочарования. — Ты не знаешь, о чем он писал? Нет?

Лили покачала головой и покраснела.

— Не расстраивайся, Лили. Я не позволю сэру Раймонду приблизиться к тебе ближе, чем на милю. Может, нам и не удастся ничего сделать, но зато мы знаем правду и будем настороже. За ним станут постоянно следить. Обещаю. Репутация его будет подорвана, это уж точно. Для этого довольно одних подозрений. Я устрою ему такую жизнь, что он предпочтет подобру-поздорову убраться из страны. Можешь его больше не бояться. Одно только меня беспокоит. Про Раймонда мы знаем. Но он наверняка не один. Если это заговор, надо разоблачить всех его участников.

Лили смотрела в пол.

— Доказательства есть. Журнал не сгорел. Он на острове.

Валентин, потрясенный, глядел на девушку. Она подняла голову и повторила громче:

— Я сказала, что журнал Бэзила на острове. Я пообещала никому ничего не говорить. Все его записи были предназначены королеве, и только ей одной. Он говорил, что это особый журнал, и всегда прятал его.

— Так он на острове?

— Да. Спрятан вместе с нашими сокровищами.

— Какими сокровищами?

— Сокровища с затонувшего галиона. Мы собирали их не один день. Бэзил велел спрятать их от пиратов, которые иногда высаживались на берег. Он говорил, что они наши по праву и могут однажды нам пригодиться. Тогда, на острове, я не успела сообщить вам об этом. Вы мне очень не нравились. А потом, когда я изменила к вам отношение, мы уже отплыли далеко, и не было смысла возвращаться. Я решила, что это уже не важно. Я не доверяла вам, — призналась Лили. — Не доверяла потому, что вы обманули меня. Силой притащили на борт «Мадригала». Когда вы спросили меня про журнал в первый раз, я солгала. Отчасти из-за данного Бэзилу обещания, но больше из-за того, что злилась. Теперь я понимаю, почему вы так поступили, но тогда я не знала того, что знаю сейчас. Позже, когда я... когда вы мне стали нравиться, я испугалась, что вы возненавидите меня за ту ложь. Я не хотела потерять вашего расположения, вашей дружбы.

Лили посмотрела в глаза Валентину. Она думала, что ее сейчас будут ругать, но ошиблась. Валентин погладил ее по щеке, улыбнулся:

— Я не собираюсь упрекать тебя, Лили. Ты не можешь отвечать за то, чего не понимала. Ты и так настрадалась из-за Уолчемпса. Ты была всего лишь ребенком. Сейчас...

И, не в силах противостоять искушению, он наклонился к ней, коснулся губами ее губ, обнял. В тот миг, когда Валентин уже готов был отпустить ее, он почувствовал, как она сама раскрылась ему навстречу. И он поцеловал ее крепче.

Лили чувствовала на лице его теплое дыхание.

— Еще ничего между нами не ясно. Нам еще многое предстоит обсудить, Лили Франциска Кристиан, — сказал Валентин нежно. Затем вскочил. — Клянусь Богом, я добуду этот журнал. «Мадригал» уже готов к плаванию. Если ты чувствуешь себя нормально, мы можем немедленно отправиться в Лондон. Мне надо будет переговорить с лордом Берли перед отплытием, затем зайти в Фалмут, чтобы высадить на берег сэра Роджера и Квинту. Думаю, она уже вернулась в Лондон. Вы трое: ты, Тристрам и Дульси — поживете некоторое время в Равиндзаре. Там вы будете в безопасности. Или, еще лучше, в Пенморли-Холле. Сэр Роджер возражать не будет да и присмотрит заодно за всеми вами. Мне кажется, что сэр Раймонд едва ли поедет в Корнуолл. Я уплыву месяца на два, на три.

В своем плане Валентин учел все, кроме одного — он не знал, где находится журнал, и забыл спросить об этом Лили. Но Лили не забыла. Нет, ему не удастся оставить ее в Пенморли-Холле в приятной компании Гонории. Уж если кто имеет право вернуться на остров — ее остров, — так это она, Лили Кристиан.

Взглянув на Валентина, стоящего у окна, она поклялась себе, что останется на борту «Мадригала» и отправится в Вест-Индию вместе с ним.

— Да уж, вы действительно не спешили с возвращением в Лондон. Как прошла поездка? Удачно?

Джентльмен, беседующий с Уолчемпсом, непринужденно откинулся на спинку кресла, стоящего возле камина.

— Какого черта вы тут делаете в такое время? — спросил Уолчемпс нежданного гостя. — Надеюсь, у вас была серьезная причина вытащить меня из постели в такую рань, — добавил он, кутаясь в бархатный халат и еле сдерживаясь, чтобы не зевнуть. Его очень светлые, обычно ухоженные волосы были взъерошены.

— Я слышал, вы много ездили по стране.

Сэр Раймонд взглянул на гостя, налил себе в бокал вина и сделал глоток.

— Можно и так сказать, — с улыбкой согласился он и сел в кресло напротив гостя.

По всей видимости, посетителю не терпелось поскорее согнать с хозяина спесь и это самодовольное выражение.

— Заезжали в Уорикшир, полагаю? — поинтересовался гость.

— Да, — ответил хозяин. — Я намеревался побеседовать с вами о результатах моего путешествия сегодня вечером. У меня обширные владения в тех краях. На границе Уорикшира и Оксфордшира. Кроме того, если вы помните, у меня есть дом в Бакингемшире, доставшийся мне по наследству. Последние дня два я провел там. Вам интересно, чем я там занимался?

— О, я прекрасно осведомлен.

— В самом деле? Теперь новости распространяются быстро. Когда похороны? Полагаю, меня должны пригласить. Похороны, поминки, все это довольно приятное времяпровождение. — Раймонд хмыкнул.

— Чьи похороны?

— Я думал, вы знаете. Тогда зачем вы ко мне пришли? Конечно же, девчонки! Чьи еще? Я с ней покончил, — сообщил сэр Раймонд и отхлебнул вина. — Жажда замучила. На дорогах чертовски пыльно.

— В самом деле? — ледяным тоном поинтересовался собеседник.

— Ну да, как же я сразу не догадался! Все вы со своей совестливостью. Ну конечно, вы без этого не можете. Только не стоит делать меня жертвой своих душевных терзаний. Мне ваши муки неведомы. Я слишком утомлен путешествием, чтобы... Да и Корделия меня ждет. Из нее получится великолепная супруга. Угощайтесь. Поднимем бокалы за успех нашего предприятия.

В ответ гость захохотал, чем поверг Раймонда в немалое изумление.

— Да, я согласился бы с вами, если бы все было сделано как полагается. Все, что вам удалось, — это привлечь к себе ненужное внимание. Со своей навязчивой идеей вы навлекли на нас беду. Вы своего добились, теперь мы действительно влипли. Какого дурака вы сваляли! Теперь топор, что висел над нашими головами все эти годы, действительно готов упасть.

— О чем вы говорите?! Да у вас просто кишка тонка! Бесхарактерность — вот ваш злейший враг. Не хотим марать наши белые ручки, так? Что вы имели в виду под словом «если»? — добавил Раймонд, пристально разглядывая ковер, будто вытканный на нем узор интересовал его больше, чем ответ собеседника. — Девушка мертва. Я видел, как она утонула. Но чтобы сделать все наверняка, я ударил ее по голове. — Раймонд вцепился в подлокотники кресла.

— В самом деле? Вы действительно видели, как она пошла ко дну?

— Да, она ушла под воду. Голова ее была в крови. Я услышал чьи-то шаги. Рядом залаяла собака. Мне, как вы понимаете, не хотелось быть замеченным возле пруда с палкой в руке, — словно оправдываясь, добавил Уолчемпс. — Но у меня по крайней мере хватило мужества совершить этот поступок.

— Она не утонула.

Сэр Раймонд Уолчемпс замер.

— Не утонула? Вы шутите!

— Нет, не шучу.

— Проклятие, — пробормотал хозяин дома.

— Вы слишком небрежно все сделали, друг мой. Вы допустили две очень серьезные оплошности и тем самым подвели нас обоих.

— Я подвел вас? Сомневаюсь. Ведь это я пытался убить девицу, а не вы. Впрочем, это не должно нас беспокоить. Она меня не видела.

— Напротив, видела. Она заметила ваше отражение в воде. Представьте, она видела вас так же отчетливо, как вы свою физиономию в зеркале.

Сэр Раймонд провел рукой по лицу.

— Никто ей не поверит. Кто она такая? Грязная потаскуха! Она путалась с цыганами! Тот, что напал на меня тогда на ярмарке, скорее всего был ее любовником. Видели бы вы, как она раздевалась там, у пруда, — бесстыдно, развратно. Было бы у меня больше времени... Впрочем, что об этом теперь говорить? Что ее слово против моего! Пока я еще фаворит королевы.

— Валентин Уайтлоу поверил ей, и это немало.

— В самом деле? — спросил Раймонд, пряча под ироническим тоном испуг.

— Именно так. Вы не представляете, какую кашу заварили. Уже известно, что вы были зачинщиком погрома, известно, что вы зарезали цыганку. И ради чего?

— Откуда вы это знаете? Разве меня кто-нибудь видел?

— Вас видел слуга Уайтлоу. Он заметил, как вы расплачивались с двумя пройдохами. Ему показалось странным, что вы, рыцарь ее величества, оказались причастным к ссорам черни. Он все это рассказал своему господину.

— Проклятие! Я его не заметил. Я был слишком занят мыслями о девчонке, чтобы подумать об осторожности.

— Конечно, мой друг, получая удовольствие, вы, как всегда, забываете о последствиях.

— Но кто поверит какому-то турку? — усмехнулся Раймонд. — Люди скорее всего подумают, что Валентин Уайтлоу пытается очернить меня из ревности и ущемленного самолюбия — за то, что я украл у него любовницу. И ничего больше. Однажды я с ним поквитаюсь. И тогда никто не посмеет меня за это осудить.

— Если уж мстить кому-нибудь за доставленные вам неприятности, то не Валентину Уайтлоу, а Хартвелу Барклаю.

— Барклаю? — хмыкнул Раймонд. — Ему-то с чего?

— Если бы он не попытался изнасиловать Лили Кристиан, она никогда не убежала бы из Хайкрос. Тогда она не встала бы у вас на пути. Никогда не возник бы кукольный спектакль, не было бы двух неудачных покушений на нее, и тогда ничто не возбудило бы подозрений Уайтлоу.

— Черт бы побрал этих Уайтлоу, вечно они путаются под ногами и суют свои носы куда не следует!

— Благодаря их вмешательству Лили Кристиан осталась жива. Ее вытащил из пруда Валентин.

— Не понимаю, как ему удалось найти их так быстро. Стоит только вспомнить промозглые ночи, проведенные под открытым небом, и прочие неприятности, что приходилось терпеть. Эта банда так петляла, что, остановись я на ночь в гостинице, на следующий день мог бы их не найти.

— Саймон Уайтлоу приехал в Хайкрос и там узнал, что Лили исчезла. Он выяснил, что она могла поехать к няньке в Уорикшир. Они знали, куда ехать, и поэтому опередили вас, мой друг.

— Однажды он ответит мне за все, — злобно прошипел сэр Раймонд. — Слишком часто перебегает мне дорогу.

— Возможно, если вы, друг мой, доживете до этого светлого дня. Слишком многое сейчас против вас. Во-первых, вас видела Лили, когда вы на нее напали. Во-вторых, вас заметили возле табора в ту ночь, когда была убита цыганка, одетая в платье Лили. И ваш неожиданный отъезд из Лондона тоже наводит на размышления. Оказывается, вы осматривали свои владения неподалеку от того места, где на девушку было совершено покушение. Не многовато ли?

— Это все неубедительно. Где доказательства? Их нет, — отозвался сэр Раймонд. — Никто ничего не докажет, — тихо повторил он.

— Почему же? Есть и доказательства. Кукла. Такая безобразная штучка, — откликнулся гость.

— Кукла?! — Уолчемпс вскочил.

— Да. Марионетка, изображающая колдуна с разными глазами. Должен сказать, я был весьма удивлен, что эта игрушка не сгорела. Теперь эта кукла в руках у Валентина Уайтлоу. Вы слишком часто испытывали судьбу, мой друг Раймонд.

— Ну знаете, вы меня развеселили. Вот это шутка! — Он расхохотался.

Гость сохранял на лице вежливую улыбку.

— Боже, что может доказать детская игрушка! Все знают, что девчонка со мной встречалась. Моя внешность всех пугает. Девочка сделала куклу, чтобы попугать сестренку с братишкой. Что это доказывает? Да ничего! Если кукла — это все, что Валентин может предъявить в качестве доказательства, я даже не потружусь прийти в суд. Мне жаль его — он выставит себя на посмешище.

— А как насчет сказки, о которой вы мне рассказывали? Историю о злом колдуне, который весьма напоминал вас и замышлял убить королеву?

— Вы сами назвали эту историю сказкой. Меня казнят из-за кукольного представления? Черт побери, нас, католиков, пока не настолько загнали в угол, чтобы казнить на основании таких смехотворных свидетельств. Клянусь, в глазах народа я буду мучеником, если дело примет такой оборот.

— Эту сказку, очевидно, рассказал детям сэр Бэзил Уайтлоу, друг мой. А он — советник королевы, который, как вам известно, побывал в Новой Испании. Видимо, по распоряжению Елизаветы. Вероятно, дружба Бэзила с капитаном Кристианом была лишь прикрытием. Вам не приходит в голову, что Уолсинхэм и лорд Берли могут рассуждать так же? Как, должно быть, досадовали эти господа на то, что сэр Бэзил умер, так и не доложив им об увиденном и услышанном, и как, должно быть, нам придется туго, если кто-то из них заподозрит, что Бэзил о чем-то узнал.

— И вновь повторю: доказательств у них нет. Вы беспокоитесь напрасно. Возможно, мне придется распрощаться с привилегиями королевского фаворита из-за глупых слухов, бросающих тень на мое доброе имя. Возможно, мне даже придется бежать во Францию, чтобы не гнить в Тауэре, но, уверяю, все это ненадолго.

— Вы и я — мы оба умрем. И умрем смертью страшной, Раймонд, потому что будем изобличены самым достоверным свидетелем — самим Бэзилом или, что одно и то же, его журналом. А там, я думаю, записано немало.

— Журнал? — Раймонд побледнел.

— Да, вы не ослышались. Журнал. Журнал, в котором он вел записи в Санто-Доминго. Теперь мне совершенно ясно, что он видел нас. В противном случае он никогда не стал бы рассказывать детям эту странную сказку. Он знал. Все знал. Каким-то образом ему удалось узнать о наших планах. И как человек умный, остальное он додумал сам. Бэзил оказался умнее нас, мой друг. Как бы там ни было, в его журнале есть запись о том, что он нас видел, и Бог знает о чем еще. Бэзил Уайтлоу был человек весьма добросовестный и к своим обязанностям относился серьезно. Я уверен, что, будь у меня доступ к тому журналу, я бы нашел в нем наши имена, аккуратно выведенные рядышком.

— Смею напомнить вам, что после того, как Валентин привез с острова детей, мы... обо всем этом говорили. Вы упомянули журнал. Тогда вы сказали, что он сгорел вместе с остальными вещами сэра Бэзила.

— Совершенно верно.

— Так как изволите вас понимать?

— Так, что девчонка тогда солгала.

Сэр Раймонд медленно поднялся с кресла.

— Что? Солгала?

— Да. Журнал, в котором Бэзил Уайтлоу вел записи во время путешествия и во время жизни на острове, не пропал. Лили поклялась Бэзилу Уайтлоу, что будет беречь его как зеницу ока и хранить его существование в секрете. Бог мой! Бэзил был при смерти, но до последней минуты думал о своих записях. Лили Кристиан сдержала обещание и спрятала журнал. И никому о нем не рассказывала. Но скоро его найдут и доставят в Англию. После стольких лет беззаботной жизни, Раймонд, правда вот-вот откроется. Бэзил Уайтлоу отомстил нам за все, мертвый, но отомстил. Как и капитан Кристиан. Но он по крайней мере умер быстро и с честью, тогда как мы с вами все эти годы прятались, как крысы. Вы слышите этот замогильный хохот, Раймонд?

— Вы слишком хорошо все знаете. Откуда?

— Я только что вернулся из Риверхаста. Вчера вечером там собиралось избранное общество — только близкие друзья Валентина Уайтлоу. Он многое нам рассказал. Разумеется, по секрету. В этот самый час Валентин находится с докладом у лорда Берли. Мы все были потрясены. Каждый из нас поклялся, что не обмолвится ни словом, чтобы не дать заговорщикам уйти.

Сэр Раймонд нахмурился. В его воображении возникла картина вчерашнего вечера. Он знал всех, кто там присутствовал. Валентин Уайтлоу, хозяин и хозяйка дома, Томас Сэндрик, Джордж Хагрэйвс, сэр Роджер Пенморли, Чарльз Деннинг, а может, и Вальтер Ралли.

Раймонд снова сел в кресло и откинулся на спинку.

— Уайтлоу скоро отплывает, не так ли? Он собирается вернуться на остров и забрать журнал. Как мы должны действовать? Теперь нам нечего надеяться на то, что нас не разоблачат, — медленно проговорил разноглазый. Взгляд

его был устремлен в окно, туда, где прохаживалась королевская стража. Ему вдруг показалось, что эти люди вот-вот
постучатся к нему в дверь. — Нам надо бежать. Проклятие, быть может, за домом уже следят. Вы испытывали
судьбу, решившись прийти ко мне в дом.

— Валентин отплывает на рассвете. Но вам не о чем
беспокоиться. По крайней мере пока не о чем.

— Не беспокоиться? Как мило с вашей стороны. Удивительно, как это вы вообще посчитали нужным заглянуть ко мне
и предупредить. Впрочем, на это не нужно много смелости.
Клеймо на мне, а вы — чистенький. До тех пор, — с жестокой
улыбкой добавил сэр Раймонд, — пока меня не начнут пытать.
Тогда ваше имя сорвется с моих губ, не сомневайтесь.

— Я сказал, что успел позаботиться обо всем.

— Вы? — недоверчиво переспросил Уолчемпс. — И
что же вы успели сделать? Помолиться за нас?

— Нет, — тихо ответил гость. — Я послал весточку
дону Педро де Вилласандро.

— Мой Бог! Что вы сделали?

— Этой ночью я написал письмо испанскому послу, не
упоминая, конечно, имен, и попросил его передать письмо
дону Педро.

Сэр Раймонд смотрел на гостя так, будто перед ним
сидел безумец.

— Да мне нет никакого дела до дона Педро, пусть
катится ко всем чертям. Я уверен, что он испытывает к нам
не более теплые чувства. Какого черта искать с ним связи?
Его и в Англии-то нет, насколько мне известно. Чего мы
добьемся, если он будет знать о нашем несчастье? Да я
скорее решусь бежать на рыбацкой лодчонке, провонявшей
рыбой, чем на его корабле. Конечно, дон Педро рано или
поздно прибудет на ваш зов. Может, он успеет собрать
куски моего четвертованного тела. Подозреваю, что голову с

кола на Лондонском мосту снять будет тяжеловато, но он попытается, я знаю, и скорее всего преуспеет. На худой конец, меня ждут достойные похороны на континенте, но душе моей это будет уже безразлично. Так что, если таким образом вы пытаетесь избежать плахи, увольте, я поищу другой путь.

— У вас странная память, мой друг. Смею напомнить, что, когда был потоплен корабль капитана Кристиана, мы с вами находились на борту судна дона Педро. Он знает, где находится остров. Если письмо дойдет вовремя, он окажется там раньше Валентина Уайтлоу и сумеет перехватить его корабль. Я, конечно, не верю, что дон Педро кинется на помощь нам, но я знаю другое: Валентин Уайтлоу — его давний враг, и из желания отомстить дон Педро пойдет на что угодно. Испанец с радостью потопит Уайтлоу, как раньше потопил судно другого англичанина — Джеффри Кристиана. Дон Педро умеет расставлять ловушки для своих врагов. Он отправится на тот остров. Он не сможет избежать искушения. Не захочет он и упустить возможности нанести врагу упреждающий удар.

— Что, если он проиграет? — спросил сэр Раймонд.

— Мы должны молиться, чтобы он не проиграл.

— С вас, может, довольно молитвы, что же касается меня — я едва ли смогу уповать на Господа, чтобы жить спокойно.

— Ничего другого нам не остается. Я англичанин. Я никогда не смогу жить на континенте. Никогда я еще не был так счастлив, как сейчас. И если бы я решился бежать из страха, что дон Педро потерпит поражение, как я смогу объяснить свое отсутствие в случае его победы? Вернется Уайтлоу или нет, жизнь моя все равно будет сломана. Мне ничего не остается, кроме как покориться судьбе. Сейчас от меня уже ничего не зависит. Мне надо было действовать, чтобы защитить нас всех.

Я сожалею о том, что может произойти в результате моих действий, но выбора у меня не было.

— На континенте вы были бы живы. Но я вижу, вам нравится роль мученика. Я, напротив, собираюсь бежать.

— О, Раймонд, я вовсе не похож на мученика. Мне не хочется умирать. Так что давайте вместе молиться за то, чтобы дон Педро не проиграл. Потому что спасти нас сейчас может только он. Он один знает, где находится остров. Мое письмо уже плывет в Мадрид. Так что дон Педро отправится в Вест-Индию на этой неделе.

Сэр Раймонд Уолчемпс улыбнулся:

— А я тем временем сведу счеты с Лили Кристиан. Она мне испортила все. Сейчас, когда жизнь кажется мне такой прекрасной... Она заплатит мне за все. Она умрет еще до того, как я покину страну.

— Не думаю, что вам стоит переживать из-за Лили Кристиан. Она вне вашей досягаемости. Она отплывает с Валентином Уайтлоу на его корабле.

Сэр Раймонд долго молча смотрел на собеседника. А после расхохотался недобрым смехом.

Глава 25

Духи гор, лесов и вод,
Все в хоровод!
Утихло море.
В легкой пляске, с плеском рук
Сомкните круг.

Уильям Шекспир*

С борта «Мадригала» остров казался тихим и уютным мирком, купающимся в ласковых лучах солнца. Белые пушистые облачка плыли над холмами, поросшими пальмами. На первый взгляд мало что изменилось здесь. Желтая полоска песка у залива не хранила ничьих следов — только волны набегали на берег и откатывались обратно в море.

На скалистом мысу по-прежнему росла одинокая пальма. Сколько часов провела Лили под этим деревом, выглядывая, не появится ли на горизонте белый флаг с крестом святого Георгия! Лили перевела взгляд на мачты. Над головой ветерок трепал флаг — красный крест на белом поле. Корабль приближался к острову — теплому острову, бывшему ей домом, — острову, где она узнала столько счастья и столько горя.

* Пер. Мих. Донского.

— О, где ты был, мой старый друг,
Семь долгих-долгих лет?
— Я вновь с тобой, моя любовь,
И помню твой обет.

— Молчи о клятвах прежних лет,
Мой старый, старый друг.
Пускай о клятвах прежних лет
Не знает мой супруг.

Лили прислушалась к доносящемуся откуда-то сверху приятному мелодичному голосу. Прикрыв от солнца глаза, она старалась отыскать взглядом певца. Вот он. Лезет на фок-мачту и напевает:

— Богаче нашей стороны
Заморская земля.
Себе там в жены мог бы взять
Я дочку короля.

— Ты взял бы дочку короля!
Зачем спешил ко мне?
Ты взял бы дочку короля
В заморской стороне.

— О, лживы клятвы нежных дев,
Хоть вид их сердцу мил.
Я не спешил бы в край родной,
Когда бы не любил.

При крике впередсмотрящего «Земля!» все пришло в движение. По палубе туда-сюда забегали матросы. Они готовились спустить паруса и бросить якорь.

— Семь кораблей есть у меня,
Восьмой приплыл к земле,

Отборных тридцать моряков
Со мной на корабле.

— Навались, ребята!
— Дружно, взяли!
— Стой! Стоп!

Корабль их ждал у берегов,
Безмолвный и пустой.
Был поднят парус из тафты
На мачте золотой.

Но только выплыли они,
Качаясь, на простор,
Сверкнул зловещим огоньком
Его угрюмый взор.

Не гнулись мачты корабля,
Качаясь на волнах,
И вольный ветер не шумел
В раскрытых парусах.

Лили смотрела на берег. Вон там. Около того дерева —
могилы матери и Бэзила.

— О, что за светлые холмы
В лазури голубой?
— Холмы небес, — ответил он, —
Где нам не быть с тобой.

— Скажи, какие там встают
Угрюмые хребты?
— То ада горы, — крикнул он, —
Где буду я — и ты!

Он стал расти, расти, расти
И мачту перерос
И руку, яростно грозя,
Над мачтами занес.

Две мачты сбил он кулаком,
Ногой еще одну,
Он судно надвое разбил
И все пустил ко дну*.

Валентин внимательно изучал береговую линию и залив.
Затем повернул голову вправо и взглянул на море, такое
спокойное и тихое. И, словно почувствовав на себе взгляд
Лили, быстро посмотрел вниз. В его бирюзовых глазах отражались небо и море. Вдруг по его лицу пробежала тень, и
он отвернулся.

— Спускайте поаккуратнее, парни! — крикнул Валентин матросам. — Уберите на марсе, Тюрнер! Помоги ему,
паренек! — приказал он, но проворный парнишка уже ка-
рабкался на мачту.

— Мне так давно хотелось посмотреть на этот остров, —
сказал Саймон, подойдя к Лили. — Я мечтал об этой минуте
с тех самых пор, как впервые услышал о нем от Тристрама.
Теперь, когда я его увидел, я понимаю, что представлял его
себе не таким. Он какой-то... особенный.

— Иногда я и сама думаю, что этот остров волшебный.
Он очаровал нас с первой минуты. Он оберегал нас. Он дарил
нам чистую воду и спелые плоды. Он подарил нам счастье. А
потом, как это бывает с волшебниками, он повернулся к нам
своей жестокой стороной. Он забрал жизни матери и Бэзила.
Наверное, мы виноваты сами. Мы нарушили заговор молчания,
приютив чужаков. А может быть, потому, что мы украли у

* Пер. С. Маршака.

моря то, что принадлежало ему, — сокровища затонувшего галиона, — задумчиво проговорила Лили.

Саймон понял, что она не шутит, и с интересом взглянул на нее.

— Ты действительно веришь, что этот остров волшебный?

— И не я одна. — Лили указала взглядом на Мустафу, который с хмурым лицом смотрел на берег.

— Из того, что я помню об отце, и из того, что мне рассказывали о нем другие, я бы решил, что он никогда не смог бы поверить в волшебство, — заявил Саймон.

В самом деле! В следующий раз его станут убеждать в существовании русалок и леших!

Лили улыбнулась, вспомнив, как важно вышагивал по песку Бэзил в плаще и маске. Нет, она была не согласна с собеседником. Бэзил тоже верил, что это волшебное место.

— Лили, — позвал девушку Саймон, заметив, что та унеслась мыслями куда-то очень далеко. — Ты бы действительно не сказала Валентину, где пещера, если бы он отказался взять тебя с собой?

Лили прищурилась:

— А ты как думаешь?

— Я? Да ты просто напустила на себя суровости и заставила Валентина думать, что говоришь всерьез.

— Значит, ты считаешь, что я притворялась?

— Да. Я знаю, Лили. Валентин тоже не слишком тебе поверил. Ты можешь быть упрямой и своевольной, но ты никогда не поставишь свое желание выше необходимости. Ты слишком хорошо понимаешь, что жизнь нашей королевы стоит больше того, чтобы рисковать ею ради ребячества. Ты бы сказала ему, не так ли?

Лили огляделась, затем поманила Саймона пальцем, пригнула его голову к своей и шепнула на ушко:

— Да, ты угадал. Но пусть это будет нашим секретом. — И приложила к его губам палец.

Саймон схватил ее за руку.

— У тебя больше смелости, чем у меня. Я никогда не решился бы перечить дяде Валентину. Он не любит, когда ему не подчиняются.

— Валентин привык приказывать. Он ведь капитан, — заметила юная леди. — Но, думаю, когда-нибудь он дождется хорошего пинка. Тогда с него слетит вся спесь.

— Лили, ты и в самом деле крепкий орешек!

— Я люблю добиваться своего, Саймон. Знаешь, если бы он высадил меня на берег, я все равно нашла бы способ пробраться на корабль. — По озорному блеску в ее глазах Саймон понял, что Лили не отступилась бы от своего решения ни за что на свете.

— И как бы тебе это удалось?

— Я бы переоделась в мужское платье. В нем я вполне сошла бы за юнгу, а поскольку Валентин нанимал новых матросов в Фалмуте, он бы ничего подозрительного не заметил. Ты спросишь, что бы я сделала, если бы он привез меня в Равиндзару? И я отвечу тебе — убежала бы ночью в Фалмут, спряталась бы на корабле, а потом изображала бы из себя юнгу. И только тогда, когда обратно плыть уже не имело бы смысла, открылась бы ему. У меня это хорошо получается, — с тихим смехом добавила Лили. Саймон тоже засмеялся, хотя и не знал, что скрывается за последним замечанием его собеседницы, поскольку никто, естественно, не рассказывал ему о встрече Валентина и «Франциски».

— Черт побери, мне бы хоть половину твоей решимости! Дядя говорил, что ты очень похожа на своего отца. Видимо, он как всегда прав. Я тоже похож на отца, говорят, и такой же, как он, скромный.

— Ты несправедлив к себе, Саймон. Когда ты сцепился с Хартвелом Барклаем, ты напрочь забыл о скромности. А потом бросился искать нас. Ты ведь не стал взвешивать все за и против, раздумывать... Ты храбрый, Саймон. Уже одно то, что ты сейчас здесь, на борту «Мадригала», многое значит. Я слышала, тебе пришлось спорить с матерью и отчимом. И они ведь отпустили тебя.

— О чем тут говорить, Лили? Как они могут не разрешить? Я уже взрослый. Сам решаю, что мне делать. Да что сравнивать, ты ведь женщина в конце концов. — Он смутился от похвал Лили.

Этот разговор напомнил Лили другой, произошедший у нее с Валентином в тот вечер в гостинице...

Лили упорно отказывалась объяснять, где находится тайник, в котором лежат сокровища. Она не шла ни на какие уступки. Ее даже не смутило, когда Валентин начал кричать на нее.

Лили так прямо и заявила, что имеет полное право сама распорядиться журналом Бэзила. Напомнила она и о том, что не кто иной, как Валентин, лишил ее возможности попрощаться с островом. И сейчас он просто обязан загладить свою вину. Ей необходимо вернуться на остров, дававший им хлеб и кров семь долгих лет, и поклониться той земле, в которой лежат мать и Бэзил. На этот раз она не даст себя провести. В конце концов ее семья стала жертвой предательства Уолчемпса. Да и драгоценности принадлежат им — Лили, Тристраму и Дульси. С полным сундуком дублонов они могут больше не бояться дяди Барклая, что бы там ни говорил Валентин о том, что больше опекун им досаждать не станет. С деньгами они не будут нуждаться ни в чьих заботах. Если капитан «Мадригала» хочет узнать расположение пещеры, пусть берет ее с собой. Сам он по карте будет искать тайник месяц. А Лили найдет его за полчаса. Так что выбора у него нет.

— Ну ладно, — сказал Валентин, выслушав ее очередную тираду. — Я согласен взять тебя с тобой. Так где журнал?

— Так вы берете меня с собой?

— Да, я же сказал. Так где журнал?

— Приплывем на остров, тогда и покажу.

Валентин повел себя очень странно. Он вдруг подбросил куклу, так напоминавшую сэра Уолчемпса, к потолку и кровожадно усмехнулся. Затем поставил поднос с едой ей на колени, приказал съесть все до последней крошки и вышел из комнаты. Через четверть часа он вернулся и дал честное слово, что возьмет ее на корабль. Лили растрогало это признание, и она рассказала ему о расположении пещеры. Несколько раз она смущенно замолкала: вопросы Валентина настораживали. Его интересовало все — какой формы деревья растут вдоль тропинки, нет ли среди них необычных, с изогнутыми стволами, например, камней какой-то особенной формы. Лили заверила его, что на острове сумеет сориентироваться. Она сомневалась, что Валентин сдержит обещание. Но тот оказался верен слову, и, когда «Мадригал» отбыл из Фалмута, Лили была на борту.

Ей родители никогда ничего не запрещали. Она удивлялась, что Саймону пришлось спорить с родственниками. Твердость молодого человека казалась ей героизмом.

— Мой отец похоронен на том острове. Ни разу не мог я прийти к его могиле. Я имею на это право. И вы не можете меня удержать. Мама, ты ведь понимаешь, ты же любила его. Он мой отец. Я обязан, я должен плыть, мама. Я уже взрослый, я хозяин своей судьбы. Никто из вас не вправе запрещать мне делать то, что я считаю нужным. Сэр Уильям, вы должны понять меня, — твердил юноша. — Я уже говорил с Валентином. Он берет меня с собой. Мама, прошу тебя, благослови меня на это плавание.

Леди Элспет больше всего на свете хотелось сказать «нет». Но она понимала, что никакие увещевания не удержат Саймона. На месте сына она поступила бы так же.

Леди Элспет и сэр Уильям дали Саймону свое благословение. И даже приехали в Лондон, чтобы проводить «Мадригал» в плавание. Валентин пригласил своих друзей: Томаса Сэндрика, Джорджа Хагрэйвса, сэра Чарльза Деннинга — принять участие в плавании. Однако все они отказались. Жена Томаса была сестрой Уолчемпса. И Сэндрик не хотел принимать участие в сборе улик против родственника. Джордж сослался на морскую болезнь, а сэр Чарльз Деннинг заявил, что он слишком стар для того, чтобы тащиться на другой конец света.

Однако на борту «Мадригала» находились, кроме Саймона и Лили, другие пассажиры. Квинта приехала в Лондон через два дня после возвращения Валентина из Уорикшира. Уайтлоу доставил сэра Роджера и Квинту в Пенморли-Холл. Услышав новости, старая тетка загорелась ехать. Но Артемис ждала первенца и требовала к себе внимания близкого человека, и Квинта вынуждена была остаться с ней.

Фарли, Фэрфакс и Тилли — живописная троица, в которой один был длинный, второй короткий, а третья круглая как шар, — махали руками, пока корабль не скрылся из виду. Вскоре они должны были поехать в Уайтсвуд, куда пригласил их Саймон. Там они поживут до тех пор, пока не разберутся с Хартвелом. Тристрам, Дульси и их зверинец совершили путешествие по Темзе до Фалмута. Оттуда их отправили в Равиндзару.

За три года, прошедшие со времени последнего посещения детьми Равиндзары, дом преобразился до неузнаваемости. К нему подъехали со стороны моря. Проскакав по поросшей вереском пустоши, они въехали в парк по аллее. Вокруг дома были разбиты небольшие садики, по которым замысловатыми узорами разбегались посыпанные галькой дорожки. Вдоль них проходили живые изгороди. Дорожки вели к розариям или фонтанам со скамеечками, спрятанными за разросшимися кустами.

Фронтон украшали окна-витражи. Парадный подъезд выходил к морю. Окна, смотрящие на запад и восток, тоже были очень высокими и большими. Орнамент витражей был выполнен по восточным мотивам. Все это огромное количество стекла служило тому, чтобы центральный холл освещался солнцем целый день — с рассвета до заката. В западном крыле работу почти завершили, а на следующий год, как гордо заявил хозяин, предстоит закончить строительство и ремонт восточного крыла.

Не успели путники спешиться, как к ним подошли конюхи. Слуги тут же увели лошадей. У Лили возникло странное чувство, будто она вернулась домой. Если не считать кое-какой новой мебели, в холле все осталось по-прежнему. Турецкие красно-голубые ковры покрывали пол. Гобелены и картины висели на стенах. На дубовом столе красовались темно-красные розы в высокой вазе. Служанки разжигали огонь в огромном камине.

Но радость Лили мгновенно поблекла, едва она увидела Гонорию. Госпожа Пенморли встречала их у подножия широкой каменной лестницы, словно она уже была хозяйкой Равиндзары. Наряд ее, как обычно, говорил о хорошем вкусе леди. Изящным жестом она пригласила всех в дом. Ее фарфорово-белые щеки окрасил легкий румянец, а губы сложились в дружелюбную улыбку. Затем Гонория с мученическим видом вздохнула, обвела печальным взглядом большой зал и сообщила, что, пока Квинта была в отъезде, ей приходилось постоянно наведываться в Равиндзару, чтобы слуги не распустились. По тому, какой взгляд бросила на Гонорию служанка, Лили поняла, что эта хрупкая дама — воистину железная леди, если дело касается дисциплины. Леди Пенморли, видимо, была уверена, что Равиндзара скоро станет ее домом. Она двигалась по залу с непринужденностью хозяйки. Даже Квинта не выдержала и хмыкнула, когда Гонория принялась отчитывать одну из девушек, пролившую вино на стол.

От Лили не укрылось и замешательство, отразившееся на лице леди в тот момент, когда она узнала прибывших с Валентином гостей. И это замешательство стало для нее добрым знаком. Гонория узнала ее не сразу. А Лили вела себя уверенно. Ей необходимо было доказать леди Задаваке, что испуганной девочки больше нет.

Лили нисколько не пожалела о том, что Гонория покинула дом вскоре после приезда хозяина. Предложение Валентина сопровождать ее было принято с радостью. За сим последовал извиняющийся взгляд, призванный убедить приехавших с капитаном в том, что он с радостью готов пренебречь обязанностями хозяина ради счастья проехаться вместе с Гонорией. Бедняжке было невдомек, что Уайтлоу сообщил своим спутникам, что ему нужно съездить в Пенморли-Холл — навестить сестру и зятя.

Лили вспоминала прощание с братом и сестрой. Они стояли перед домом и махали руками, Раф лаял, Колпачок верещал. Тристрам вначале очень расстроился, когда Валентин отказался брать его с собой. Но потом, когда мальчика убедили, что он остается за старшего, тот смирился. Квинта и Артемис стояли рядом с детьми, сэр Роджер чуть поодаль, за их спинами. Странно, но четче всего девушке запомнились лицо Гонории и ее недобрая улыбка.

В Фалмуте они сели на корабль и без дальнейшего промедления отплыли на запад. Плавание проходило спокойно, может быть, даже слишком спокойно. Ветер надувал паруса, «Мадригал» летел к острову как птица.

***

Лили взглянула на Валентина. Здесь, в тропиках, не было нужды носить камзол и жилет. Сейчас он был в белоснежной рубахе с распахнутым воротом и широкими рукавами, закатанными до локтей. Черные волосы его отросли, и, чтобы густые кудри не мешали ему, Валентин делал хвост. Он походил на пирата, что вполне соответствовало мнению о нем испанских моряков. Лили знала, что у них есть все основания относиться к нему с опаской. Достаточно было заметить этот дьявольский блеск в его глазах.

Губы у Лили дрогнули, стоило ей лишь подумать о холодности, а может, и безразличии, с которыми Валентин относился к ней в пути. Ни разу он не искал ее общества, ни разу не пригласил на разговор. Он вел себя с ней так, будто они были совершенно чужие люди. Иногда Лили казалось, что все было лишь сном — его объятия, его поцелуи.

Валентин никогда не вспоминал ту встречу на ярмарке. Быть может, для него во всем этом не было ничего особенного. Все забылось и рассеялось словно дым. Как только он узнал, что его Франциска оказалась Лили Кристиан, он потерял к ней интерес.

— Ты ведь любишь его, да? — спросил Саймон. Не было смысла отрицать своих чувств к Валентину. Любовь читалась в ее глазах, стоило ей лишь бросить взгляд в сторону Уайтлоу-старшего.

— Я всегда любила его, Саймон, — вздохнула Лили. — Он ни о чем не знает и никогда меня не полюбит. И никогда не узнает, как сильно я его люблю.

Она не догадывалась, как страстно прозвучало ее признание. Саймон взял ее руку, поднес к губам и... пожал в знак участия.

— Я боюсь, что и дружбы его лишилась, Саймон. Он меня просто презирает, — прошептала Лили. Ничего хо-

рошего не было в этих бесплодных мечтаниях, особенно если
учесть, что в Равиндзаре Гонория Пенморли ждет возвращения своего капитана.

— Не надо отчаиваться, Лили, — осторожно произнес
юный джентльмен. — В последнее время я стал понимать
смысл выражения «что ни делается — все к лучшему».
Даже если иногда нам кажется, что все потеряно, мы не
можем утверждать, что счастье не вернется к нам. — Он
улыбнулся очень грустно. Но Лили не заметила выражения
его лица: она смотрела в другую сторону.

Саймон знал то, о чем не догадывались ни Лили, ни Валентин. Юноша наблюдал за ними. Он видел, как его дядя смотрит на Лили. Если та поворачивалась, капитан сразу опускал
глаза. Саймон понял: Валентин борется со своим чувством. А
Лили... Лили думала, что капитан не любит ее. Саймон тоже
был влюблен в эту девушку, но решил не вставать между ней и
своим дядей. Кто виноват, что Лили отдала сердце этому му-
жественному, решительному человеку — капитану! А Саймон... Кто он такой? Просто мальчишка, который только недавно
оторвался от маминой юбки. Нет, он не пара такой чудесной
девушке. И еще: Саймон чувствовал, что между этими двумя произошло нечто, из-за чего они относятся друг к другу
с опаской. Каждый стремился не обращать на другого внимания. Но когда они смотрели друг на друга, только слепцы
не заметили бы бешеного желания, сквозящего во взгляде
каждого из них. Саймон чувствовал себя так, словно подгляды-
вает за любовниками.

Младший Уайтлоу взглянул на Лили и вздохнул. Надежды ушли, осталось только мечтать да хранить свою тайну. Саймон понимал, что, если не хочет лишиться расположения
Лили и дружбы дяди, ему придется довольствоваться лишь
ролью друга.

— Ты веришь мне, Лили? Я не хочу притворяться оракулом, но увидишь — фортуна тебе улыбнется. А как может быть иначе, если ты такая хорошенькая?

Лили неожиданно приподнялась на цыпочки и поцеловала его в щеку. В ее глазах он прочитал нежность — нежность сестры к брату.

Но Валентину, стоявшему на верхней палубе, эти двое казались юными влюбленными, воркующей парочкой. Он ревновал свою русалку к обормоту племяннику. Это зрелище сводило его с ума. Если Лили Кристиан казалась ему красавицей, когда он увидел ее на берегу, а потом в перелеске, возле пруда, когда он держал ее, бесчувственную, на руках, то теперь Валентин понял, что разглядел тогда всего лишь блики. Только сейчас ему начинала открываться ее истинная красота.

Он постепенно заново узнавал ту, которая из девочки превратилась в желанную женщину. По мере того как он присматривался к Лили, узнавал ее взгляды на жизнь, ее суждения, оценки, он все больше влюблялся в нее. Постепенно Валентин проникся глубоким чувством к этой, и именно к этой женщине, к той Лили, которую он привез с острова. И незнакомка по имени Франциска, встреченная им однажды, уступила в его сердце место Лили Франциске Кристиан, дочери капитана Джеффри и Магдалены. На смену влечению физическому пришло более сильное чувство, в котором желание было только одной из нитей, привязывающих его к ней. Лили Кристиан была скромна и добра, не в пример большинству знакомых Валентину красавиц. Эта девушка умела постоять за себя. Не побоялась она и самому Уайтлоу бросить вызов. Храбрость ее не могла не восхищать. Она не кокетничала, не рисовалась, но глаза ее, зеленые, на удивление выразительные, околдовали его. Валентин любил наблюдать за своей русалкой, когда та о чем-нибудь думала. Лицо ее светлело, на губах появлялась загадочная улыбка. Когда же она сидела на палубе, расчесывая свои рыжие волосы, то была похожа на сирену. Казалось, сейчас запоет — и все матросы бросят свою работу и пойдут за ней. А она утащит их в морскую пучину. Лили искушала Валентина, терзала его душу и тело. Лежа на койке в своей каюте и зная, что где-то неподалеку лежит она, Валентин с ума сходил. Ему хотелось встать, пойти в ее каюту, а дальше будь что будет. Но он не двигался с места.

Лили стояла на палубе, и солнце зажигало огнем ее волосы. Ветер обдувал ее, подбрасывал вверх длинные пряди, и они вились вокруг ее головы, словно были живыми. Юбка от ветра прилипла к телу, обтянула бедра и нежно-округлые ягодицы. После того как миновали холодные широты, Лили сменила тяжелый зеленый бархат на более легкое платье из кремового шелка, а когда приплыли к острову, она без сожаления сбросила нижние юбки и мешавший дышать корсет.

Только Лили с ее чувством независимости могла решиться презреть условности ради удобства. Все в ней восхищало Валентина. Но не ему она должна была достаться. Он был слишком стар и циничен для такой невинной и чистой девушки. Его смущало и еще одно обстоятельство: если он женится на ней, как сможет он покидать ее на долгие месяцы, как заставит себя уйти в многомесячное плавание после того, как узнает ее? Но море тоже было частью его жизни. Нет разлук — нет и радости свидания с домом, с его еще одной любовью — Равиндзарой. Он не сможет быть всегда рядом с Лили. Любить ее означало лишь накликать беду на свою голову: постоянные муки ревности, порождаемой страстью такой удивительной силы, что она пугала его.

Валентин тряхнул головой. Уж не лихорадка ли у него, раз он непрерывно думает об одном и том же? Он, мужчина во цвете лет, ведет себя как мальчишка, у которого слюнки текут от одной мысли о предмете вожделений, мальчишка, не знавший женского тела. Но у него никогда не было такой женщины, как Лили. Валентин думал, что любит Корделию, но сравнивать его чувство к Лили с тем, что он испытывал к Корделии, все равно что сравнивать июль с ноябрем. Он хотел свою очаровательную русалку и знал, что добьется ее, если постарается. Она была так невинна, что соблазнить ее ничего не стоило. Она уже трепетала в его объятиях, и губы ее касались его губ. Она хотела его. Она была бы его, если бы он пошел на поводу у своих желаний. Но ведь есть еще и долг! Сможет ли он сделать ее счастливой? Она будет страдать от одиночества и скорее всего захочет, чтобы кто-нибудь разогнал ее тоску. А в том, что от желающих отбоя не будет, Валентин не сомневался.

Что бы там Лили ни говорила, что жизнь Валентина не имеет отношения к жизни ее семьи, он считал по-другому. Она была частью его жизни, он чувствовал ответственность за нее. В конце концов он вытащил ее с острова. И самое главное, она была дочерью Джеффри Кристиана. Одно это давало ему право считать себя ответственным за ее благополучие. Джеффри не был бы против, если бы за его девочкой приглядывал Валентин. Так что, хочет она того или нет, он не уйдет из ее жизни.

Он наблюдал, как его племянник обнимает Лили за плечи.

Что ж, если ему суждено уступить Лили другому, то пусть им будет Саймон. По крайней мере это его родственник, а значит, они с Лили будут встречаться. Капитан проследит, чтобы Лили ни в чем не нуждалась, чтобы никто ее не обижал. Если она выберет Саймона, то Валентин заставит мальчишку сделать эту прекрасную женщину счастливой. Дрожащей рукой Валентин провел по волосам. Его трясло при одной мысли о том, что в постели с Лили будет другой, пусть самый достойный, мужчина.

Он заставил себя отвернуться от Лили. Сейчас перед ним стояли другие задачи, а времени поразмышлять у него будет предостаточно, когда они вернутся в Англию.

— Тяните лучше, парни! Никому не дам работать спустя рукава! — гаркнул Валентин, и некоторые из матросов удивленно посмотрели в сторону своего капитана, обычно сдержанного и немногословного.

Шлюпки спустили на воду.

— Если бы вы сподобились перенести обмен любезностями на более удобное время, мы могли бы причалить к берегу еще до захода солнца, — ехидно проговорил Валентин, неожиданно появившись рядом с Саймоном и Лили.

От капитана не укрылся румянец, вспыхнувший на щеках у Лили. Конечно, его племянник не тратит времени впустую. Наверное, стоял и нашептывал девушке на ухо любовные слова.

— Прости, дядя, — начал было юноша. — Мы только говорили о...

Валентин не дал ему закончить.

— И в будущем прошу подыскивать для своих любовных игр другое место — не на глазах у моей команды. Вот когда мы вернемся в Лондон и прочно встанем на якорь, тогда — пожалуйста! Ищите себе укромную бухточку для лобзаний или милуйтесь прямо в Сент-Джеймсе, если вам будет угодно. Меня это уже не касается!

Валентина, как говорится, понесло. Долго сдерживаемое раздражение искало выхода.

— А вы, госпожа Кристиан, — проговорил он, смерив Лили презрительным взглядом, — надо ли вам напоминать, что порядочные женщины носят нижние юбки? Если бы вы соблаговолили одеться поприличнее, ребята на корабле работали бы лучше.

Саймон был совершенно сбит с толку гневной тирадой дяди. Он растерялся и, вместо того чтобы дать Валентину отпор, только открывал и закрывал рот, как рыба на суше.

— Ну-ну, капитан, — проговорила Лили спокойно. Затем развернулась и с гордо поднятой головой отправилась вниз, в каюту.

— Ну, дядя, — возмущенно заговорил Саймон после того, как Лили ушла, — я думал, что ты никогда не ошибаешься. Про море и управление кораблем ты и в самом деле знаешь больше, чем другие, но в женщинах ты совершенно не разбираешься!

И юноша направился к шлюпке, не желая слушать, что скажет ему родственник.

В результате последнее слово осталось за Саймоном. Взгляд Мустафы, перехваченный бравым капитаном, послужил подтверждением того, что он свалял дурака. Не легче Валентину стало и тогда, когда он увидел Лили Кристиан, которая садилась в шлюпку рядом с Саймоном. Нижняя юбка из тафты шуршала, а белые кружевные оборки, торчащие по моде из-под платья, словно назло были выставлены для обозрения.

Валентин подозвал к себе первого помощника, симпатичного молодого человека лет тридцати по имени Блэкстоун.

— Я рассчитываю на то, что вы выполните приказ, — сказал капитан. — Смотрите в оба!

— Да, сэр, — откликнулся моряк.

— Оставляю вас за главного. — И Уайтлоу следом за Мустафой спустился в шлюпку. — Отчаливай!

Один из матросов оттолкнул шлюпку от корабля, и, едва та оказалась на безопасном расстоянии от судна, матросы, повинуясь команде, дружно налегли на весла.

Плыли недолго. Шлюпка причалила к берегу. Саймон от неожиданности едва не свалился за борт. Но дядя удержал его.

Лили понимала, почему младший Уайтлоу так рвется на остров. Она сама ликовала, что вернулась сюда. Вот берег: песок — такой родной, песок, который помнит их босые ноги, ласковая бухточка за скалистым мысом с зеленоватой водой, теплой и нежной. Излюбленное место их детских забав. Здесь плескались они под солнцем, забыв обо всем на свете, пока голова не начинала кружиться. А потом приплыл корабль с красным крестом на белом поле, и их доброму мирку пришел конец.

Лили украдкой взглянула на Валентина. Интересно, о чем думает он? Быть может, он вспоминает день, когда «Мадригал» бросил здесь якорь в прошлый раз? В том же месте, за рифами. Он мечтал найти здесь брата, а нашел ее. Девушка оглянулась. Мустафа пристально смотрел на нее. Видимо, храбрый телохранитель по-прежнему продолжал считать ее сродни джинну. Турок побаивался Лили. Вдруг она и вправду умеет превращаться в птицу или еще в кого-нибудь пострашнее?

— Вытаскивай, ребята!

Последний взмах весел — и лодка оказалась на мелководье возле берега.

— Красота!.. — выдохнул Саймон.

Здесь действительно было красиво. Природа — буйство красок. Величаво покачивались пальмы, густая трава за полоской песка колыхалась от ветра, играя всеми оттенками зеленого. С неожиданной ясностью юноша представил себе отца — как он ходит по песчаному берегу и смотрит на море, вспоминая тех, кто ждал его в далекой северной стране, тех, кого ему не суждено было больше увидеть.

— Дальше нельзя — подтаскивай!

Несколько матросов выпрыгнули из шлюпки в воду и потащили ее на берег.

Лили как зачарованная смотрела вокруг. Ее остров как будто остался прежним, но и стал другим. Она была настолько погружена в свои мысли, что даже не заметила, как чьи-то сильные руки подхватили ее и вынесли из лодки. Чуть покачиваясь под напором волн, бегущих на берег, Валентин нес ее на песчаный пляж.

— Мне бы не хотелось, чтобы ты намочила эти свои оборки, — пробормотал он, перед тем как опустить ее на землю.

Лили предпочла пропустить эту колкость мимо ушей. Отвернувшись от своего галантного кавалера, она посмотрела в сторону скалистого мыса, за которым располагалась тихая бухточка. Там можно было нырять и плавать сколько душе угодно. Лили оглянулась. Валентин уже забыл про нее и отдавал какие-то распоряжения команде.

Саймон, напротив, искал ее общества.

— Эй, Лили, подожди! — крикнул он.

— Несносный, — прошептала Лили. Почему он не может хоть на время оставить ее одну?

— Лили, давай сходим к могилам, ладно?

Саймон жадно впитывал в себя все, что видел: пальмы, море, траву, солнце. Он тряхнул головой:

— Никак не могу поверить, что я действительно здесь, на этом острове. Я так долго мечтал об этом, и вот...

В самом деле, Саймон выглядел растерянным, словно только что проснувшийся ребенок. Вытянув шею, он прислушивался к странным, ни на что не похожим крикам птиц, доносящимся из леса.

Лили улыбнулась и взяла его за руку.

— Смотри, Саймон, — сказала она неожиданно серьезно и печально. — Видишь вон то дерево? Они лежат под ним.

Саймон кивнул. Больше он уже не смотрел никуда, только на пальму, которую показала Лили. Молча молодые люди шли по пляжу, оставляя позади себя цепочку следов. Лили озиралась по сторонам и постепенно замедляла шаги. Наконец она остановилась совсем.

Подошел Валентин. Почему у Лили такой растерянный вид? Она ведь утверждала, что знает остров как свои пять пальцев.

Девушка развела руками:

— Все переменилось. Я едва узнаю местность. Мне казалось, что там должна расти высокая пальма, а здесь была тропинка, по которой мы ходили к нашей хижине. Сейчас у меня такое чувство, что этой тропинки и не было никогда. — Девушка искала глазами полянку, но тропический лес разросся — перед ней была сплошная зеленая стена. — У меня такое чувство, будто я здесь чужая. — Лили вдруг показалось, что с острова сняли чары — он больше не был ее живым зачарованным домом, любившим ее, хранившим ее, доверявшим ей свои тайны.

— Этого я и опасался. Тебя не было на острове больше трех лет. Джунгли разрослись. Изменились не только они, но и форма залива! Несколько серьезных штормов — и море преобразило остров.

— С пещерой ничего не случится. — Лили ускорила шаг. — И пальма моя все та же.

— Ты говорила, что пещера — часть утеса. Ты имеешь в виду этот мыс? — спросил Валентин.

— Нет. Пещера расположена дальше, за бухтой, среди скалистых островков.

Лили протянула Саймону руку и повела его к опушке леса.

— По-моему, мы были на этом мысе. Не там ли вы впервые повстречались с Мустафой? — Валентин хмыкнул. Он все никак не мог забыть смешной сцены: бедняга Мустафа кубарем катится вниз, а на вершине — странное существо в перьях.

Мустафа пробурчал нечто невразумительное на своем родном языке. Валентин не сомневался, что турок тоже вспомнил тот случай.

— Под той пальмой был наблюдательный пункт. Мы каждый день смотрели на море. Где корабль?! — вдруг воскликнула Лили. — Я не вижу обломков корабля!

— Его, вероятно, смыло в море, и теперь от галиона остались одни щепки. Море всегда забирает то, что считает своим.

Но у бухты, за мысом, там, где волны никогда не были особенно высокими, все осталось почти по-старому. Море, словно котенок, ласкалось к песчаному берегу.

Саймон ускорил шаг.

— Подожди, Саймон! — крикнул дядя. Он знал, что может сделать с могилой море, и не хотел, чтобы юноша увидел такое.

Однако племянника остановить не удалось. Валентин успел задержать лишь Лили.

— Пустите меня, пожалуйста. — Она была озадачена поведением капитана.

— Лили, тебя не было здесь давно. Никто не ухаживал за могилами. Я не хочу, чтобы ты увидела что-то для себя неприятное, — объяснил он с прежней нежностью.

Лили задумчиво посмотрела ему в глаза, затем кивнула:

— Спасибо, но, как бы там ни было, я должна увидеть это.

— Мне следовало бы помнить, — с улыбкой сказал он, — что я имею дело с дочерью капитана Джеффри Кристиана. Он мог бы тобой гордиться, Лили.

— Спасибо, Валентин, — повторила девушка, и имя его прозвучало как ласка.

Валентин предложил ей руку. Они подошли к Саймону, который стоял у могил, опустив голову.

Лили вздохнула, увидев кресты. К счастью, они сохранились. На могилах и вокруг них цвели цветы. Густая трава почти скрыла кресты, и если бы сюда случайно забрел человек непосвященный, он ничего бы не заметил. Остров продолжал творить чудеса.

Саймон стоял с опущенной головой и молился. Лили подошла и обняла его. Он тоже обнял ее. Эта скорбь была их общей скорбью, два креста рядом — ее матери и его отца. Сейчас они были словно брат и сестра.

Валентин вздохнул. Он понимал, что испытывают эти двое, и знаком дал команде понять, что подходить не стоит — пусть дети побудут наедине со своей скорбью и со своими воспоминаниями.

— С меня довольно было и первого раза. Не нравится мне этот остров, — проговорил один из матросов, плававший на «Мадригале» не первый год.

— Да и с меня того раза хватило, — поддержал его рыжебородый товарищ.

— Бьюсь об заклад, и Мустафе здесь не нравится. — Третий кивнул в сторону турка, который стоял, напряженно всматриваясь в зеленую полосу джунглей. Правая рука его застыла на эфесе сабли.

— Да, может, тут джинн рядом бродит, — громко, чтобы услышал Мустафа, добавил первый.

— По мне, хорошо, что он начеку.

— Почему?

— Не видишь, следы на песке, вон там, возле леса!

— Не вижу. Где?

— Да везде они. Не знаешь, что за зверь мог их оставить?

В ответ остальные матросы рассмеялись. Думали, что товарищ просто пугает их.

Тем временем капитан корабля смотрел на море. Как ни старался, он не мог разглядеть ничего, что напоминало бы ему вход в пещеру. Солнце стояло в зените. С юга ползли тучи. Надо поторапливаться, если они хотят забрать журнал сегодня.

Валентин не слышал, как подошла Лили. Он оглянулся — Саймон по-прежнему стоял возле могилы отца.

— Ты сможешь вспомнить, где была тропинка, ведущая к пещере? — спросил Валентин.

Лили прикусила губу и отвернулась от моря. Она запуталась окончательно.

— Многое изменилось, — пробормотала она, ругая себя за самонадеянность. Как горячо она убеждала Валентина взять ее с собой, объясняя это тем, что без нее он не найдет пещеру. И что же? Она сама бессильна...

— Не торопись, Лили, — попытался успокоить ее Уайтлоу.

— Я не знаю, где тропинка, — сказала она наконец.

— Послушай, мы пройдем весь этот мыс, лес, и ты обязательно увидишь что-нибудь знакомое. И ты вспомнишь, где была тропинка. Ты вспомнишь, это же твой остров! Если бы не ты, у нас не осталось бы надежды отыскать пещеру. По вашим с Тристрамом объяснениям мы ничего бы не нашли.

— Я разочаровала вас, — вздохнула Лили. — Я все испортила. Я была такой глупой. Думала, что могу взять и прямо отвести вас к пещере.

— Нет, Лили. Ты меня не разочаровала. Я никогда не предполагал, что это будет легко, моя дорогая. — Валентин раздвинул листву, чтобы открыть путь в лес.

Лили нахмурилась, но пошла следом.

— Что вы имели в виду, когда говорили, что это будет нелегко? И что рассказывал о пещере Тристрам? — Она начала подозревать, что Валентин взял ее с собой, потому что понял: описания ее ничего не стоят. И еще, значит, Тристрама он тоже расспрашивал! — Так вы с самого начала собирались взять меня с собой? — Девушка остановилась.

Он опять обманул ее! Заставил поверить в то, что она сломила его волю!

Валентин с улыбкой смотрел на нее.

— Дорогая, я просто сыграл с тобой в ту игру, что ты мне предложила, но только по моим правилам. Я не люблю проигрывать.

— Так для вас это все была игра? Еще одна задачка, подкинутая наивной глупышкой! Конечно, вам и не такие задачи по зубам!

— Вначале я не хотел брать тебя с собой, — признался Валентин, не обращая внимания на ее гнев. — Я надеялся понять расположение пещеры по описаниям Тристрама. Парень очень старался, я ему благодарен, но его маршрут меня не убедил. Так можно и на берег Ориноко выйти. Потом, когда мне кое-что рассказала ты, картина чуть прояснилась. Но не настолько, чтобы я решился плыть сюда с такой сомнительной картой.

— Но я рассказала вам о пещере только после того, как вы дали слово взять меня с собой на корабль! — возмутилась Лили. — Вы были готовы нарушить честное слово?!

Валентин расхохотался, чем еще больше привел ее в ярость.

— Я дал тебе слово, что возьму на «Мадригал», но не обещал доставить в Вест-Индию. Ничего я не нарушал. Первым пунктом в нашем путешествии была Равиндзара. Так что, дорогая, не обессудь.

— Вы обманщик! Ловкач! — взорвалась Лили.

— Но были у меня и другие соображения. Я решил, что на борту «Мадригала» ты будешь в большей безопасности, нежели в любом другом месте. Не думаю, конечно, что сэр Раймонд снова попытался бы убить тебя. Но кто знает... Я никогда не простил бы себе, если бы что-то случилось с тобой. И еще: мы знаем имя одного из предателей, но не знаем других. Так что опасности можно ждать с любой стороны. Сэр Раймонд — птица высокого полета. Не исключено, что другие заговорщики тоже принадлежат к его кругу, а значит, могут быть в числе самых доверенных людей. Пока ты единственная свидетельница. Если в дневнике Бэзила мы не найдем доказательств против сэра Раймонда, твои показания будут очень важны.

Лили с трудом сдерживала слезы. Она нужна ему только как свидетельница против сэра Раймонда. И все! Остальное его не волновало. Он не видел в ней женщины, не видел...

— Игра. Все для вас лишь игра, — с горечью произнесла Лили. У нее закружилась голова, и она покачнулась. Но с гневом отбросила руку, готовую поддержать ее.

— Игра, говоришь? — медленно повторил Валентин, глядя на нее каким-то странным взглядом. — Может быть, и игра. Но игра между жизнью и смертью. Не забывай об этом, Лили. Всегда помни.

Лили отвернулась, не в силах выдержать этот взгляд. Вдруг она заметила дерево с искривленным перекрученным стволом и искореженными ветками — бедняге досталось от ветров, гуляющих по мысу. Она тут же вспомнила, что тропинка, ведущая в пещеру, огибала это дерево, затем шла вдоль мыса до ущелья, которое уходило прямо в море. Когда-то это ущелье тоже, наверное, было пещерой — такой же, как та, в которой хранились сейчас ее сокровища. Только со временем море подмыло берег, и каменный навес рухнул.

Они стояли там, где некогда сходились тропинки. Одна вела к бухте, а другая — вдоль каменистой гряды на вершину мыса.

— Мы здесь повернем и пойдем по этой тропке. — Лили указала на гряду камней, ведущую в никуда.

— Ты не ошибаешься? — спросил подоспевший Саймон. — Здесь есть другая тропинка, повыше, через мыс. — Он кивнул в сторону камней. Те располагались на значительном расстоянии друг от друга. По ним человеку пройти не удалось бы. Эта гряда уходила в лес и пропадала там.

— Нет. Эта дорожка ведет к пляжу с другой стороны острова, а затем вдоль береговой линии. Мы редко ею пользовались. На той стороне волны постоянно накатывают на камни, и те делаются скользкими. Теперь я точно знаю, где пещера. Смотрите под ноги, чтобы не упасть.

— Веди. — Валентин больше не сомневался, что пещера будет найдена.

Лили пошла вперед по каменистой тропинке к вершине утеса. Но не все были уверены так, как Валентин. Кое-кто засомневался в возможности пройти по этим скользким камням и не сорваться в море, бившееся о скалы совсем рядом с тропинкой, проходившей почти по краю обрыва. У вершины Лили вдруг исчезла из виду. Матросы застыли в ужасе. Кое-кто решил повернуть назад. Но капитан следом за девушкой вошел в узкий проход, открывавшийся между скалами. Проход становился все у́же, по мере того как они приближались к вершине утеса. Казалось, скалы вот-вот сомкнутся и пути не будет.

Увидев обескураженное выражение лица Валентина, Лили не удержалась и улыбнулась. Наверное, он решил, что она забыла дорогу и привела его в тупик.

Никто, пожалуй, не смог бы заметить тщательно замаскированного хода у самого подножия дерева, и неудивительно, что, когда Лили зашла за дерево, то пропала.

— Господи, где она? — спросил Саймон. — Только что была здесь!

Валентин не ответил, зашел за пальму и тоже пропал.

В пещере было холодно и мрачно. Постепенно глаза привыкли к сумраку, и он увидел очертания каменного свода. Свет проникал внутрь из небольшой расщелины. Создавалось впечатление, что где-то в глубине горела свеча.

Лили стояла перед деревянным сундуком. Снаружи доносился рокот моря. Пол пещеры уходил вниз, и там поблескивала вода.

— Ты вспомнила, Лили...

Даже при этом тусклом освещении он заметил, как улыбка появилась на ее лице.

— Как, черт побери, Бэзилу удалось затащить сюда этот сундук?! — удивился Валентин. Такую тяжесть и двум дюжим молодцам было бы не поднять, не говоря о том, чтобы нести его по краю обрыва по скользким камням.

Лили рассмеялась, и смех ее, мелодичный, как музыка, эхом повторили стены.

— Да он просто разобрал его и принес в пещеру по частям, а затем снова собрал. Мы сносили сюда наши сокровища не одну неделю.

— Ах, Бэзил, — прошептал Валентин.

Саймон, абсолютно не верящий в чудеса, разыскал вход в пещеру и даже сумел убедить остальных, что бояться нечего.

— Какое удивительное место! — воскликнул он, разглядывая причудливый сталактит, свисающий с потолка.

— Смотри сюда! Да тут целое состояние! — закричал один из матросов, ослепленный блеском золота.

— Смотри, изумруды! Жемчуг! Господи, да этот величиной с яйцо!

— А эта цепь! Глянь-ка. Да ее одной хватит, чтобы купить полкоролевства! И как мы все заберем отсюда? — убитым тоном вдруг спросил тот, что громче всех восхищался. — Неужто придется оставить это богатство Нептуну только потому, что по этой тропинке много не унесешь? А, капитан, что скажете?

Но Валентин не слушал. Он нашел журнал.

Франциско Эстебан де Билласандро нервничал. Он никак не мог найти в себе мужества исполнить приказ отца. Дон Педро назначил сына командиром отряда, высадившегося на остров. Он выделил юноше в помощь двух бывалых морских офицеров, чтобы те в случае необходимости могли дать неопытному воину совет. Франциско Эстебан волновался — ведь он был сыном несгибаемого дона Педро и не мог уронить чести семьи.

Юноша с трудом уговорил отца не делать из него капитана корабля. Да и на эту вылазку он согласился лишь потому, что не мог противостоять железной воле своего родителя. Провести ночь на необитаемом острове, под открытым небом, когда рядом охотятся дикие звери, уже было для него достаточным испытанием. Франциско никогда не стремился к военной карьере. Он хотел стать священником и просил отца благословить его на это благородное дело, но тот отказался. Как бы то ни было, Франциско не чувствовал себя способным воевать.

Вернувшись в Мадрид, он собирался приступить к новой осаде дона Педро, но на этот раз заручившись поддержкой матери и духовного отца. К сожалению, ему так и не удалось осуществить свой план. После того как отец принял посыльного, прискакавшего к ним на взмыленном коне, он был сам не свой. Метался, как тигр в клетке. Потом неожиданно уехал, а приехав из Англии, буквально через два дня в сопровождении небольшой флотилии отправился на «Утренней звезде» в Вест-Индию.

Отец настоял на присутствии Франциско на борту корабля, подразумевая при этом, что сын примет участие в решающей битве со злейшим врагом Испании и лично дона Вилласандро, которая, разумеется, должна была увенчаться победой испанского оружия. Наконец-то государство будет избавлено от выскочки-капера, а еще точнее — пирата, посмевшего бросить вызов самому дону Педро де Вилласандро. Пришло донесение о том, что корабль с красным флагом на белом фоне был замечен вблизи берегов Новой Испании. Моряки с «Утренней звезды» называли того человека Эль Тигре*. Говорили, что он дерется как лев и хитер как дьявол. Франциско не знал да и не хотел знать, как нарекли этого английского еретика родители, но если этот человек был похож на другого англичанина, Дрейка, тогда отец прав: уничтожить его самого и его корабль было бы делом достойным.

Юноша сжал в кулаке серебряный крест, который носил под камзолом. Он просил благословения у небес — ведь он шел против языческой Англии, а как известно, хороший язычник — мертвый язычник, и как он умрет — на костре ли, в пучине ли морской — не важно.

Прикрыв от солнца глаза, Франциско смотрел на море, где должна была показаться мачта «Утренней звезды». Корабль встал на якоре в открытом море. Волны разбивались о его борта, осыпая матросов тысячей соленых брызг, и с шипением откатывались назад. Других галионов Франциско увидеть не мог, потому что они находились в отдалении, готовые сорваться с места по первому приказанию.

Юный предводитель обвел взглядом лагерь. Отряд, высадившийся на берег накануне вечером, отдыхал. Одни блаженствовали, растянувшись под пальмами в тени, другие на песчаном пляже играли в чет-нечет, используя для этого ракушки и обкатанные морем деревяшки, третьи рассказывали друг другу забавные истории. Были, как положено, выставлены часовые. Но эти предостережения казались излишними — море радовало глаз, мирно покачивались пальмы. «Как они могут вести себя так беззаботно?» — подумал Франциско, у которого при одной мысли о предстоящем подкашивались ноги и к горлу подступала тошнота.

Нет, не может он перед этими людьми — людьми отца — выказать себя трусом. Только в этот раз, в этот единственный раз он докажет себе, что он сын своего отца, и на этом можно будет поставить точку. Юный воин открыл глаза и

---

* Тигр (*исп.*).

встретился взглядом с Диего Кардонной. Франциско смутился и покраснел.

Диего Кардонна не считал решение дона Педро верным. Но сейчас, наблюдая за юношей, он вынужден был признать, что ошибался, считая Франциско слабаком. Парень оказался крепче, чем он предполагал, и, судя по всему, сделает все, чтобы не запятнать имени отца. В своем докладе о военных способностях Франциско Диего отзовется о нем в лучших словах.

Диего Кардонна ждал донесений. Он послал человека разведать, высадились на берег люди с английского корабля или еще нет. В зависимости от этого Кардонна мог бы планировать дальнейшие действия. Если все пойдет так, как предполагалось, отряд разъединится на две группы и перекроет англичанам путь к отступлению на суше. К тому времени дон Педро и его эскадра окружат остров.

Но где же разведчик? Времени у него было предостаточно. Он давно должен был вернуться.

Юный Франциско де Вилласандро, должно быть, думал о том же.

— Ну где же... — начал было он, но в этот момент раздался голос дозорного:

— Он здесь! Здесь!

Лили брела по берегу. День близился к закату, начинался прилив, и море поднималось все выше. Вот уже там, где всего четверть часа назад она могла пройти, не замочив юбки, вода доходила до щиколоток. Лили остановилась и посмотрела назад. Мыс с пальмой, под которой был вход в пещеру, остался далеко позади. Никто не заметил ее исчезновения. Команда занималась погрузкой. Лодку перебросили в бухточку и поставили на якорь на мелководье, поближе к пещере, чтобы проще было оттолкнуться от берега. Сокровища весили немало, и это приходилось учитывать.

Лили поднялась к тому дереву, под которым так любила сидеть, когда жила здесь, и присела в тени. Здесь, на острове, было так тепло и хорошо, как, казалось, никогда не бывало в Англии. Туфли Лили сняла уже давно и теперь с наслаждением зарыла ступни в горячий песок.

Когда-то с Дульси и Тристрамом они играли в этом самом песке, под этим самым деревом. Тогда под ним не было крестов. С мыса доносился смех матери. Магдалена звала детей, Бэзил разводил костер, и над островом поднимался дымок. А потом еще долго, пока дрова в костре не превращались в уголья, Бэзил рассказывал им всякие истории. Его голос убаюкивал детей, и они засыпали, море тихо плескалось, напевая им свою колыбельную.

Лили поднялась, стряхнула песок, подоткнула за пояс юбку и вошла в воду. Заметив на дне большую раковину, она подняла ее и поднесла к уху. Странно, ей показалось, что кто-то зовет ее. Со стороны мыса приближались матросы с бочками на плечах, впереди шел Саймон.

— Лили!

Девушка помахала рукой и кинула ему раковину, нежно-розовую изнутри. Юноша поймал ее и стал рассматривать:

— Какая красота! Никогда прежде не видел таких больших!

— Ты еще не знаешь, какие они вкусные! Только эта пустая. А ты хотел бы попробовать?

— Еще спрашиваешь! В Англии они бы стоили целое состояние.

Лили улыбнулась. Зачем рассказывать ему о том, что она этих раковин перевидала сотни. Были среди них и больше, и красивее.

— Бетси захотела бы получить раковину в подарок. Но тогда надо и Уилфреду привезти, не то он поднимет крик, — сказал Саймон.

— Я помогу тебе подобрать подарки. Я знаю, где искать. Кстати, куда вы шли? — спросила Лили.

С запозданием Саймон вспомнил, что пренебрег своими обязанностями, и замахал морякам, призывая их подождать его. Матросы остановились.

— Мы — за свежей водой. Валентин попросил меня узнать, не можешь ли ты отвести нас к запруде. Ты помнишь, где это?

— Запруда? Пожалуй, да. Хотела бы я посмотреть, цела ли наша хижина, — сказала девушка, но на самом деле подумала о другом. Не стоит тревожить Саймона, сообщив ему, что запруда — место водопоя для всех обитающих на острове зверей.

Лили оглянулась, надеясь отыскать взглядом Валентина, но увидела только матроса, неторопливо шагавшего позади.

— Там его нет, — ответил на ее немой вопрос Саймон.

— Да? — нарочито безразличным тоном спросила Лили.

— Он на мысу. Выставил там пост. Отдает распоряжения ребятам. А парень, что идет сзади, направляется к той пальме. Будет следить за морем.

— Валентин очень предусмотрителен, — заметила Лили.

— Только поэтому он еще жив, — сказал юноша. — Хотел бы я, чтобы он дал мне посмотреть журнал. В конце концов, его писал мой отец.

— Он странно себя ведет, — согласилась Лили. Ей тоже не дали журнал Бэзила. Отдав распоряжения команде, Валентин отошел в сторону, сел на песок и целиком погрузился в чтение исписанных аккуратным почерком страниц.

Только сейчас Саймон заметил, что ноги у Лили обнажены до самых бедер, и покраснел.

— Ты не хочешь надеть туфли? — Он не решился сказать, что она привлекает всеобщее внимание.

К разочарованию матросов, когда Лили и Саймон подошли к ним, ноги девушки целомудренно прикрывали сразу две юбки. Она сделала вид, что не замечает их расстроенных лиц. Увидев две пальмы, растущие так близко, что со стороны можно было подумать, будто это одно дерево, Лили поняла, что сможет найти старую тропинку к хижине, а значит, и к озеру.

— Здесь пойдем, — сказала она, и матросы тут же принялись прорубать проход в разросшихся джунглях.

Лили была поражена тем, насколько разросся лес. Как и море, остров заявлял свои права на то, что было у него взято взаймы. В знакомых криках птиц Лили слышала возмущение нежданным вторжением, нарушившим мирный ход их жизни.

Если у матросов и были вначале сомнения по поводу того, правильно ли выбран маршрут, то теперь их страхи развеялись. На поляне стояла хижина.

— Ну и ну, госпожа Лили, — восхищенно протянул один из матросов, — да вы прирожденный навигатор.

— Сразу видно, капитанская дочка, — подхватил другой.

Едва ли она могла разделить настроение матросов. При виде того, что осталось от ее дома, дававшего им приют столько лет, сердце ее сжалось. Лианы оплели стены хижины, крыша провалилась. В довершение всего высокая пальма упала на домик и сломала одну стенку.

— Ну... — Саймон не знал, что сказать.

— Знаешь, — произнесла Лили, — а ведь наш дом уже однажды рушился. Это было давно, в самый первый год нашей жизни здесь. Был шторм. Такой сильный, что нам пришлось искать укрытия за озером. С той стороны берег круче. А когда шторм прошел, от нашей хижины ничего не осталось. Все унесло в море. А волны еще несколько дней были такие, что на берег даже выходить было нельзя — снесет. Правда, потом плавника мы насобирали столько, что целый месяц разводили им костер.

Матросы обогнули хижину, вернее то, что от нее осталось, и отыскали озерцо. Оно было прозрачным и прохладным. Трава здесь казалась изумрудно-зеленой и более густой. Кустарники и деревья на противоположном берегу водоема — более высокими.

Лили опустилась на колени, зачерпнула воды в ладони и с наслаждением выпила, затем присела на краю и задумалась. О чем — Саймон мог только догадываться. Увы, он был бессилен разделить ее воспоминания.

— Лили, мы можем возвращаться, бочки наполнены.

— Иди, Саймон, — проговорила Лили. — Я вас догоню.

— Хорошо, — ответил юноша. Он понимал, что кому-кому, а Лили заблудиться в здешних местах не грозит. — Я вернусь, как только доложу Валентину, что его приказ выполнен. — Саймон не замечал, что начинает воспринимать себя матросом, а Валентина — своим капитаном. — Ты не возражаешь?

— Конечно, нет. Я вспоминаю о Бэзиле. Вернешься — поговорим о нем.

— Это было бы замечательно! — Саймон улыбнулся. Печаль уступала место иному, более глубокому чувству — желанию проникнуться жизнью своего отца, представить его живым человеком. — Ну ладно, я пойду. — И он побежал за матросами, скрывшимися за деревьями.

Он даже себе не хотел признаться в том, что боится ходить здесь один.

Лили по-прежнему сидела у воды. Теплый влажный воздух был напоен запахом трав и цветов, ярких, роскошных, раскрытых навстречу солнцу. Девушка вздохнула и, закинув руки за голову, легла на землю.

Внезапно ей захотелось искупаться. Надо было торопиться, пока не пришел Саймон. Скинув платье, она заплела волосы в косы и, скрутив их вместе на затылке, собралась уже войти в воду, как вдруг услышала хруст веток. Вглядевшись в заросли, она ничего не обнаружила, но ее не покидало чувство, что на нее кто-то смотрит.

— Чоко! — негромко позвала Лили и тихонько присвист-
нула. Она так делала всегда, когда приглашала его поиграть.

Хруст послышался чуть ближе, и тут же — трепет крыльев и испуганный птичий вскрик.

— Чоко, — вкрадчиво позвала девушка снова, и вновь
ответом ей был только шорох.

— Чоко! — На этот раз она произнесла его имя громко. Лили очень хотела увидеть ягуара. Часто за эти три года
она вспоминала его, думала, не случилось ли с ним чего, жив
ли он. Ей казалось, что ягуар тоже будет скучать. Чоко,
превратившись во взрослого зверя, возвращался к хижине,
но близко не подходил, наблюдал за ними из-за деревьев.
Лили всегда знала, когда он рядом, чувствовала его присутствие. Прислушиваясь к ночному рычанию дикой кошки,
она вспоминала те дни, когда он спал рядом с ней, свернувшись клубочком на подушке, и будил ее, царапая острыми
коготками стены хижины.

Лили улыбнулась, вспоминая, какую мину скорчил Хартвел Барклай, когда узнал, что ему придется жить под одной
крышей с попугаем и обезьяной. Да его хватил бы удар,
предстань перед его глазами еще один питомец! Тогда, пожалуй, Хартвел не захотел бы никакого опекунства, лишь
бы не жить в одном доме с «тигром».

Лили разочарованно вздохнула, отвернулась от леса и от
Чоко, не желавшего откликаться. Она вошла в воду и медленно поплыла. Девушка не заметила, как черная тень под-
кралась поближе. Скрипнула пальма — но ведь это мог
быть и ветерок. Ярко раскрашенный попугай опустился на
ветку и заглянул в озеро, с любопытством наблюдая за девушкой. Вдруг, встрепенувшись, красно-желто-синий франт
тревожно защебетал и упорхнул подальше в чащу.

Так хорошо было плавать в прохладной воде, смывая с
себя тревоги и страх. Постепенно пугающий образ Раймонда

Уолчемпса и черной воды, в которой увидела она его отражение, и боли, и мрака отступал. Здесь, на ее солнечном острове, не было места волнениям. Вокруг только свет и тепло.

Послышались раскаты грома, но небо над головой было ясным. Неужели тучи на юге все же принесли грозу? Так скоро... Жаль.

С сожалением Лили поплыла к берегу. Ну что же, быть может, Валентин позволит остаться на острове до утра, и тогда на следующий день она сможет искупаться как следует.

Она уже выходила из воды, когда увидела Чоко. Янтарные глаза смотрели на нее в упор.

Чоко больше не был ее маленьким котенком. За три года он успел превратиться во взрослого сильного зверя. Он стал крупнее и мускулистее, нерастраченные силы играли в нем.

Лили как завороженная смотрела в глаза ягуару. Стоило лишь протянуть руку, и она могла бы погладить широкий бархатный нос с длинными черными усами. Когти на мягких лапах едва видны. Ягуар был готов к прыжку. Все мышцы напряжены, все силы собраны для последнего броска. Мгновение — и он завладеет добычей. Чоко рявкнул, показав длинные белые клыки.

Хвост его изгибался из стороны в сторону. Он, казалось, решал для себя, есть ее или оставить в живых. Лили знала теперь, что Чоко понимает, кто перед ним. Она наблюдала когда-то, как он стремглав настигает птицу, и не сомневалась в его ловкости.

Ягуар вновь зарычал. Словно эхом ему отозвался еще один раскат грома.

Ветер донес до него запах. Лили видела, как он потянул носом воздух. Зверь почувствовал ее запах и поэтому не нападал.

Чоко и Лили были настолько заняты друг другом, что никто из них не заметил приближения испанских моряков, увидевших в воде красивую девушку.

И как бы ни хотелось им воспользоваться ею прямо сейчас, они знали, что будут вынуждены взять ее в плен и увести с собой. Девчонка могла закричать и предупредить англичан. Если бы не была так напугана.

И вдруг тишину разорвал яростный рев. События, за ним последовавшие, произошли столь быстро, что Лили никогда не могла припомнить точно их последовательности.

Когда она заметила испанцев, кричать было уже поздно. Криком она спугнула бы либо врагов, либо ягуара. Но это ничего не меняло, потому что Чоко заметил их одновременно с Лили.

Испанцы не знали, кто прячется в густой траве, и страшное черное существо с разинутой розовой пастью и сверкающими клыками показалось им порождением ада.

Диего Кардонна, стоявший рядом с Франциско де Вилласандро под деревьями, наблюдая за своими людьми, закричал, что перед ними всего лишь ягуар, кошка, но куда там! Моряки бросились врассыпную, как стадо испуганных овец.

Воспользовавшись замешательством, Лили выскочила из воды и понеслась в сторону берега предупредить Валентина.

Но она не успела добежать даже до хижины. Кто-то грубо схватил ее за руку и едва не повалил наземь. Лили смотрела в лицо Франциско де Вилласандро, не догадываясь, что перед ней двоюродный брат. Удивительным образом глаза этого красивого молодого человека напомнили ей глаза Тристрама. Он был смугл и черноволос и одет как джентльмен.

Франциско смотрел в испуганные зеленые глаза. Он сознавал, что девушка красива. Прежде всего заметил необычный темно-рыжий цвет волос, такой же, как у его младшей сестры Магдалены, названной в честь любимой сестры его матери, погибшей в море.

Франциско смущенно заморгал. Что-то в лице этой девушки показалось ему удивительно знакомым.

Лили дернула руку, чтобы высвободиться. Удивительно, она не боялась этого юношу.

С другой стороны хижины доносились громкие голоса, оружейная пальба. Лили и Франциско обернулись и увидели, что черный ягуар, спрыгнув с дерева, летит прямо на них.

Франциско в ужасе смотрел на чудовище. Но он опасался напрасно — мужество не оставило его. Он оттолкнул Лили и выступил вперед, прикрыв ее своим телом, подставив грудь под страшные когти зверя.

Ягуар обезумел от ярости. Оружейная пальба и крики солдат довели его до бешенства. И он дал волю ненависти, выместив все на своей добыче.

Франциско почувствовал острую жгучую боль, горячее дыхание зверя, но его смерть была быстрой: мгновение — и сильные челюсти перегрызли горло, положив конец страданиям единственного сына дона Педро де Вилласандро.

Лили опустилась на колени перед мертвым испанцем. Черная тень мелькнула между деревьями и исчезла в джунглях.

— Боже мой! — в ужасе пробормотал Диего Кардонна, увидев лежащего в луже крови Франциско.

Саймон Уайтлоу удивленно смотрел на струйку крови, стекавшую по предплечью. Кроме мгновенной острой боли, он ничего не почувствовал и поэтому не сразу понял, что ранен.

Это случилось вскоре после того, как раздался крик дозорного, заметившего на горизонте судно. Затем послышалась пушечная пальба, напомнившая бы непосвященному раскаты грома.

Однако для Валентина в этом не было ничего неожиданного. Он даже улыбнулся и довольно хмыкнул, услышав ответный грохот. Затем, отдав приказание матросам, подозвал Мустафу и протянул ему две толстых тетради в кожаных переплетах. Одна представляла собой журнал Бэзила, а вторая, видимо, была из того же сундука с сокровищами. Турка, судя по его озадаченному выражению, удивила просьба хозяина, но он привык выполнять распоряжения, не задавая лишних вопросов. Спрятав под куртку обе тетради, Мустафа кивнул и пошел к лодке.

Только убедившись, что Мустафа сел в шлюпку, Валентин повернулся к Саймону. До этих пор юноша стоял неподалеку, не решаясь отвлекать дядю жалобами. Он и сейчас ничего не сказал, но старший Уайтлоу все увидел сам.

— Саймон! — воскликнул он. — Да ты ранен!

Затем, ни слова не говоря, он повел племянника к лодке и вверил раненого заботам матросов.

— Смотри, Мустафа! Спрошу с тебя, если с ним что-то случится. — И Валентин толкнул лодку изо всей силы.

— Лили! — крикнул Саймон. — Она у озера! Она осталась там. Она одна, дядя Валентин! Она в опасности! Мы не можем оставлять вас здесь! Остановитесь! Не смейте грести! Как вы можете оставить капитана?

— Я найду ее, Саймон! — крикнул Валентин на бегу. Пора было прятаться. Сейчас, когда с ним не осталось матросов, отвечать на огонь испанцев было некому.

Саймон смотрел на берег. Шлюпка летела к «Мадригалу».

Валентин был совсем рядом с местом, где Лили оставила чулки и туфли, когда заметил небольшую группу испанцев, спускавшихся с холма. Они вели Лили Кристиан.

Валентина Уайтлоу и Лили Кристиан привели к шлюпке, которая прибыла на берег с «Утренней звезды». Уайтлоу узнал корабль — его похожий на башню силуэт, ощетинившийся пушками. Дон Вилласандро любил покрасоваться, перед тем как пускал в ход тяжелую артиллерию и отправлял на дно врагов. Остальные корабли флотилии пустились в погоню за «Мадригалом».

Пленников посадили в шлюпку.

— Валентин, — шепнула Лили, и он взял ее за руку. К счастью, испанцы не стали связывать их, полагая, что бежать пленникам все равно некуда.

— Моя милая Лили Франциска, я не хотел, чтобы все вот так кончилось, — сказал он, не подозревая о том, что в точности повторяет слова, произнесенные другим человеком своей любимой. Именно так напутствовал Джеффри Кристиан жену и дочь перед своей гибелью.

— Они убьют тебя, Валентин.

— Я знаю, — ответил он.

Достаточно было хоть немного узнать дона Педро, чтобы не сомневаться: повесить своего злейшего врага будет для него делом чести.

— Хотя, — с улыбкой добавил Уайтлоу (один из моряков перекрестился, ибо кто, как не сам дьявол, может улыбаться в подобной ситуации), — сначала им придется привезти меня в Испанию.

— Нет, Валентин. Они не станут ждать. Я понимаю, о чем они говорят. Там, на дне лодки, в парусину завернуто тело сына их капитана. Они собираются обвинить в его гибели нас. Нас обоих ждет смерть, Валентин.

Капитан нахмурился. Сын дона Педро. Он взглянул на Лили и понял: та не знает, что юноша приходился ей двоюродным братом. Валентин не знал, как он погиб и почему в его смерти винят Лили. Однако это обстоятельство сильно меняло дело. Что же, значит, такова его судьба. Он не боялся смерти. Но Лили... Нет, только не Лили. Но он-то знал, что у дона Педро есть серьезные причины хотеть ее смерти.

Шлюпка приближалась к выходу из бухты, а значит, и к «Утренней звезде».

— Почему нас бросили? — спросила Лили дрожащим голосом.

Один из испанцев, не спускавший с девушки похотливого взгляда, довольно хмыкнул и кивнул остальным, мол, темперамент у девчонки есть, развлечемся, ребята.

Валентин был готов задушить его голыми руками за один этот взгляд. Если бы он понимал по-испански, то рассвирепел бы еще больше, ибо о ней говорили не иначе, как о рыжей шлюхе. Предлагали различные способы развлечений с ней во время плавания. Что касается дальнейшей ее судьбы, она была решена — в Испании ее должны были сжечь.

— «Мадригал» потопили бы, если бы он не уплыл, — объяснил Валентин. — Они выполняли мой приказ.

Сейчас молодой человек проклинал свое легкомыслие. Он должен был предвидеть все. Он должен был знать, что предпримет враг. Валентин, конечно, предполагал, что дона Педро поставят в известность о передвижении «Мадригала». Только откуда испанец узнал о цели путешествия английского корабля? Видимо, в кругу самых близких Уайтлоу людей есть предатель. Иначе дон Педро не был бы так хорошо осведомлен обо всем.

Лили смотрела Валентину в лицо. Она любила его, и, если он умрет той смертью, какую предвещают ему испанцы, она тоже не сможет жить. Она знала, что страшная участь не минует и их. В последний раз смотрела она на бирюзовые воды своей бухты, плескавшиеся о борт шлюпки.

Вот мыс со скалистым утесом и пальмой, рядом с которой был вход в пещеру. Еще сегодня она спускалась туда, держала в руках свои сокровища. А вот грозный галион, куда их везут.

А потом... Лили содрогнулась, представив, что ждет их потом.

Из сине-зеленой глубины выпрыгнул дельфин, мелькнул в воздухе и пропал за рифом. Потом вынырнул вновь, крикнул что-то на своем скрипучем языке. Там проплыла большая морская черепаха. В подводном царстве шла своя жизнь, спокойная и мирная.

И вдруг Лили вспомнила. Сердце ее бешено заколотилось. Она даже испугалась, что испанцы услышат этот стук и заподозрят неладное.

— Валентин, — прошептала она.

Уайтлоу, решив, что Лили испугал грозный вид испанского корабля, пожал ей руку.

— Ты мне веришь? — спросила она шепотом.

— Silencio!* — крикнул один из испанцев.

Лили опустила голову, незаметно пожав любимому руку. Она молила об одном: чтобы он понял ее и притворился смирившимся. Нельзя, чтобы его сейчас связали.

— Так ты мне веришь?

— Конечно, — удивленно ответил он.

— Тогда прыгай за борт за мной. Я привела тебя в пещеру. Я сделаю это снова. Только верь мне. Помнишь, я тебе еще кое-что о ней рассказывала?

Валентин смотрел на ее склоненную голову. Уж лучше потонуть свободными, чем принять мученическую смерть от рук испанцев. По крайней мере они уйдут в мир иной вместе.

— Да, Лили, — сказал он и тихо засмеялся.

Моряки недоуменно переглянулись. Неужели Эль Тигре рад, что скоро умрет?

— Вдохнули, — вдруг сказала девушка, — давай! — И прыгнула за борт.

Валентин последовал за ней, но при этом он еще и умудрился раскачать шлюпку.

Нескольких мгновений замешательства хватило пленникам, чтобы нырнуть поглубже. Засвистели пули, полетели пики, но беглецы остались невредимы.

---

* Молчать! *(исп.)*

Ошеломленные испанцы ждали, когда покажутся на поверхности тела их пленников, но тщетно. Зря готовили они пики, чтобы, словно гарпуны в рыбу, метнуть их в англичан. Время шло, но пленников и след простыл. Испанцы вернулись на берег, обыскали пляж, однако никого не нашли.

Никому не хотелось докладывать дону Педро де Вилласандро о том, что пленники, один из которых тот самый Эль Тигре, утонули при попытке к бегству. Но это еще полбеды. Куда труднее будет другое — сообщить капитану о смерти его единственного сына.

Валентин следом за Лили уходил все глубже и глубже под воду. Вдруг ему пришла в голову мысль о том, что она и вправду русалка и сейчас ведет его за собой в морское царство, где он найдет смерть. Легкие его горели, а она все так же легко и грациозно плыла впереди, будто море было ей родной стихией. Длинные волосы ее колыхались, словно морская трава. Валентин скинул обувь, чтобы было легче плыть, но, как ни напрягал силы, не мог сократить расстояние между ним и русалкой, ведущей его за собой. Белые ноги ее манили его в глубины, ставшие из бирюзовых цвета индиго, в глубины, в которых могли жить только рыбы, да черепахи, да причудливые морские создания, и... и Лили Кристиан.

В ушах шумело, в груди горел огонь. Казалось невероятным, что человек может выдержать такое погружение, и, когда Лили пропала за коралловым рифом, Валентин готов был поверить, что у нее есть жабры.

И тут она оказалась рядом и схватила его за руку. Решив, что это конец, он изо всех сил вцепился в нее, решив ни за что не отпускать ее, даже если Лили поведет его в черное подводное ущелье, открывавшееся перед ними. Но девушка начала подниматься вверх.

И вдруг Валентин почувствовал, что может дышать. Никогда воздух не казался ему таким восхитительно вкусным. Он видел небо над головой! Синюю прогалину с розовыми облаками, окрашенными по краям малиновыми отсветами заходящего солнца. Уайтлоу еще раз глубоко вдохнул. Воздух имел вкус и запах моря. Сюда долетали соленые брызги и равномерный шум волн.

Он взглянул на Лили и увидел выражение триумфа в ее взгляде. Она вдохнула и нырнула вновь. Он следом. К счастью, на этот раз плыли по узкому коридору в коралловом рифе, а не в открытом море.

Валентин уже отчаялся доплыть до конца, когда ноги его вдруг коснулись дна. Следом за Лили он пробрался по заполненному водой проходу в ту самую пещеру, где побывал утром.

Спотыкаясь, Валентин выбрался из воды. Лили помогла ему.

Оба несколько минут лежали на песке и не могли отдышаться.

И вдруг Валентин захохотал. Лили удивленно взглянула на своего спутника. Смех его гулко раздавался под сводами пещеры.

Внезапно он перевернулся на живот и поцеловал ее в губы.

— Спасибо тебе, любимая, — прошептал он, встал и вышел из пещеры.

У Лили не было сил подняться. «Чего еще можно желать?» — думала она с улыбкой. Они живы, и он назвал ее любимой.

Лили стало знобить. Зубы ее стучали. Она села и обхватила колени руками.

— Испанцы обшаривают бухту. «Утренняя звезда» по-прежнему стоит на якоре. Но здесь нас никто не найдет, — сообщил Валентин. — Что с тобой? — спросил он, увидев ее свернувшуюся клубком. — Да ты вся дрожишь!

Уайтлоу опустился перед Лили на колени, обнял ее, поднял и понес туда, где сквозь трещину в своде пробивался
солнечный луч. Там он сел, прислонившись к каменной стене, усадил ее рядом и принялся растирать, чтобы согреть.
Солнце еще немного грело. Постепенно Лили перестала дрожать. Когда Валентин заглянул ей в лицо, он увидел, что
девушка плачет.

— Ну, будет, любимая, — нежно проговорил он, целуя
ее влажные веки. — Что произошло, когда тебя нашли испанцы? — вдруг спросил он срывающимся голосом. Как он
сразу не подумал! Ведь на ней не было ни платья, ни обуви... — Они тебя не тронули?

— Нет, Валентин. Ничего не было. Я плачу из-за этого
паренька. Из-за испанца, который погиб. — Лили всхлипнула. — Он спас мне жизнь.

— Он — тебе?

— Он не должен был умереть, Валентин. Это я должна
была лежать там с перегрызенным горлом, если бы он не
прикрыл меня собой. Его убил Чоко.

— Чоко?

— Ну да. Мой ягуар. Я хотела найти его. Я хотела знать,
жив ли он. Я купалась в озере, а когда стала выходить, увидела
его в траве. Но знаешь, Валентин, он не стал на меня нападать.
Он мог бы, но не стал. Он помнил меня, — говорила Лили,
сжимая руку любимого. — Я думаю, он бы ушел, — продолжала она.

Валентин, представив, как близка она была к гибели, крепче сжал свою русалку в объятиях. Он не верил, что хищный
зверь мог пощадить бывшую хозяйку.

— Я не заметила, как к озеру вышли испанцы. Они
первыми увидели меня и решили схватить внезапно, чтобы я
не успела закричать. Не знаю, кто испугался сильнее: испанцы или Чоко. Он не привык к чужакам и решил, что те

угрожают ему. Чоко выскочил из травы, испанцы испугались, и я побежала, да только меня поймал тот, молодой. И вот тогда с пальмы прыгнул Чоко. Испанец оттолкнул меня и... Это было ужасно, Валентин!..

Капитан ласково гладил ее по голове.

— Знаешь, он так сильно кричал, столько было крови... Ведь он не знал меня, Валентин, но погиб, отдав за меня жизнь. Зачем он пожертвовал собой ради меня? — в слезах закончила Лили, спрятав лицо на груди у Валентина.

Уайтлоу баюкал ее, как ребенка, пока она не заснула. Свет в пещере постепенно мерк, вскоре наступила полная мгла, а Валентин все сидел, качал Лили и думал о том, как странно устроена жизнь. За все приходит расплата. Дон Педро де Вилласандро, человек, предавший многих, включая сестру своей жены, принужден был сейчас так дорого платить за свои грехи. Его гордость, его надежда, его единственный сын погиб на том самом острове, где по злой воле дона Педро оказались Бэзил, Магдалена и невинное дитя. Какая ирония судьбы, что сын дона Педро должен был погибнуть, спасая ту, которую обрек на смерть его отец.

— Лили, — нежно прошептал он и закрыл глаза, чтобы немного поспать. — Лили, с этой минуты ты моя.

Лили очнулась от страшного сна с бешено бьющимся сердцем, но приглушенный шум моря напомнил ей о том, где она и что произошло.

Рядом спал Валентин.

Лили приподнялась на локте и заглянула ему в лицо. Сейчас она могла не торопиться, присмотреться к нему, насладиться созерцанием любимого.

— Я люблю тебя, Валентин, — шепнула Лили. Ему, спящему, она могла смело сказать то, что никогда не решилась бы сказать, если бы знала, что ее услышат.

— Я люблю тебя, — повторила она, — любила и всегда буду любить. Я умру, если с тобой что-то случится.

«Он красив», — думала она. Тонкие губы. Прямой нос. Одна бровь изогнута чуть больше другой. Лили улыбнулась. Ей вдруг захотелось прикоснуться к его лицу, к его бороде, почувствовать под ладонью его небритую щеку. На лоб ему упала черная прядь. Какие, должно быть, приятные на ощупь его шелковистые кудри. Взгляд ее скользнул по его телу. Стройный, мускулистый. Широкая, покрытая черными волосками грудь. Узкие бедра.

Близился рассвет. В пещеру скоро проникнут первые лучи солнца.

Чем дольше Лили смотрела на Валентина, тем сильнее было желание прикоснуться к нему. И вот, не выдержав, она тихонько дотронулась до его бороды кончиком пальца.

Валентин мгновенно схватил его губами. Значит, он не спал, а наблюдал за ней? Еще миг — и она оказалась прижатой к земле. Уайтлоу навалился на нее всем телом, и она с ужасом ощутила животом его восставшую плоть.

— И я тоже тебя люблю. — Валентин улыбнулся. — Когда ты привыкнешь делить со мной постель, ты узнаешь, что сон мой очень чуток. Вот уже полчаса я наслаждаюсь твоей нежностью, и, поверь, мне нелегко было притворяться спящим. Когда на меня долго смотрят, я просыпаюсь.

Лили от смущения лишилась дара речи. «Он слишком нагло себя ведет. Он слишком многое себе позволяет», — мысленно повторяла она, сжимаясь под этим раздевающим бессовестным взглядом. Так он сказал, что любит ее, или ей показалось?

— Поцелуй меня, Лили, — тихо попросил Валентин. — Поцелуй меня, как тогда, на ярмарке... Нет? — шептал он, едва касаясь языком ее безответных губ.

Лили открыла было рот, чтобы сказать ему, как... Но он прижался к ее губам. Сама того не желая, Лили поддалась.

Еще мгновение — и она вернула ему поцелуй с не меньшей страстью.

Он гладил возлюбленную по рукам, по плечам. От его прикосновений по телу ее пробежала дрожь. Затем рука его оказалась у нее на груди. Под его ласками соски напряглись.

Валентин не переставал целовать Лили. Язык его ласкал ее нёбо, впитывал сладость ее рта. Лили замерла, когда рука его скользнула под юбку и ладонь его медленно пошла вверх, лаская нежную ногу, к тому месту, где... Затаив дыхание, она прислушивалась к незнакомым, пугающим и одновременно необыкновенно приятным ощущениям.

Валентин, почувствовав ее замешательство от его напора и новизны ощущений, остановился, убрал руку, заставив Лили почувствовать странную пустоту и возжелать продолжения.

Под его поцелуями губы ее занемели, но ей хотелось еще и еще его ласки.

— Лили, — шепнул Валентин, — ты и я отныне принадлежим друг другу. Ты теперь моя, Лили. Я не понимал этого, но ты была моей с того момента, как я увидел тебя на этом острове. А потом, когда я увидел тебя на белом коне на берегу реки, тогда ты тоже была моей. Но я этого не понимал. И я, Лили, я тоже твой. Ты моя любовь, Лили, моя единственная любовь. Я хочу, чтобы ты была моей вся, Лили Франциска. Теперь я тебя уже никогда не потеряю. Теперь я тебя нашел. Так должно было случиться, чтобы мы узнали друг друга в любви на этом острове. Мы ведь уже друзья, не так ли, моя милая? А теперь мы станем любовниками.

Он наклонился над ней, коснулся ее щеки. В глазах его полыхал огонь страсти.

Валентин смотрел в ее бледное лицо. Губы Лили чуть припухли от поцелуев. Она дышала часто и неглубоко. Зеленые глаза ее таинственно блестели. Он прочел в них любовь. Да, любовь. Валентин знал это.

Лили обняла его, прижала к себе, и губы их слились в поцелуе.

— Этот остров все такой же очарованный, — пробормотала красавица, растворяясь в нем, зажигаясь от его тепла. Ей было хорошо с ним, и что-то подсказывало Лили, что и мать, и отец, и Бэзил благословили бы ее выбор.

Валентин помог ей снять одежду. Он любовался обнаженным телом своей русалки, женственными округлостями, возбуждавшими желание, просившими ласки. Грудь ее была высокой и полной. Соски затвердели от утренней прохлады. Лили не пыталась закрыться от взгляда любимого. Он дотронулся до ее живота, осторожно опустился вниз, давая ей возможность привыкнуть к его прикосновениям, познать удовольствие от его ласки.

Валентин сбросил рубашку и бриджи. Он стоял перед ней, высокий и мускулистый. Улыбнувшись, он взял ее за руку и поднес ее ладонь к своей восставшей плоти.

Расстелив на песке ее нижнюю юбку, Валентин поднял Лили на руки и бережно уложил на эту «постель», где им вскоре предстояло узнать друг друга до такой степени близости, о которой Лили даже не подозревала.

Он касался губами ее сосков, и они твердели, превращаясь в маленькие розовые пики. Ни один уголок ее тела не был обделен его лаской, и когда он развел ее колени, она вся подалась навстречу. Он прижался губами к ее губам и вошел в нее, и Лили вскрикнула от острой боли.

Валентин замер, давая ей привыкнуть к новому чувству, чтобы потом повести ее за собой, заставив стонать от наслаждения.

Никогда он еще не испытывал таких чувств с женщиной. Ни с одной из них не было ему так хорошо, как с Лили.

Когда страсть их иссякла, они лежали, не в силах расцепить объятий. Лили, прижавшись к любимому, положила голову ему на плечо и уснула.

***

Лили проснулась. Валентина рядом не было. Девушка замерзла — рубашка, которой укрыл ее капитан, соскользнула на землю. Поеживаясь от холода, она натянула сорочку и нижнюю юбку. Грудь ее побаливала, между ног саднило, но, вспоминая первый любовный опыт, она готова была заплатить втрое большей болью за испытанное наслаждение.

Выйдя из сумрачной пещеры на свет, Лили зажмурилась от яркого солнца. Испанский корабль исчез. Она увидела своего капитана. Тот шёл вдоль берега и смотрел в сторону моря.

— Лили!

Она помахала рукой в ответ. Каменистая тропка привела ее к кромке леса. Она задержалась там ненадолго, чтобы набрать цветов, а затем пошла к морю.

Валентин ждал ее на берегу. Смотрел, как она выходит из леса, юная и прекрасная, как вплетенные в ее волосы цветы. Легкую юбку ее прижимал к ногам ветерок. Она была как нагая перед ним, но он уже познал ее нагую, он стал ее частью, может быть, даже посеял в ней новую жизнь.

— Испанский корабль уплыл, Валентин!

— Я знаю. Все так и должно было быть. Они решили, что мы утонули в бухте.

— Если... если мы когда-нибудь вернемся в Англию... — начала Лили.

— Когда мы вернемся в Англию, — уточнил Валентин, заключая любимую в объятия. От волос ее пахло цветами, а от кожи — морем. И он не удивился, что плечо у нее оказалось соленым на вкус. — Знаешь, возле Равиндзары есть бухточка, тихая, укрытая от посторонних глаз. Море там такое же теплое, как здесь. Ветер тоже теплый, он дует с моря. Мы часто будем приходить туда вместе, Лили Франциска. И на закате, когда от зари загорается небо, мы

будем лежать там на шелковом ковре и любить друг друга.
И никто не посмеет помешать нам. Ибо все будут знать, что
хозяин Равиндзары и его красавица невеста, настоящая морская дева, лежат в объятиях друг друга, и пусть летит к
черту весь остальной мир...

— Валентин, послушай меня...

— Не хочу слушать, — сказал он и заставил ее замол-
чать поцелуем. Лили, сама того не желая, так горячо откликнулась на его ласку, что он со смехом повалил ее на
песок, перевернул так, чтобы она оказалась сверху.

Лили хорошо поняла его намерения.

— Не здесь, — засмущалась она.

— Именно здесь. Никто нас не видит, и я хочу тебя,
любовь моя.

— Нам надо поговорить. Нам не стоит этого делать. То,
что произошло этой ночью... Ты не обязан на мне жениться. Я
пойму. Я не та женщина, на которой стремятся жениться. Тебе
подошла бы другая, ну... Гонория, например. Из нее получилась бы жена куда лучше меня. У нее столько достоинств. Я не
стою тебя, Валентин. Вся моя жизнь... Такая необычная... Я
едва ли умею вести себя прилично.

— Да я с другой умер бы со скуки, любовь моя, моя
единственная любовь, — бормотал Валентин между поцелуями. — Все ты думаешь о других. Но я отказываюсь принять твою жертву. Ты будешь моей женой, Лили. Так что
придется тебе смириться с этим. В моем понимании ты уже
моя жена. Ты стала моей женой в тот миг, когда согласилась стать моей любовницей. Но, чтобы быть уверенным в
том, что ты меня не оставишь, я хочу, чтобы мы принесли
клятву верности перед Богом и людьми. Никто не отнимет
тебя у меня. Я умею крепко держать то, что считаю своим,
Лили Франциска Кристиан. А теперь люби меня, Лили. —
И он прильнул к ее губам. Вновь к Лили пришло странное

чувство, будто ее тело не принадлежит ей. Будто и тело ее, и душа перешли во владение к другому человеку. К ее любимому. К ее Капитану.

— Ты так уверен, что мы вернемся в Англию, — произнесла Лили. — Хотела бы я так крепко верить. «Мадригал» уплыл. Он сейчас, должно быть...

— Ты про что? А, про веру. Да, я верю в своих людей, — с улыбкой ответил Валентин и взглянул на море. Но тут руки Лили заставили его забыть о своем корабле, ибо он понял, что должен продлить пребывание в этом раю еще немного, хотя бы ради нее.

На следующее утро выяснилось, что Валентин был прав. На горизонте появился корабль. Это был «Мадригал».

Глава 26

Ведь в благородство этого вассала
Я верил слепо.

*Уильям Шекспир**

Ветер пел в парусах судна. Солнце светило так, что приходилось щуриться от нестерпимого блеска воды.

Подгоняемый ветром корабль летел заданным курсом. Вскоре пришлось покинуть теплые воды Гольфстрима и свернуть на север — к дому.

Многие корабли шли тем же маршрутом. Каждый стремился показать, на что способно его суденышко. Но как бы ни старались моряки на других судах, бороздивших Атлантику, никто не мог сравниться в скорости с «Мадригалом».

У Валентина были причины торопиться домой.

«Мадригал» пересек Атлантику за месяц. Дрейку удалось преодолеть такое же расстояние за двадцать три дня.

Сейчас корабль Уайтлоу стоял на якоре у Гринвича. Отважный капитан был на приеме у королевы. Лорду Берли доложили о прибытии судна немедленно, и он прислал вооруженную охрану.

---

* Пер. Ю. Корнеева.

Валентина провели во дворец с черного хода. Они шли пустыми мрачными коридорами, пока не оказались перед потайной дверью, ведущей в покои королевы. Елизавета, по обыкновению, обедала одна. С каждого блюда, предлагаемого ее вниманию, слуга снимал пробу. Валентин уже не раз наблюдал подобную церемонию: фрейлина подавала слуге по ложке от каждого блюда, чтобы проверить, не отравлены ли они. Ко времени появления молодого человека обед подходил к концу. Слуги убрали со стола золоченые кубки и фарфор. Вместо них внесли папку с письмами и бумагами, разложенными по порядку в зависимости от важности содержащихся там сведений.

Валентин преклонил колено перед ее величеством и с почтением поцеловал протянутую ему руку.

— Встаньте, мой капитан.

Он поднялся. Елизавета предстала перед ним во всем своем королевском величии. Ее атласный наряд, весь в золотых блестках, был расшит цветным шелком и сверкающими драгоценностями. Рыжие кудри венчала корона с рубинами и жемчугами. Воротник из белоснежных кружев довершал наряд. А кокетка из тончайшего батиста, выполненная в виде лепестков экзотического цветка, одного из тех, которыми так любила окружать себя королева, придавал роскошному платью некую трогательность.

— Оставьте нас! — Елизавета нетерпеливым жестом отправила слуг и придворных из комнаты.

Придворные, завистливо оглядываясь на Валентина, удостоенного высокой чести быть принятым наедине, покидали покои ее величества.

— Можете ничего не говорить, мой мореход. — Королева пристально смотрела на своего визави. — Вижу по вашим глазам, что путешествие увенчалось успехом.

Во время разговора Елизавета, словно четки, перебирала жемчужины на длинном ожерелье. Волнение выдавали лишь движения ее тонких, длинных пальцев. В остальном она выглядела совершенно спокойной.

— На самом деле, мадам, я не стал бы называть успешным плавание, в результате которого мы получили свидетельства предательства тех, кому доверяли безраздельно.

Дверь отворилась, и в покои вошел лорд Берли. Валентин достал книгу в кожаном переплете и протянул ее королеве:

— Это записи моего брата.

Елизавета жестом приказала Сесилу взять журнал, и тот осторожно принял его из рук Валентина.

Казалось, он боится, что страницы превратятся в пыль.

— Вы прочли этот документ? Наши подозрения подтверждаются?

Капитан кивнул:

— Бэзил прекрасно справился с заданием. Он дал подробнейшие описания всего того, что видел и слышал. Там вы найдете все: имена, даты, описание мест, впечатлений от встречи с людьми, даже слухи и сплетни. Как-то в доме отца Магдалены Бэзил увидел двоих англичан. Они прибыли в сопровождении католического священника и капитана «Утренней звезды» дона Педро де Вилласандро. Это был зять Магдалены. Естественно, такая странная компания вызвала у Бэзила подозрения. Тот подкупил рыбака и тайно пробрался на борт «Утренней звезды». Именно там он подслушал разговор: те самые англичане и священник обсуждали, как избавить Англию от правления Елизаветы. Один из них — сэр Раймонд Уолчемпс.

— А другой? — спросила Елизавета.

Валентин молчал. Тогда лорд Берли быстро перелистал журнал и, покачав головой, протянул его королеве. Там было записано имя.

— Мы немедленно возьмем их под стражу, — сказал министр. — Сэр Раймонд Уолчемпс, насколько я знаю, еще не покинул свой лондонский дом, и нам надо успеть раньше, чем он узнает о прибытии корабля. Ему ничего не известно о наших подозрениях. Естественно, он в курсе того, что вы сообщили мне о попытке убийства Лили Кристиан. Но он понимает, что доказательств у вас маловато. Уолчемпс занял верную позицию — вести себя так, будто его оклеветали. Я бы удивился, если бы он попытался бежать из страны. Если бы вы не вернулись, ему пришлось бы оправдываться, почему он так спешно уехал. Отъезд во Францию бросил бы на него тень. Мы бы задумались, нет ли на нем настоящей вины. Однако мне он казался удивительно спокойным. Ведь для него дело принимало серьезный оборот. Теперь я понимаю, что он не опасался вашего возвращения. Уолчемпс с самого начала постоянно опережал вас. Я восхищен вами, капитан. Вы избежали ловушки.

— Друзья помогли мне самому поставить капкан, лорд Берли, — ответил Валентин и осторожно посмотрел на королеву. Та была целиком погружена в свои мысли. — С разрешения ее величества я хотел бы просить вас сопровождать стражу, когда она отправится за другим... предателем.

Елизавета кивнула, встала и подошла к окну.

— До этого самого момента я отказывалась верить в то, о чем вы сообщали моему первому министру, — с горечью проговорила королева, очевидно, вспоминая других близких людей, которым она верила и которые предали ее.

На фоне большого окна Елизавета вдруг показалась молодому человеку маленькой и хрупкой женщиной, уставшей от тяжкой ноши. Много лет он привык воспринимать ее как символ империи, видеть ее гордой и дерзкой, слышать ее смех и остроумные замечания. Все это заставляло забыть о возрасте королевы. Теперь перед ним была стареющая женщина. Под толстым слоем пудры скрывались морщины, а густо нарумяненные щеки все равно не воссоздавали румянец юности. Вместо царственной особы он увидел женщину, уставшую от увиливаний, многочисленных уловок и хитростей, от предательства близких и гибели друзей. Перед ним была всего лишь женщина, стоявшая на пороге старости и не желавшая больше править.

— Я думаю, сэр Раймонд собирается сейчас на маскарад в Риверхасте, так что, поскольку оба наших заговорщика будут там, мы могли бы взять под стражу сразу обоих. Если же Уолчемпса там не будет, мы сможем...

— Не сметь больше упоминать при мне эти имена! — дрожащим от гнева голосом произнесла Елизавета и вышла из комнаты в большой зал. Оттуда еще долго были слышны недовольный голос Елизаветы и испуганный шепот придворных, попавших под горячую руку.

— Пойдемте, я дам вам коня, — предложил лорд Берли. — И охрану, конечно.

— Мне понадобятся три лошади, милорд. Мустафа, мой верный слуга, ни за что не согласится оставить меня, и мой племянник Саймон тоже захочет отправиться в Риверхаст.

— Конечно, — согласился Сесил. — А как насчет госпожи Кристиан? Она ведь тоже в Лондоне?

— Нет, — со вздохом ответил Валентин. — Она в Равиндзаре.

— У вас в Корнуолле? Что ж, это мудрое решение. А теперь расскажите мне, пожалуйста, как вам удалось спастись из ловушки, которую приготовил для вас дон Педро. У меня есть сведения, что благородный де Вилласандро отбыл из Мадрида через пару дней после вашего отплытия из Лондона. Были слухи, что он собирался избавить мир от дерзкого англичанина по прозвищу Эль Тигре. Это, случайно, не мой добрый знакомый?

Лили Кристиан стояла в гостиной у окна и смотрела на море. Вот-вот на горизонте должны были появиться паруса

«Мадригала». Валентин обещал вернуться в Равинздару сегодня.

Сколько дней прошло с тех пор, как они приблизились к берегам Англии! Нетерпение Валентина росло с каждой минутой. Корабль еще не вошел в порт, а он уже приказал спустить на воду шлюпку. Расстояние до берега было не очень большим, но зато обломки скал, острые камни, коварные течения и высокая волна требовали от гребцов высокого мастерства. Команде «Мадригала» к этим трудностям было не привыкать. Справившись с опасным течением, готовым подхватить лодку и бросить на скалы, матросы привели шлюпку в небольшую бухту, за которой начинались владения Валентина — его обожаемая Равиндзара.

День клонился к вечеру, когда путешественники достигли имения. В зале горели свечи, слышались веселые голоса и смех. От запаха еды потекли слюнки. Квинта трудилась над украшением торта в виде корабля из сахарной помадки с марципановыми фигурками матросов и зверей.

Двое детей и обезьянка сидели рядком на скамейке и наблюдали за продвижением ее работы.

— Итак, Тристрам, тебе поручается укрепить флаг на мачте «Мадригала», — торжественно произнесла Квинта, протягивая мальчику три белых сахарных флажка со сделанными клюквенным соком крестами. — Осторожно, дорогой, они очень хрупкие. Если ты сломаешь один из них, так и быть, разрешаю тебе его съесть, но лучше все же сделать это после ужина.

— Не волнуйтесь, тетя Квинта, — заверил Тристрам и принялся за дело, высунув от усердия язык.

— Когда я могу переодеться? — подала голос Дульси. — И еще: что случилось с изюмом, который был здесь минуту назад? И слова тоже пропали! Ты съел изюм, Тристрам?

— Я?

— Колпачок, это ты! — негодующе воскликнула девочка, но обезьянка тут же юркнула под стол.

— Отлично, Тристрам, — похвалила мальчика Квинта. — А теперь, моя малышка, тебе предоставляется право установить фигуру сирены.

Дульси захлопала в ладоши и принялась прикреплять густым сахарным сиропом маленькую фигурку морской девы из марципана, осыпанную сахаром с корицей и ореховой крошкой.

Сонный Раф приоткрыл один глаз, вскочил и с громким лаем кинулся встречать гостей.

— Лили!

— Валентин!

— Саймон!

Три голоса слились в один. Раф прыгал от радости и вилял хвостом с такой неуемной силой, что стол закачался и одна из фигурок чуть было не упала на пол.

Валентин подхватил Дульси на руки и крепко обнял, а девочка поцеловала его в заросшую щеку. Тристрам вначале вел себя более сдержанно, но вскоре дал волю чувствам и бросился обнимать сестру.

— Ты вырос на целый фут! — воскликнула Лили, с восхищением глядя на брата.

— Я так скучал по тебе, Лили, — признался братишка. — Ты мне расскажешь про остров? Он все такой же, как был?

Квинта наблюдала за сценой. Но когда она встретилась взглядом с Валентином, то поняла, что все не так хорошо, как им обоим хотелось бы.

— Добро пожаловать, дорогие! Вы, должно быть, устали. Отдохните с дороги, сейчас принесут еду.

— Как Артемис? — спросил Валентин.

— Наши страхи были напрасными, — улыбнулась тетка. — Она оказалась крепче, чем мы предполагали. Каждый день взяла за правило гулять и не делала исключений ни для какой погоды. Хотя теперь, когда ее время уже так близко, ей нелегко даются эти прогулки. Сэр Роджер места себе не находит. Еще не видела, чтобы мужчина так волновался. Хотя его можно понять... Первенец все-таки, будущий хозяин Пенморли. Такое важное событие!

Валентин взглянул на Квинту, но так и не смог понять, смеется она или говорит серьезно.

— Ну вот, пока ужин готовится, можете перекусить хлебом и сыром. Хлеб свежий, испекли только сегодня утром.

— Я не могу остаться до ужина, — сказал Валентин и, взяв тетку под руку, отвел в сторону.

Лили была удивлена тем, что им придется так скоро уехать из Равиндзары. Она боялась признаться себе, что устала; зябко поежилась и подошла поближе к огню, словно хотела унести с собой немного его тепла.

Когда Квинта предложила Лили помыться перед ужином, та, решив, что времени у нее немного, быстро вымылась и переоделась. Но когда она вернулась в зал, то узнала, что Валентин уехал в Пенморли-Холл. Она расстроилась.

Однако Лили, к счастью, не дали грустить. Тристрам и Дульси задавали бесконечные вопросы об острове и о самом путешествии. О первой половине плавания рассказывать было легко. Когда Лили заговорила об острове, теплый ветерок, казалось, наполнил комнату. Словно наяву вставали картины бухты, лесного озера, пальмы, пещеры.

Лили рассказывала, и все, кто в это время был в доме, включая прислугу, собрались в зале, чтобы послушать о далекой земле. Потом, с трудом сдерживая слезы, она поведала о юном испанце, погибшем, спасая ей жизнь. Дульси вскрикнула, когда было произнесено имя Чоко. Кое-кто из служанок ахнул. Колпачок, что-то бормоча, залез под стол. Потом старшая сестра вкратце рассказала, как им с Ва-

лентином удалось спастись в пещере. А потом сразу перешла
к тому моменту, когда на горизонте появился «Мадригал».
При этом щеки ее предательски пылали.

К счастью, Тристрам засыпал ее вопросами о подводном
проходе в пещеру. Однако когда Лили поймала взгляд Квинты, то покраснела вновь. Слишком уж пристально смотрела на
нее тетка Валентина. Лили спас Саймон. Он отвлек своим
рассказом старую женщину: с радостью сообщил, что получил
настоящее боевое крещение, участвовал в сражении и даже был
ранен. Впрочем, когда он задрал рукав рубашки, чтобы показать шрам, Квинта неодобрительно покачала головой.

— После того как я был ранен, — продолжал Саймон, —
мне пришлось покинуть остров, ибо я уже не мог быть поле-
зен нашему капитану. Но я сделал это против своего желания. Ведь на острове оставалась Лили. Я знал, что она в
опасности, но был бессилен ей помочь. Мы почти доплыли
до корабля, когда увидели, что испанцы взяли в плен Валентина. Лили уже была у них в руках. Я думал, Мустафа
прыгнет за борт. Но он дал капитану слово, что ничего не
будет предпринимать. На Мустафу было больно смотреть.
Ведь он от Валентина ни на шаг не отходил. А тут даже
помочь не мог. Первому помощнику тоже был дан приказ.
Я был поражен, когда он велел сниматься с якоря и бежать.
Я не мог поверить, что мы оставляем Валентина и Лили
испанцам. Но за нами в погоню пустились три галиона, и,
если бы мы поступили иначе, мы бы погибли все. Мы по-
плыли прочь от острова, затем вошли в узкий пролив между
двумя другими островами. Испанцы нагоняли нас. Мне казалось, что вот-вот все будет кончено. — Глаза Саймона
горели от возбуждения. — Затем, обогнув один из островов, мы оказались в бухте, где нас уже поджидали три английских корабля. Никогда я еще так не радовался, увидев
святого Георгия! Представляю, каково было испанцам, когда они поняли, что их заманили в ловушку!

— Удивительно, однако, как это там оказались английские корабли. Вот уж случайность так случайность! — заметил кто-то из слуг.

— Не было никакой случайности. Наш капитан все так задумал с самого начала.

— Да уж, хозяин у нас не промах. Я всегда говорил, что он молодец.

— А после англичане открыли огонь по испанцам, — продолжал Саймон. — Мачты у них так и трещали! Мы палили и палили, не давали им даже развернуться. Когда дым рассеялся, они пустились наутек. Мы — следом.

Лили улыбнулась, вспоминая, как она обрадовалась, когда увидела английское судно. Она помнила, как махал ей Саймон из лодки. Если бы не Мустафа, юноша наверняка свалился бы за борт.

Она помнила, как хитро улыбался Валентин. Поняла, что появление корабля его не удивило. Поразило Лили то, что главный испанский галион был той самой «Утренней звездой», капитан которой десять лет назад потопил корабль отца. Кажется, история повторялась, но на этот раз победителем вышел не испанец.

Помнила Лили и странное выражение глаз Валентина, слушавшего рассказ Саймона о том, как дон Педро де Вилласандро вдруг сдался. Она готова была поклясться, что видела в глазах любимого жалость. Он понимал, что дон Педро потерял самое дорогое в своей жизни и сражаться больше было не за что. Что такое по сравнению с потерей единственного сына слава, доставшаяся другому, или уязвленная гордость? После таких потерь человеку не за что больше бороться.

Потом Лили расспрашивала Валентина: как он догадался подстроить для дона Педро ловушку? Тот объяснил: когда его предупредили, что испанец следит за его перемещениями, он решил принять меры. Однако подтвердились худшие его опасения — дон Педро попал на остров раньше. Уайтлоу ожидал неприятностей, но не так скоро. Появление команды «Утренней звезды» на острове его не удивило. Валентин знал, что с ним хотят посчитаться, а изучив тактику дона Педро, можно было предполагать, что он приплывет не один.

Перед тем как отправиться в плавание, Уайтлоу переговорил с некоторыми из своих друзей-капитанов, и те согласились помочь. Пока «Мадригал» грузился в Фалмуте, они уже шли по тому маршруту и стали на якорь в условленном месте.

Саймон уже час как отвечал на вопросы, когда из Пенморли-Холла вернулся Валентин. Тогда он и объявил, что Лили должна остаться в Равиндзаре. Как девушка ни просила взять ее с собой, он остался глух к ее мольбам, а поскольку журнал Бэзила был уже у любимого, козырей у нее не осталось. Лили вместе с Тристрамом и Дульси проводили Валентина и Мустафу. Саймон перед отъездом в Уайтхолл собирался навестить мать и отчима в Риверхасте.

Лили смотрела вслед своему возлюбленному, и прощальный поцелуй согревал ее сердце. Валентин, когда они проходили по саду, отправил остальных вперед, а сам, затащив Лили за розовый куст, стал целовать ее, шепча слова любви. Этот поцелуй был единственным со времени их краткого блаженства на острове.

На обратном пути Валентин вел себя сдержанно, никак не проявляя к Лили своих чувств. Нет, он не оскорблял ее пренебрежением, но и никаких следов прежней страсти она в нем не замечала. Как-то раз девушка даже осмелилась поинтересоваться, не надоела ли она ему: сказала, что он не должен считать себя связанным поспешным обещанием. Этот разговор состоялся в каюте Валентина. Они были одни. Уайтлоу что-то писал в судовом журнале. Лили, глядя в пол, говорила, что в Англии их отношения на острове должны быть забыты. В ответ любимый сгреб ее в объятия и принялся целовать и ласкать с такой страстью, что у Лили не осталось сомнений в его искренности. А потом он сказал, что слишком уважает своих матросов, чтобы у них на глазах наслаждаться любовью. Они-то должны спать одни на своих холостяцких койках. Сказал, что никогда, каким бы сильным ни было его желание к ней, он не может вести себя по-другому. И не позволит кому-то назвать ее корабельной шлюхой. Он намерен жениться и должен вести себя по отношению к ней с должным уважением, если хочет, чтобы так же к ней относились остальные.

И вот в Равиндзаре, после головокружительного поцелуя под розовым кустом, он спросил:

— Ты веришь мне, Лили? Вижу, что веришь. Знай, Лили, покуда в Равиндзаре ты, я вернусь, что бы ни случилось.

Лили присела на шелковую подушечку на подоконнике, поджала под себя ноги и вздохнула. Тихо звякнула подаренная Валентином сережка из испанского золота. Перед отъездом он забрал у нее маленькую жемчужную серьгу и вдел ей в ухо свой подарок.

— Пусть со мной будет что-то от тебя, — сказал Валентин тогда.

Неужели в ней еще осталось что-то, что не принадлежало бы Валентину? Лили нахмурилась и раскрыла тяжелый кожаный переплет.

В руках у нее был судовой журнал отца. С благоговейным трепетом листала девушка эти пожелтевшие страницы, исписанные летящим почерком неугомонного капитана «Ариона». Но при всей своей неусидчивости Джеффри Кристиан был человеком дела, и ко всему, что касалось его профессиональных обязанностей, он относился с полной ответственностью. Вот ежедневные подробные описания курса, ветра, маршрута, пройденного пути... Но были и записи совершенно иного рода.

Лили поразили своей точностью и выразительностью зарисовки животных, птиц, кораблей. Она узнавала отца с совершенно иной стороны. Суровый капитан оказался прекрасным художником.

С одной из страниц на нее смотрело лицо девочки с удивительными глазами, и в ней Лили узнала себя. «Моя дорогая Лили» — гласила надпись под рисунком. А вот и карикатура: Бэзил, выбегающий из моря в чем мать родила и стыдливо прижимающий к паху рыбу. Но вот совсем другая зарисовка: профиль мудреца, в котором Лили узнала того же Бэзила.

Были в этом журнале и совершенно особенные страницы. Лили открыла одну из них, которую Валентин заложил цветком, сорванным на острове.

...Чудесные новости. Магдалена ждет ребенка. Она рассказала мне об этом, когда я вернулся с прогулки по Новому Свету (впрочем, прогулочка выдалась на славу. Надо будет рассказать Дрейку о том, что мы от его имени натворили в Рио-де-ля-Хачче). Мое счастье не знает границ, и хотя я сказал дорогой женушке, что и Лили Франциски вполне хватает, чтобы лишить бедную Мэри Лестер покоя, я знаю, что она очень хочет подарить мне еще дитя, на этот раз сына. И Магдалена донимает меня тем, как назвать будущего ребенка. Она хотела бы назвать его Франциско, в честь отца, но я сказал ей, что это имя будет выглядеть странно для английского паренька, в особенности если он унаследует мои светлые волосы. Мы сошлись на Тристраме. Это имя радует мое английское ухо, ибо это благородное имя рыцаря короля Артура. Если же девочка...

Отныне Тристрам Франциско Кристиан мог считать себя законным наследником Хайкрос. И никто, а в особенности Хартвел Барклай, не смел претендовать на это наследство.

Более десяти лет назад отец заявил о своем сыне, которого ему не суждено было увидеть, и тем самым отмел все подозрения относительно происхождения Тристрама.

Лили прекрасно помнила, какое было у брата лицо, когда она показала ему журнал. Как он был горд тем, что отец знал о его готовящемся появлении на свет и даже выбрал для него имя.

Единственное, что смущало Лили, — это вырванная страница. Как раз перед той, где говорилось о беременности Магдалены. Когда Лили спросила, куда она делась, Валентин отвернулся и не стал отвечать на вопрос. Она поняла, кто вырвал лист из журнала.

Интересно, встретился ли Валентин с заговорщиками? Море подернулось дымкой. Солнце садилось.

Лили улыбнулась. Последнюю ночь на острове они провели под звездами. Девушка собрала деревяшки, выброшенные морем, и развела огонь, чем очень удивила Валентина. Он забыл, что его русалка жила на этом острове много лет. Он улыбнулся и отправился на охоту. Но вернулся с пустыми руками. К этому времени Лили уже приготовила мидий и крабов, которых сама и поймала. Растения, найденные здесь же, в лесу, и добавленные в кушанье, придали блюду незабываемый вкус и аромат. Пир довершили фрукты и родниковая вода. Впервые Валентин чувствовал себя беспомощным, особенно когда увидел постель из травы и цветов тут же, на песке, под небом.

Лили покраснела, вспоминая ночь любви, проведенную под звездами. Волны плескались рядом. В эту ночь страсть их достигала непередаваемых высот. И Лили поняла, что всегда будет чувствовать себя частью Валентина Уайтлоу.

В тот вечер они смотрели на закат, на солнце, тонувшее в море жидкой меди, на облака, казавшиеся позолоченными. Утром они созерцали поднимающееся из-за моря солнце, небо, розовое от крыльев фламинго.

— Однажды я захочу вернуться, — сказала Лили.

— Целуй нас, красотка! Подними ножку! Пррасккк! — откликнулся с жердочки Циско, расправив крылья. — Клянусь, я сверну ему шею, а перья пущу на шляпу! Пррак!

— Сам ты прак, глупый попугай, — со смехом сказала Лили и, достав из кармана миндальный орешек, протянула его Циско. Попугай с удовольствием принял угощение.

— О, дорогая, ты здесь. — В дверях стояла Квинта. — Мне показалось, что кто-то смеется.

Улыбка Лили сделалась натянутой, когда она заметила женщину, выглядывающую из-за плеча Квинты.

— Гонория Пенморли изволила приехать, чтобы сообщить, как поживает Артемис. И еще передать несколько колбасок из коптильни Пенморли. Эти колбаски славятся по всей стране, и мы, уверена, сможем оценить их по достоинству, — проговорила старая леди, предлагая гостье кресло рядом с камином. Сама Квинта села на жесткую скамеечку возле стены.

— Да, и еще клюквенные печенья. Смею заверить, что они у меня прекрасно получаются, — напомнила Гонория.

— Да, конечно, как я могла забыть! — всплеснула руками Квинта. — Эти ваши...

— Подними-ка ножку, моя сладкая. Ооох! Какая ты непослушная девчонка! — продекламировал Циско, невозмутимо посматривая своим круглым глазом на покрасневшую то ли от смущения, то ли от гнева гостью.

— Что за ужасное создание! — Леди Пенморли поморщилась.

— Не дуйся, малышка! Разве мы не молодцы? Пррраакк! Давай снимай ее, дай нам посмотреть, что у тебя там!

Госпожа Добродетель открыла рот и уставилась на попугая.

— Он и летать умеет? — спросила она слабым голосом. А если эта птица перелетит к ней на плечо?

— Еще как, — ответила Лили и, легко спрыгнув с подоконника, подошла к попугаю, чтобы угостить его миндалем. Пусть лучше щелкает орешки, чем болтает при леди Недотроге.

— Жаль, — пробормотала Гонория и посмотрела в окно. — Чудесный день, не правда ли? — заговорила она, понимая, что хозяева предоставляют ей самой вести беседу. — Поездка была приятной. Хотя с дорогой надо что-то делать. Мы часто видимся, а в будущем, надеюсь, станем встречаться еще чаще.

Квинта и Лили переглянулись: что хотела сказать этой фразой гостья?

— Когда сэр Роджер собирается возвратиться к жене? — спросила Квинта.

— На днях, — ответила Гонория. — Думаю, он вернется с Валентином на его корабле. Уверена, он хочет приехать как можно скорее.

— Я не знала, что сэр Роджер в отъезде, — сказала Лили, чтобы как-то поддержать разговор.

— Да, он ездил в Лондон, чтобы найти врача. Ближайший доктор живет в Труро, и я не в восторге от его мастерства. Роджер хочет, чтобы с его первенцем все было как надо, а лондонские доктора, естественно, лучше здешних. Мы не хотим, чтобы с наследником были неприятности.

— Да, — откликнулась Квинта, — надо, чтобы и у младенца, и у матери все прошло гладко. Не хотите перекусить, Гонория? У нас тут есть немного красного вина, а на десерт — печеные яблоки и пирожки.

— Спасибо, с удовольствием выпью чего-нибудь, чтобы согреться. Но, пожалуйста, не утруждайте себя из-за меня одной.

— Не беспокойтесь, Гонория. Лили, будешь?

— Спасибо, нет.

— Выпей немного горячего вина с пряностями. Это полезно и вкусно. Впрочем, у тебя и так на щеках играет румянец. Думаешь о чем-то приятном, моя голубушка?

Лили покраснела еще сильнее.

— Словно дикая розочка. — Квинта улыбнулась.

От тетки не укрылось, как недовольно поджала губы Гонория, оскорбленная тем, что в ее присутствии комплимент сделан другой женщине.

— Пожалуй, соглашусь. — Лили решила подыграть Квинте в ее странной игре.

— Ах да, как я забыла! Мы получили письмо от Мэри Лестер. Она пишет, что теперь может уехать от своей сестры. Та вернулась с дочерью, зятем и многочисленным потомством. Как я понимаю, ее попросили покинуть дом. Мэри пишет, что, если у вас есть желание, она могла бы приехать и служить у вас нянькой. А если няню уже нашли, то готова на любую другую работу. По-моему, неплохое предложение. Из того, что мне рассказывали о ней Тристрам и Дульси, она женщина весьма интересная. Я, правда, мало ее знаю. В Хайкрос мы почти не общались.

— Ведь дети не останутся здесь навсегда? — вдруг спросила Гонория.

Квинта недоуменно подняла брови.

— Не знаю. Это решать Валентину. А сейчас позвольте мне удалиться и приготовить для вас поссет. Новенькая кухарка Милли всегда жалеет яиц, и он выходит у нее жидкий, не такой, как надо.

Гонория повернулась лицом к огню, предоставив Лили возможность созерцать ее классический профиль. Свет падал на лицо так, что несколько резкие черты смягчались, окутанные золотистой дымкой.

— Прошлым вечером мы с Артемис говорили о том, какой должна быть хорошая жена и хозяйка дома. О том, что женщина должна быть опорой своему мужу, а не... помехой. Разумеется, женой такого влиятельного и обеспеченного человека, как Валентин Уайтлоу, должна стать женщина исключительных достоинств, поскольку, я не сомневаюсь, Валентин однажды получит рыцарство. И еще: его жена должна быть образцом добродетели, а репутация ее — безукоризненной. Я уже не говорю о том, что она должна уметь шить, плести кружева и прекрасно вышивать. Она должна уметь преподнести себя в свете, а для этого — уметь петь и музицировать. И самое главное, она должна уметь вести дом. Это качество особенно важно для той, чей муж постоянно бывает в отъездах. Да, супружество для женщины — вещь весьма серьезная. Прежде чем принимать предложение, надо хорошенько все взвесить. Неравные браки обычно плохо кончаются. — Леди Лучшая жена вздохнула. — Вы со мной согласны? Ведь вы не та девушка, которую надлежащим образом готовили к роли жены, хозяйки и матери. Более того, хочу напомнить, дорогая, что теперь, когда всем очевидно, что Хайкрос наследуете не вы, а мальчик, вам надлежит посмотреть правде в глаза и искать себе подходящую партию. Трагической ошибкой с вашей стороны было бы воспринимать чувства Валентина Уайтлоу к вам как нечто большее, чем чувство ответственности. Уверяю, вам не удастся сыграть на его доброте. Впрочем, довольно об этом. Мне бы хотелось услышать о ваших последних похождениях. Какую жизнь вы вели? Как она далека от того, что мы называем добродетелью? — Леди Гордость смерила Лили презрительным взглядом.

— Вот и я, — раздался голос Квинты. За теткой шла служанка с подносом в руках. — Надеюсь, вы тут не скучали?

Квинта с любопытством взглянула сначала на одну гостью, потом на другую. Гонория держалась прямо, гордо вскинув голову, а Лили, отвернувшись к окну, смотрела вдаль.

— Вовсе нет, — откликнулась леди Пенморли. — Вы дали нам с госпожой Лили возможность получше познакомиться. Мы поняли, что одинаково смотрим на многие вещи.

Гостья с улыбкой приняла дымящийся напиток.

— В самом деле, госпожа Пенморли очень любезно помогла мне разрешить некоторые сомнения. Теперь я точно знаю, как поступать. Совесть моя будет чиста, — сказала Лили, и ее зеленые глаза таинственно блеснули, а рука потянулась к сережке из испанского золотого дублона.

Сэр Раймонд Уолчемпс смотрелся в зеркало. Как он себе нравился! Черный бархатный камзол с золотым шитьем, шелковые панталоны лучшего качества, туфли с обитыми золотом носками делали его похожим на принца из сказки. Наряд довершал накрахмаленный кружевной воротник.

— Дурак! — Раймонд хлестнул по щеке нерадивого слугу, подававшего ему плащ. — Я велел принести тебе подбитый соболем, а ты притащил с шелковой подкладкой. Ты что, хочешь, чтобы я замерз?

— Нет, сэр, — промямлил слуга, мысленно пожелав хозяину околеть побыстрее. — На том плаще была маленькая дырочка. Его сейчас штопают, сэр.

— А почему там оказалась дырка? Из-за твоего недосмотра, поди.

— Сейчас принесу, сэр. — Слуга вытер кровь с разбитой губы и вышел из комнаты.

Сэр Раймонд между тем стал примерять шелковый черный берет. Черный шелк как нельзя лучше подходил к его светлым волосам. Повертев его то так, то эдак, Уолчемпс выбрал наконец удачное положение. Он даже присвистнул, до чего хорошо смотрелась приколотая к берету брошь.

Раймонд нетерпеливо завертел в руках золотой футляр ароматического шарика, висевшего на золотой цепочке у него на шее. Куда запропастилась эта Корделия? Уж очень хотелось увидеть ее восхищение.

Уолчемпс хозяйским взглядом обвел спальню с огромной
кроватью, украшенную миниатюрными амурами. Багряно-
красное покрывало, расшитое шелком, с золотыми кистями
по краям было наброшено на перину.

С потолка на царственное ложе глядели сцепившиеся в
смертельной схватке святые и демоны. Перед камином стояли стулья, обтянутые красным бархатом. Но самым главным украшением спальни, предметом тайной гордости
Раймонда был витраж с изображением сцены Страшного суда,
выдержанный в красно-голубой гамме.

В стене за деревянной панелью была потайная дверь. К
ней и подошел сейчас сэр Раймонд, открыл и заглянул в
глубь темного помещения, когда-то служившего комнатой
для прислуги. С хитрой улыбкой он ощупал руками стену,
отыскал задвижку и отпустил пружину, держащую дверь.

Едва ли кто-нибудь догадался, что дверь эта вела к
тайному ходу в соседний дом. Услышав шаги за дверью,
Раймонд торопливо прикрыл потайную дверь и стал ждать.

Впрочем, о бегстве он и не думал. Он не сомневался,
что дон Педро де Вилласандро справился со своей задачей.
Но даже если испанцу ничего сделать не удалось — Раймонд не волновался. Разноглазый знал: за его домом следят,
но обмануть ищеек лорда Берли не составит труда. Бежать
из страны он всегда успеет. Дворецкий получил приказ не
открывать никому, не доложив хозяину. Подозрительных
личностей тот ни за что не впустит. Настораживало одно: до
сих пор он не получил известия от испанского посла. Как
дела у дона Педро? Ничего не было известно и том, вернулся ли «Мадригал» в Лондон. Скорее всего это путешествие
будет для ненавистного англичанина последним.

— Черт возьми! — Корделия стояла в дверях, уставившись на Раймонда. — Я должна была догадаться, негодяй! Моя брошь! Она была у меня вчера, когда мы остались вдвоем в моей спальне. Теперь я припоминаю, как ты копался в моих драгоценностях. Отдай ее немедленно! Это самая дорогая вещь, которая у меня есть!

— В самом деле? — растягивая слова, произнес Раймонд. — А я думал, что для тебя всего дороже подаренное мной колье. Ты слишком привязана к этой никчемной безделушке. — Раймонд разглядывал себя в зеркале. — В самом деле, дорогая, эта брошь слишком броская. Впрочем, на моем берете она смотрится неплохо.

— Отдай мне брошь, Раймонд, — прошипела Корделия, надвигаясь на жениха.

— Не от того ли ты так дорожишь этой ерундой, что ее тебе подарил Уайтлоу? Кажется, ты всегда с радостью прыгала к нему в постель. Или я ошибаюсь?

— Свинья!

— Дорогая, тебе, право, стоит научиться сдерживать свои чувства. Ты должна понять: когда мы поженимся, все, что принадлежит тебе, станет моим. А со своей собственностью я могу поступать как хочу. Мне нравятся камни на этой брошке. Я прикажу расколоть ее на части, — медленно проговорил Раймонд, наслаждаясь беседой, как кот наслаждается игрой с пойманной мышью.

Корделия кинулась на него с кулаками. Но он схватил ее за руки.

— Пусти, Раймонд! Мне больно! Ты сломаешь мне руку! — закричала Корделия.

— Не смей больше кричать на меня. Я поступаю как хочу, и ты мне не указ, — прошептал Раймонд и отпустил ее.

— Смотри, что ты сделал! — Белое кружево манжеты было в крови. — Мне придется переодеться. Опять мы опаздываем, и все из-за тебя.

Корделия смотрела на своего жениха с ненавистью и презрением. Как она могла считать его привлекательным? Как ей пришла в голову мысль выйти за него замуж? Впрочем, Раймонд предстал перед ней в своем истинном свете только после того, как она приняла предложение. Только тогда под маской джентльмена она увидела жестокого и беспощадного злодея. Она сейчас жалела о своем выборе.

Раньше в его объятиях она испытывала дикое, ни с чем не сравнимое наслаждение. Он был страстным и изобретательным любовником, к тому же щедрым. Но теперь ее будущий муж превратился в язвительного типа, получавшего удовольствие от чужих страданий.

Он разговаривал с ней, как со служанкой или шлюхой, и брал то, что хотел, исключительно силой и принуждением.

— Куда пошла?

— Смыть кровь с рукава. Мне нужна вода.

— Возьми из кувшина.

— Если ты не возражаешь, я принесла бы немного свежей воды из кухни, — ответила она, осторожно продвигаясь к двери.

— Не смей. Я прикажу слуге принести воды. Кстати, где он? Он должен был принести мне плащ. Не слишком трудное поручение.

— Я напомню ему. — И Корделия, воспользовавшись моментом, улизнула из комнаты.

За дверью бедняжка перевела дух. Уж как-нибудь она найдет способ расторгнуть помолвку с этим чудовищем. Впрочем, неизвестно, что лучше: дрожать от страха всю жизнь, живя с ним, или вечно бояться, что он отомстит ей. «Пожалуй, второе лучше», — решила Корделия. Схватив плащ, она выпорхнула из дома. И нос к носу столкнулась с отрядом королевской стражи.

— Здесь проживает сэр Раймонд Уолчемпс? — спросил капитан.

— Да. Что произошло? — поинтересовалась Корделия.

— А вы кто? — сурово спросил капитан, с подозрением оглядывая женщину.

— Его не... его знакомая, — дрогнувшим голосом пролепетала Корделия. — Я как раз собралась уходить.

— Вы поранились?

— Да, — невесело усмехнулась она. — Я споткнулась и упала, а теперь спешу домой, чтобы перевязать ушиб.

— Так, значит, сэр Раймонд дома? — уточнил капитан.

Корделия Хауэрд чувствовала неладное. Ее судьба зависела от того, правильно ли она будет действовать дальше.

— Проходите, господа, хозяин к вашим услугам. Он ждет вас в спальне, на втором этаже, сразу налево, не так ли, Мэтсон? — спросила она растерявшегося дворецкого. Ведь хозяин приказал стоять насмерть и не пускать в дом незваных гостей.

— Да, совершенно верно, — сообразил наконец Мэтсон: не стоило ради хозяина рисковать самым дорогим, что у него было — собственной жизнью. — Я как раз собирался принести ему плащ. Но вот, думаю, может, он сейчас и не пойдет никуда, так ему плащ и не понадобится.

— Пойти-то пойдет, только вот едва ли на прием. Нам понадобится ваша помощь, — заявил капитан.

Раймонд Уолчемпс поправлял кружевной воротник. Когда же наконец придет этот олух с плащом?

— Какого черта... — начал он, услышав шаги, и осекся на полуслове. В дверях стоял капитан королевской стражи.

— Прошу вас, пройдемте с нами, сэр Раймонд Уолчемпс, — произнес капитан.

Раймонд рванулся было к своей потайной дверке, но стража отрезала ему все пути к бегству.

***

Валентин Уайтлоу стоял в дверях огромного зала в Риверхасте. Мустафа — позади него. С высокого потолка сви-
сали люстры с сотнями зажженных свечей. В комнате было
светло как днем. Стены украшали гобелены и цветные фрес-
ки. Герои сказаний и мифов, вытканные на коврах или нарисованные на штукатурке, оживали, освещенные пламенем
очага. Столы ломились от яств. Артисты из числа близких
друзей сэра Уильяма и его жены разыгрывали спектакль.
Все герои были в масках. Джордж Хагрэйвс изображал
Орфея, покровителя певцов и музыкантов. Девять прекрас-
ных муз собрались вокруг него. На заднике колыхалось море,
а восемь детей, загримированных под фей и духов, легко
порхали по сцене. Зрители аплодировали артистам. Финальная
сцена была самой лучшей.

В тихом уголке, там, где располагался маленький ор-
кестр, собрались любители поиграть в карты. Другие гости,
помоложе, танцевали.

— Я нигде не вижу мамы, — сказал Саймон, подойдя
к Валентину. — Наверное, она укладывает спать Бетси и
Уилфреда. Кстати, Валентин, тебе не кажется, что стража,
которую ты привел с собой, привлекает ненужное внимание?
Не хочется, чтобы праздник был испорчен. Пойду поищу
сэра Уильяма.

— Не стоит, Саймон, — остановил племянника Валентин. — Я сам поговорю с твоим отчимом.

— Ну конечно, я понимаю, — прошептал юноша. —
Но мне ты можешь доверять. Так это сэр Роджер! Я не
знал, что он в Лондоне. Мне казалось, что он с Артемис в
Пенморли... Боже, взгляни-ка на Джорджа! — Младший
Уайтлоу глядел на коротышку в тоге с венком из плюща на
голове, танцующего в обнимку с высокой богиней. «Орфей»
так был озабочен тем, чтобы не дать свалиться венку с
головы, что постоянно наступал на ноги своей даме.

Томас Сэндрик стоял с бокалом вина и внимательно слушал жену.

Вдруг веселая толпа смеющихся масок окружила Валентина, и Томас Сэндрик, и Джордж, и сэр Роджер пропали из виду.

— Валентин! Поздравляю с возвращением! — раздался чей-то бас.

— О, Саймон! Леди Элспет будет несказанно рада, что ты вернулся цел и невредим! — закричал кто-то визгливым голосом. — Не представляю, как она позволила тебе сесть на корабль после того, что случилось с твоим отцом. Я бы на ее месте...

— Леди Деннинг, — ледяным тоном произнес Саймон и в этот момент стал очень похож на своего покойного отца.

— Вы здесь сегодня с сэром Чарльзом? — спросил у дамы Валентин.

— Знаете, у него едва все не сорвалось. Какие-то неотложные дела. Но я его уговорила все бросить ради этого праздника, и теперь он мне благодарен. Одно зрелище Джорджа Хагрэйвса в роли Орфея чего стоит! Впрочем, вначале эту роль должен был играть совсем другой человек — Раймонд Уолчемпс. Но он так и не появился, и пришлось срочно все переделывать. И еще, представляете, сюда явилась эта хищница Корделия Хауэрд, одна, без жениха. Кстати, вот она — милуется с юным повесой Ральфом. Что сказать? Нравы приходят в упадок. Вот раньше...

— Где сэр Чарльз?

— Где-то здесь. По-моему, играет в кости, — рассеянно сказала леди Деннинг, но, взглянув туда, где недавно оставила мужа, нахмурилась. — Только что был там. Интересно, где его носит? Если я опять поймаю его с какой-нибудь девкой из прислуги... А что здесь делают эти молодцы?

Громкий голос леди Деннинг привлек внимание нескольких гостей к стражникам, стоящим у дверей.

— Капитан. — Мустафа кивнул в сторону сэра Чарльза, который, увидев свою жену в сопровождении стражи, тут же распрощался с мыслью последовать наверх за хорошенькой рыжеволосой служанкой, с которой уже успел столковаться.

— Сэр Уильям, идите сюда! — Саймон заметил отчима.

Сэр Уильям оглянулся на голос и увидел пасынка, махавшего ему рукой. Позади Саймона стоял Валентин, а за ним — отряд королевской стражи.

Валентин Уайтлоу смотрел Уильяму прямо в глаза. Слова были не нужны. Оба знали правду.

Сэр Уильям и был тем самым вторым англичанином, которого десять лет назад увидел в Санто-Доминго Бэзил.

— Что случилось? — спросил Саймон, заметив, как побледнел отчим. — Куда он пошел?

Между тем сэр Уильям исчез среди гостей. Валентин тоже куда-то внезапно пропал. Мустафа, а за ним несколько солдат протискивались среди танцующих.

Саймона Уайтлоу словно ледяной водой окатили. Вдруг он понял все. Мама, бедная мама. Испания забрала у нее одного любимого человека, теперь Англия забирает другого. Как это несправедливо — лучшие друзья оказались тайными врагами.

Саймон развернулся и вышел из притихшего зала. Он знал, где сейчас сэр Уильям. Валентин, наверное, тоже там.

Он быстрым шагом пошел по коридору, ведущему к часовне, но у арки его остановил Мустафа.

— Он там? — спросил Саймон.

Мустафа не ответил.

— Подожди, Саймон! — Валентин нагнал племянника. — Тебе лучше остаться здесь. — И он повернулся к Мустафе: — Он там?

— Там. Мустафа видеть. Он ходить сюда. Мустафа ждать.

Валентин вошел в часовню.

На всю жизнь в его память врезалась эта сцена. Полутемная часовня. Прохлада и покой. В этом месте чувствуешь себя ближе к Богу. Здесь кажется, что молитвы доходят до Всевышнего быстрее, и есть надежда замолить грехи и успокоить нечистую совесть. Здесь и предпочел закончить свою жизнь сэр Уильям. Веревка спускалась с одной из балок. Было непонятно, как несчастный смог забраться на такую высоту.

Все кончено.

Выйдя из часовни, Валентин пристально посмотрел в глаза своему верному слуге и шепнул:

— Ты знал?

Турок кивнул:

— Мустафа видеть — смерть летать. Он уходить, Мустафа тоже. Мустафа все понимать. Честный человек.

— Пошли, Саймон. — Валентин положил племяннику руку на плечо.

Саймон зарыдал.

Лили Кристиан скакала на Весельчаке по узкой тропинке, идущей по самому краю скалистого берега. От быстрой езды она раскраснелась, волосы ее растрепались, сердце стучало. Осталось проехать пустошь, и за мысом откроется бухта. Лили пришпорила коня. Сердце колотилось как бешеное. На горизонте показался силуэт корабля. Это был «Мадригал». Валентин Уайтлоу возвращался в Равиндзару.

— Пошли, Весельчак, — прошептала Лили на ухо своему любимцу. — Пошли домой.

Белый конь полетел как птица.

Лили вошла в дом через флигель, стараясь остаться незамеченной. Она готовила Валентину сюрприз. Она будет выглядеть не хуже Гонории.

Переодевшись, Лили выпорхнула из комнаты и помчалась в гостиную, где ждал ее Валентин.

Перед дверью она остановилась, дышалась. Затем вошла.

Уайтлоу стоял у окна и смотрел на берег. Точно так же она столько дней подряд оглядывала горизонт, надеясь увидеть паруса «Мадригала».

Лили не заметила, как он повернулся. Только поняла вдруг, что смотрит в его глаза и чувствует то странное головокружение, которое испытала, когда впервые заглянула в эту бирюзовую глубину. Взгляд его был похож на взгляд голодного хищника, который увидел добычу.

— Валентин! — воскликнула Лили.

— Что? — холодно откликнулся он, будто перед ним была незнакомка.

— Валентин...

— Господи! — Он наконец узнал свою русалку и засмеялся: — Что ты с собой сделала?

— Я думала, тебе будет приятно, — пробормотала Лили.

— Приятно? Я вернулся домой, чтобы увидеть, как самая красивая женщина в мире скачет вдоль обрыва на этом проклятом жеребце... И что я вижу теперь? Моя рыжеволосая бестия вдруг превращается в прилизанную пуританку! И после этого я должен быть доволен? Редко мне доводилось испытывать подобное разочарование. Может, ты объяснишь мне причины этих... этих перемен? — спросил он, обходя ее кругом.

На Лили было серое шелковое платье, закрытое, без украшений, если не считать маленького белого воротничка и манжет. Но самым страшным преступлением в глазах Валентина было то, что она заплела свои чудесные густые волосы в косу и спрятала ее под чепцом без единой кружевной оборочки.

— Я всего лишь хотела выглядеть прилично. Я думала, что тебе это понравится. Я сделала это для тебя. — Лили была готова заплакать.

Он сейчас уйдет, и все между ними будет кончено. Опустив голову, она ждала, что дверь хлопнет.

И вдруг Лили почувствовала, как он расстегивают крючки на ее платье.

— Валентин! Что ты делаешь?!

— Освобождаю тебя от этого барахла, — прошептал он и лизнул ее ухо, потом тихонько куснул в шею.

Несколько мгновений — и платье упало к ее ногам. Еще миг, и Валентин сорвал с ее головы безобразный чепец и бросил его на пол. С удивительным проворством он расплел толстую косу. Темно-рыжие волосы упали на ее плечи, словно тяжелое шелковое покрывало. Затем Валентин развернул любимую к себе, заглянул в глаза и тихо сказал:

— Осталось сделать кое-что, чего мне так недоставало.

— Пррраакк! Поцелуй нас, сладенькая! — закричал попугай.

— Спасибо, Циско, именно это я и хотел сказать. — И Валентин прильнул к губам Лили.

Эпилог

Царственный сей остров,
Страна величия, обитель Марса,
Трон королевский, сей второй Эдем,
Противу зол и ужасов войны
Самой природой сложенная крепость...
Сей мир особый, дивный сей алмаз
В серебряной оправе океана...
...Англия, священная земля...

Уильям Шекспир*.

— Да здравствует королева Англии Елизавета!

В платье из золотой парчи, в малиновом плаще, в короне королева Елизавета проезжает по улицам столицы своего королевства. Королева Елизавета, благословленная на царствование в сентябре тысяча пятьсот тридцать третьего года, празднует сегодня свое пятидесятилетие. Четверть века правила она страной. Единственная дочь короля Генриха VIII и Анны Болейн, так несчастливо окончившей свою жизнь, сумела не только завладеть троном, но и превратить годы своего правления в то, что позднее будет названо Золотым веком Империи.

---

* Пер. Мих. Донского.

— Господь, храни королеву!

В небе развеваются знамена. Бьют барабаны. Гремят трубы. Следом за королевой верхом на гнедом коне едет главный конюх ее величества. Под уздцы он ведет белую лошадь в золоченой попоне — любимицу царственной особы. За ним едут начальник королевской гвардии и конные гвардейцы. Затем — придворные. Уздечки коней усыпаны драгоценными камнями. Потом выезжают священнослужители, главы гильдий и прочая знать.

Узкие улицы города запружены людьми самого разного рода: от простолюдинов и жителей окрестных деревень, приехавших поглазеть на праздничную процессию, до нарядных господ в каретах и верхом. Перед каретами знати идут слуги в бархатных ливреях. Ударами кнутов они разгоняют народ, чтобы освободить путь своим господам. При этом крики и проклятия задавленных или покалеченных в расчет не принимаются. Повсюду из окон трехэтажных домов, выставивших этажи, как локти, на улицу выглядывают люди. В дверных проемах стоит народ. Со всех сторон на мостовую летят цветы: и нежный скромный розмарин, и лаванда, и красные и белые розы — символ династии Тюдоров, — все они ложатся ковром, устилая путь ее величеству.

— Да благословит Господь мой славный народ! — повторяет Елизавета.

Сэр Валентин Уайтлоу, недавно посвященный в рыцари королевой, стоит на украшенном цветами балконе. Рядом с ним в темно-зеленом бархатном плаще, расшитом золотом и жемчугами — его леди. Волосы ее отливают червонным золотом.

Леди Лили Франциска Уайтлоу прижимается к мужу. Он что-то шепчет ей на ухо, и она вспыхивает. В ее зеленых глазах светится любовь. Рука Валентина скользит по округлившемуся животу жены. В этот момент внутри шевелится ребенок. Лили удивленно смотрит в улыбающееся лицо мужа.

Она знает, что и любимый почувствовал первый толчок нового человека, которому они дали жизнь. Скоро им предстоит вернуться в Равиндзару. «Мадригал» стоит в лондонском порту, и команда корабля ждет приказа капитана.

Рядом с сестрой стоит Тристрам Кристиан — законный наследник старинного дома Кристианов. Не беда, что он пока мал и поэтому живет с Валентином и Лили в Равиндзаре. Рискуя свалиться, Тристрам то и дело перегибается через перила, чтобы получше разглядеть процессию. Лицо мальчика расплывается в улыбке всякий раз, как он оглядывается на своих давних друзей, наблюдающих за развернувшимся на улице действом с того же балкона. Двое мужчин, один низкий и темноволосый, другой — белобрысый гигант, качают на руках орущих младенцев. А Тилли — гордая мать тройняшек — держит свою единственную дочь, мирно посапывающую во сне. Тилли улыбается мудрой улыбкой женщины, прекрасно понимающей, что теперь и ее муженек, и зять едва ли смогут найти время и силы для проказ и шалостей.

Дульси Уайтлоу протиснулась между сестрой и братом. Темные глаза ее горят от восхищения, а маленькие ножки в шелковых туфельках никак не могут устоять на месте. Ее смех и восторженные возгласы рождают улыбки.

Здесь находятся все члены семьи Уайтлоу и близкие друзья. Квинта, сэр Роджер, Артемис и их дочь Элизабет Мэри-Роз. В Равиндзару они поедут вместе. Джорджа Хагрэйвса почти не видно из-за стоящей рядом с ним женщины, выше его на целую голову. Но их нисколько не смущает разница в росте. Восхищенно глядя сверху вниз на своего жениха, леди улыбается его шуткам. Справа от Валентина, положив правую руку на рукоять ятагана, стоит Мустафа. Его лицо преображается неким подобием улыбки, когда он смотрит на своего господина и его леди.

Вскоре они поплывут вдоль скалистых берегов острова, который когда-то встретил его туманной дымкой. Скоро все они вернутся домой в Равиндзару, где всегда дуют теплые ветры с моря.

На другой стороне улицы, тоже на балконе, стоит Саймон Уайтлоу. Он привез своих брата и сестру посмотреть процессию. Ее величество благосклонно отнеслась к юноше. Тот послал королеве прошение, и повелением царственной особы детям Уильяма Дэвиса было разрешено выезжать в свет.

Пока еще повсюду на улицах города проходит пышное празднество. Глухо грохочет пушка в честь годовщины. Веселье закончится еще не скоро. После захода солнца небо над Лондоном расцветет фейерверками и дождем конфетти.

Над городом звенят колокола. А в синем небе плывут облака — белые кони.

НОВЫЕ СОВРЕМЕННЫЕ ЛЮБОВНЫЕ РОМАНЫ

СЕРИЯ «ИНТРИГА»